MAIN BASSE SUR LE CANADA

DU MÊME AUTEUR

Behind the Mitre: the Moral Leadership Crisis in the Canadian Catholic Church, Toronto, Harper Collins Publishers, 1995.

The Emergence of Corporate Rule and What To Do About It, San Francisco, International Forum on Globalization, 1996.

MAI: the Multilateral Agreement on Investment and the Threat to Canadian Sovereignty (en collaboration avec Maude Barlow), Toronto, Stoddart Publishers, 1997.

MAI Round 2: New Global and Internal Threats to Canadian Sovereignty (en collaboration avec Maude Barlow), Toronto, Stoddart Publishers, 1998.

Challenging Corporate Rule: a Workbook for Youth Activists (en collaboration avec Sarah Dopp), Ottawa, Canadian Centre for Policy Alternatives, 1998.

Tony Clarke

MAIN BASSE SUR LE CANADA
ou la tyrannie de la grande entreprise

Préface de Léo-Paul Lauzon

traduit par Florence Bernard

Boréal

Les Éditions du Boréal remercient le Conseil des Arts du Canada ainsi que le ministère du Patrimoine canadien et la SODEC pour leur soutien financier.

Illustrations de la couverture et de l'intérieur : Éric Godin.

Diffusion au Canada : Dimedia
Diffusion et distribution en Europe : Les Éditions du Seuil

L'édition originale de cet ouvrage a été réalisée en collaboration par The Canadian Centre for Policy Alternatives et James Lorimer & Co. sous le titre *Silent Coup : Confronting the Big Business Takeover of Canada.*

Données de catalogage avant publication (Canada)

Clarke, Tony

    Main basse sur le Canada ou la tyrannie de la grande entreprise
    Traduction de : Silent Coup.

    ISBN 2-89052-940-1

    1. Grandes entreprises – Canada. 2. Entreprises multinationales – Aspect politique – Canada. 3. Canada – Politique économique – 1991- . 4. Politique industrielle – Canada. 5. Participation politique – Canada. I. Titre.

HD2809.C5314   1999   322'.3'0971   C99-940120-3

Préface

Préfacer cet ouvrage, qui condamne courageusement la mainmise du grand patronat sur notre destinée collective, est un plaisir et un honneur pour moi. Je tiens à saluer son auteur, Tony Clarke, et à remercier le Centre canadien de politiques alternatives, pour avoir facilité la publication du livre en anglais. Le néolibéralisme est loin d'être seulement un modèle économique théorique. C'est au nom de ce système, financé à coup de centaines de millions de dollars dans le monde par le grand capital, que l'on a charcuté au Québec et au pays nos acquis collectifs.

Dans les faits, le néolibéralisme, qui prône l'État minimal, profite avant tout à une minorité de privilégiés, au détriment des travailleurs, des jeunes, des femmes, des démunis, des régions, des personnes âgées, des malades et même des petites et moyennes entreprises. Alors, s'il est vrai que l'application de ce modèle économique profite à une minorité de nantis, comment se fait-il qu'il ait été mis en pratique? Comment se fait-il que la majorité des gens, les politiciens, les syndicats, les démunis, etc., ne lui aient pas opposé une fin de non-recevoir? Comment se fait-il que les médias, les intellectuels, les universitaires, etc., n'aient pas dénoncé ouvertement ce système afin de sensibiliser la population quant à ses nombreux effets pervers?

La réponse, c'est que ce système économique est financé outrageusement par le grand capital. On a d'abord créé et financé des instituts privés et universitaires qui, sous le couvert d'un certain vernis scientifique, ont fomenté des modèles et des concepts, ont créé de faux problèmes avec, évidemment, de fausses causes et de fausses solutions, ont amplifié les problèmes, ont prédit des scénarios apocalyptiques si les « bons remèdes » n'étaient pas appliqués et ont carrément menti dans plusieurs cas. Puis, ils ont financé généreusement les « bons » partis politiques et ont pris le contrôle des médias écrits et parlés.

Tout cela a fait de nous des orphelins, politiquement et même syndicalement, car, il faut bien le reconnaître, ils ont réussi le tour de force assez incroyable d'embarquer avec eux les grandes centrales syndicales dans des concepts comme le déficit zéro, le partenariat, la concertation, la déréglementation, la privatisation, la fiscalité dite « compétitive », etc.

Le duo politiciens-patronat, qui ressemble de plus en plus à un duo de nageurs synchronisés, de pair avec « leurs » médias et « leurs » intellos, a réussi à intoxiquer les gens et à les culpabiliser dans bien des cas. On leur a carrément menti lorsqu'on leur a dit que les programmes sociaux étaient à l'origine du déficit et de la dette du pays, que nous étions près de la faillite, que la diminution des impôts sur le revenu des entreprises et des riches allait stimuler l'emploi et l'investissement, que le libre-échange allait nous submerger de richesses et avoir un impact positif sur nos programmes sociaux, que les fonctionnaires, qui sont dans les faits des commis d'État, étaient les gras durs du système, que les privatisations de nos instruments collectifs seraient bénéfiques pour tous.

Et puis ce qui devait arriver arriva. Du Parti conservateur fédéral de Brian Mulroney au Parti libéral fédéral de Jean Chrétien, du Parti libéral provincial de Daniel Johnson au Parti québécois « social-démocrate » de Jacques Parizeau et de Lucien Bouchard, jusqu'aux Ralph Klein en Alberta et Mike Harris en Ontario, on a procédé à des coupes draconiennes dans les budgets consacrés à la santé, à l'éducation, à la culture, aux prestations aux chômeurs, à l'aide aux assistés sociaux, au transport en commun. On a privatisé sans aucune étude sérieuse le CN, Air Canada, Canadair, Petro-Canada, le Mont Sainte-Anne, les stationnements de Montréal, Téléglobe, Télésat, le système de contrôle du trafic aérien, les aéroports de Dorval et de Mirabel, les ports, et on a privatisé partiellement Hydro-Québec, la Société des alcools du Québec, nos systèmes de santé et d'éducation et j'en passe.

Ne reculant devant rien pour parvenir à ses fins, le privé a orchestré d'immenses séances collectives de lavage de cerveau grâce à ses pseudo-instituts de recherche, le Fraser Institute, le C. D. Howe Institute et le Conference Board, et on a inondé les universités canadiennes de chaires privées aux noms de Bombardier, Seagram, Molson, Desjardins, Merck Frosst, afin de s'approprier les universitaires dotés d'une « attitude » dite positive. Pour les impurs qui osent critiquer la dictature de la pensée unique du néolibéralisme, les quolibets fusent. On les taxe d'être des passéistes, des dinosaures, des attardés et des retardés, des communistes, ainsi de suite. Et si ces derniers persistent dans leur « négativisme », on leur rétorque que de toute façon ces multiples mesures qui anéantissent nos acquis sociaux et nos biens communs sont incontournables, qu'il n'y a rien à faire et qu'il faut à tout prix s'ajuster et s'adapter à la mondialisation. Aujourd'hui, quiconque n'est pas d'extrême droite, surtout en Amérique du Nord, est considéré comme un gauchiste.

Je tiens à le répéter, je ne suis pas contre le libéralisme économique accompagné d'une justice sociale digne de ce nom. Je n'ai jamais prétendu qu'il faille arriver à une parfaite égalité économique pour tous. J'admets les inégalités économiques, jusqu'à un certain seuil tolérable, pour autant que l'on assure à toutes et à tous l'accessibilité universelle aux biens sociaux premiers. Si j'avais tenu il y a vingt ans le discours que je tiens aujourd'hui, j'aurais été perçu comme un gars de la droite, et à formuler en France les mêmes propos que je tiens ici, je serais encore associé à une certaine droite française.

Le marché est fort de notre ignorance collective. Si quelques-unes des coupes sauvages que l'on a effectuées ici dans nos programmes sociaux avaient eu lieu dans l'ex-Union soviétique, tous les médias et les bien-pensants d'ici s'en seraient indignés et ces « horreurs » auraient fait la une de nos médias. Si ces mêmes actions insensées et parfois inhumaines avaient été commises par nos gouvernements il y a vingt ans, *nous serions descendus dans la rue à coup de dizaines de milliers afin de dénoncer ces atrocités. Mais les temps ont bien changé, la pauvreté, pour ne pas dire la misère, augmente chez nous à un rythme affolant, des gens souffrent et meurent dans un système de santé devenu inhumain, des millions d'individus perdent une grande partie de leur dignité en ne pouvant pas travailler, faute d'emploi, ou en étant tenus d'accepter des « jobines » sous-payées et temporaires, des jeunes défavorisés n'ont plus accès aux études avancées, la charité s'offre de plus en plus en spectacle dans des guignolées et des téléthons. Tout ça au moment même où l'on baigne dans l'opulence économique.*

Il faut bien l'admettre, depuis 1990, les entreprises canadiennes réalisent des profits records année après année. Les indices boursiers ont atteint également des niveaux records, ce qui enrichit au passage les détenteurs de capitaux qui, comme si ce n'était pas suffisant, reçoivent encore plus de nos gouvernements qui leur octroient des privilèges fiscaux supplémentaires au moment même où ils s'en prennent allègrement aux démunis et à la population en général. Mais, où est donc passée toute cette richesse ? Comment se fait-il qu'il n'y ait jamais eu autant de pauvreté ? Comment se fait-il que les recettes de l'État n'aient pas augmenté au même rythme que la croissance de la richesse au pays ? Comment se fait-il que l'État en soit encore tenu à couper dans l'éducation, la santé, la sécurité du revenu, à privatiser ?

La réponse est à la fois simple et déplorable. C'est qu'il n'y a plus de redistribution équitable de la richesse par l'État. Nos élus politiques, devenus les porte-queue du patronat, ont eux-mêmes, avec leurs alliés affairistes, réduit de façon radicale le rôle et la taille de l'État. Ils ont endossé le principe de l'État minimal, ont réduit la fiscalité des entreprises et des nantis, ont favorisé l'émergence des hôpitaux et des écoles privés, ont provoqué la précarisation de l'emploi par la déréglementation du marché du travail et la mise à pied de milliers de fonctionnaires, ont mis l'épaule à la roue pour diminuer les salaires, allant jusqu'à créer des emplois sous-payés avec la mise en place de l'économie sociale, système approuvé par les centrales syndicales, d'ailleurs. Ils ont encouragé le nivellement par le bas des salaires et des programmes sociaux en signant une multitude de traités de libre-échange, qui font maintenant en sorte que tous les travailleurs et toutes les nations de la Terre sont en compétition pour des salaires de subsistance et des impôts dérisoires, si impôts il y a.

Sans une fiscalité équitable, il n'y a pas de redistribution de la richesse. Sans recettes fiscales suffisantes, il n'y a pas d'État. Et c'est ce qui se produit depuis plusieurs années, et c'est ce qui se poursuivra si nous ne nous réveillons pas. Il est tout de même bizarre que le patronat prêche pour l'État minimal et même l'État-néant au moment même où il applaudit l'émergence de gigantesques entreprises multinationales. Nous sommes donc aujourd'hui confrontés à la réalité de l'État-nain face à des conglomérats colossaux présents dans plusieurs pays. La belle affaire! Il en est mieux ainsi, qu'ils nous disent. Tout le monde va en profiter, car plus vous donnez d'avoine au cheval, plus il tombera par terre des graines pour les petits moineaux que nous sommes. Avec l'État minimal et avec la déréglementation du marché du travail, l'individu retrouvera sa liberté perdue et même volée par l'État-providence, qu'ils nous disent encore. Par contre, ce qu'ils ne nous disent pas, c'est que l'individu tombera sous le joug de la dictature du marché contrôlé par une poignée de multinationales, avec ses conditions de travail minimales et avec leur pouvoir oligopolistique de fixer le niveau des prix aux consommateurs comme bon leur semble. Travailleurs, consommateurs, politiciens, nations sont prisonniers de ces cartels privés, devenus, dans certains cas, plus gros et plus puissants que les États.

Deux cas vont expliciter en partie notre point de vue. La Chaire d'études socioéconomiques vient tout récemment de terminer deux études distinctes sur les industries pharmaceutique et pétrolière qui, comme on le sait, sont contrôlées dans le monde par une poignée de sociétés gigantesques qui font la loi, qui mettent à genoux les travailleurs, les consommateurs, les pays hôtes, les politiciens, au profit de leurs dirigeants et de leurs actionnaires.

L'analyse des états financiers des principales sociétés pharmaceutiques brevetées dans le monde nous a permis de constater que ces dernières réalisent un taux de rendement annuel après impôts sur l'avoir *des actionnaires de plus de 30 % depuis 1994, ce taux ayant même atteint près de 36 % en 1996. Selon la revue américaine* Fortune, *qui est loin d'être d'obédience socialiste, l'industrie pharmaceutique arrive au premier rang dans la liste des 40 industries recensées pour leurs rendements sur ventes, sur l'actif total et sur l'avoir des actionnaires, et ce, depuis 1993. On parle bien, ici, de taux de rendement après impôts sur le revenu, ce qui veut dire que le rendement avant impôts sur leurs investissements est d'au moins 50 %. Qui dit mieux? Et, loin de réinvestir leurs énormes profits dans l'entreprise afin de créer des emplois, de construire de nouvelles usines ou de moderniser les usines existantes, et d'investir massivement dans la recherche et le développement, elles ont versé, de 1992 à 1996 inclusivement, 87 % de leurs bénéfices à leurs actionnaires sous forme de dividendes et de rachats d'actions. C'est donc dire qu'une maigre proportion de 13 % de leur profit net a été réinvestie dans l'entreprise.*

Alors que les prix des médicaments brevetés ne cessent d'augmenter et qu'ils grèvent une partie de plus en plus importante du budget global consacré à la santé par les gouvernements, ces derniers continuent à saupoudrer les sociétés pharmaceutiques d'aides gouvernementales par le biais de subventions directes, d'allégements fiscaux et de réglementations favorables comme celle qui a fait passer, en 1993, la durée de protection des brevets de 10 ans à 20 ans au Canada. Si le coût des médicaments a connu une hausse fulgurante dans le budget annuel de la santé au cours des dernières années, notre élite politique, qui n'a ni le pouvoir ni le courage de s'attaquer à ces monstres privés, s'est montrée plus brave en procédant à des coupes draconiennes dans les soins de santé consentis à la population en général (urgences, hospitalisations, opérations, analyses, radiologies, etc.), si bien qu'aujourd'hui des gens meurent, faute de soins appropriés.

C'est aux États-Unis qu'on trouve le système de santé le plus privatisé de tous les pays occidentaux et c'est aussi dans ce pays que le coût des soins de santé par habitant est, et de loin, le plus élevé. Et dire que certains ne cessent de nous vanter la supériorité intrinsèque du privé par rapport au public. Nos politiciens québécois et canadiens connaissent bien cet état de fait, ce qui ne les empêche pas de privatiser à grands coups notre système public de santé. Mais lorsque les données empiriques démontrent clairement que, pour la production de biens et de services publics, et d'autres aussi, le public est plus efficace que le privé sur le plan socio-économique, les meneurs de claque du néolibéralisme nous sortent une autre cassette dans laquelle il est dit que la privatisation des soins de santé au profit des nantis est nécessaire, que cela permettra de désengorger les urgences, les salles d'opération et les lits du service public de santé, que c'est une question de liberté, qu'il faut introduire la compétition public-privé car cela est un phénomène naturel, qu'il faut permettre à ceux qui en ont les moyens de se payer ce qu'il y a de mieux, et tant pis pour les autres, qu'il faut se libérer du système public unique qui tire ses origines du système communiste, etc.

Il en est de même pour les arguments qui nous sont servis en faveur de la privatisation d'Hydro-Québec. Comme cette société d'État est rentable et qu'elle offre les tarifs d'électricité parmi les plus bas du monde, les tenants du néolibéralisme, n'étant jamais à court d'arguments aussi ridicules les uns que les autres, nous disent que sa privatisation serait une bonne affaire car ainsi les tarifs d'Hydro seraient ramenés à la valeur du marché même si cela signifie des hausses de plus de 60 % pour les consommateurs. On nous dit aussi que cela permettrait aux investisseurs québécois (les nantis) de placer leur argent dans une société d'utilité publique québécoise (pour combien de temps?) privatisée. Selon les économistes néolibéraux, les bas tarifs d'électricité actuels encouragent l'abus de cette ressource publique. Ils se font tout d'un coup écologistes. Mieux vaut en rire qu'en pleurer.

Quant à l'industrie pétrolière, qui, comme l'industrie pharmaceutique d'ailleurs, est contrôlée massivement par des multinationales étrangères, la situation est aussi ridicule et montre jusqu'à quel point nous nous appauvrissons collectivement au profit des détenteurs de capitaux qui, bien souvent, sont étrangers. Elle démontre également à quel point nos gouvernements sont devenus à la fois complaisants et impuissants face aux multinationales et illustre éloquemment qui sont les véritables profiteurs de la « mondialisation », comme ils l'appellent.

Trois des quatre majors pétrolières canadiennes sont détenues par des étrangers, soit Impériale-Esso, Shell et Ultramar. Quant à la quatrième, Petro-Canada, qui fut naguère un joyau étatique que l'on a privatisé en 1991, elle se « décanadianise » à un rythme accéléré. Au cours des quatre dernières années (1994-1997), Impériale-Esso, Shell et Ultramar ont réalisé au Canada des bénéfices nets de 4,7 milliards de dollars et ont versé à leurs actionnaires 6,6 milliards de dollars, soit 140 % de leurs profits, alors que 5,3 milliards de dollars ou 113 % de leurs bénéfices sont allés dans les poches d'investisseurs étrangers. Pour la même période de temps, ces trois entreprises pétrolières étrangères ont effectué un investissement net négatif de 3,1 milliards de dollars au pays. Au cours des sept dernières années (1990-1997), Impériale-Esso, Shell et Petro-Canada ont fermé 4 500 stations-service, soit 41 % de tous leurs points de vente, et licencié 15 178 employés, soit 48 % de leur effectif total de 1990. Et dire que l'on ne cesse de nous seriner que plus les entreprises réalisent de gros profits, plus elles investissent, plus elles créent d'emplois, plus elles paient des impôts, plus elles créent de la richesse et que tout le monde en profite, quoi ! Ça c'est la cassette dogmatique et doctrinaire du patronat et de ses agences d'escortes. C'est de la bouillie pour les chats que l'on nous sert pour mieux nous laver la cervelle. C'est une théorie économique caduque qui ne résiste pas bien longtemps aux faits. Certes, la richesse se crée, et amplement en plus de ça, mais principalement au profit des détenteurs de capitaux que sont les actionnaires de ces firmes et bien souvent au détriment de l'emploi, de l'investissement et de l'enrichissement collectif. Soulignons en passant qu'en 1997 Petro-Canada a réalisé un bénéfice record avant impôts de 636 millions de dollars et a eu droit à un remboursement d'impôt de 41 millions de la part de nos gouvernements. Nos mesures fiscales sont vraiment équitables ! Il ne faut surtout pas suggérer la mise en place d'un impôt minimum pour les entreprises afin de contrer ce type d'aberrations, au risque de passer pour un malade mental.

Toutes les études le démontrent, tant celles de l'OCDE et de l'ONU sur le plan international que celles du Conseil national du bien-être au Canada, le néolibéralisme a accentué radicalement le fossé entre les riches et les pauvres, et principalement dans les pays où l'on a appliqué plus intensément ce système économique, comme aux États-Unis et en Grande-Bretagne. D'ailleurs, c'est aux États-Unis que l'écart entre les riches et les pauvres est le plus grand. Pourtant, c'est ce pays qui nous est cité continuellement en exemple par Jean Chrétien, Lucien Bouchard, Jean Charest, Mike Harris, Ralph Klein et cie.

C'est aux États-Unis que l'on trouve 40 millions de personnes qui ne sont protégées par aucun régime d'assurance-santé, 30 millions d'affamés, que 20 % des travailleurs sont des working poor, que 4 % des individus gagnent autant que 51 % de leurs concitoyens aux salaires plus modestes, que 8 millions de travailleurs occupent plus d'un emploi afin de joindre les deux bouts, que le taux de chômage officiellement déclaré de 4,6 % passerait à 11,4 % si on incluait les 1,5 million de prisonniers et les 8,1 millions d'individus en libération conditionnelle qui ne sont pas pris en compte dans les statistiques dites « officielles ». Ce sont les États-Unis qui possèdent les taux de pauvreté infantile et de criminalité les plus élevés de tous les pays occidentaux. Enfin, disons que la seule richesse de Bill Gates, fondateur de Microsoft, évaluée à environ 51 milliards de dollars en 1998, dépasse la richesse cumulée de 40 % des ménages américains et que le salaire aux États-Unis, après correction pour l'inflation, est inférieur en 1998 à ce qu'il était en 1989. Le pays le plus inégalitaire de tous les pays développés sert maintenant de modèle à notre gratin politique. Beau projet de société, n'est-ce pas ?

Mais face à des données empiriques aussi évidentes sur l'écart grandissant entre les riches et les pauvres, le patronat et ses disciples vont jusqu'à nier les faits ou jusqu'à nous dire que la pauvreté est un fait naturel et même nécessaire pour que le système économique puisse faire une utilisation optimale des ressources. Et il ne faut surtout pas que l'État intervienne trop pour aider les exclus. En effet, cela ne ferait que les entretenir et encourager l'imprévoyance, sans compter que l'intervention de l'État à ce niveau constitue un geste contre nature qui vient « agresser » un phénomène naturel.

De plus, ils viennent nous dire que le marché crée un « ordre naturel », que la main invisible du marché crée un « ordre spontané » et que *l'individu se réalise en poursuivant ses intérêts personnels, même les plus grossiers. On parle aussi du « libre marché » et on dit que le prix du marché est toujours le « juste prix », même lorsque l'on fait travailler des enfants et des femmes pour moins d'un dollar par jour. On prétend que c'est le juste prix puisqu'il découle d'une « libre négociation » à laquelle toutes les parties prenantes (consommateurs, travailleurs, etc.) ont donné leur accord « libre ». Mais le néolibéralisme dissimule les rapports de force entre, par exemple, la multinationale Nike et le travailleur pakistanais. On est en train de confier la marche de la civilisation à une classe d'affairistes. Il n'y aura plus de biens publics, seulement des biens privés. Nous ne serons plus des citoyens mais bel et bien des clients, même pour la production de biens et de services publics, comme la santé, la culture et l'éducation. Au nom de quel a priori ne pourrions-nous pas, collectivement, par le biais de l'État, prendre part aux activités comme bon nous semble, surtout lorsqu'il s'agit de services et de biens publics ? Au nom de quel principe faut-il s'en remettre principalement à des initiatives privées afin de satisfaire nos besoins collectifs ? On va nous sortir le cliché selon lequel l'État n'a pas sa place dans le commerce. Pour les chantres du patronat, même des services essentiels comme la santé et l'éducation doivent être remis au commerce privé. Jamais on n'a pu démontrer dans le passé que le privé était plus « efficace » que le public. Cela est impossible à démontrer. D'ailleurs, il faut bien voir comment les apôtres du marché définissent la notion d'« efficacité ». Mais non, il faut tout remettre au privé, à la pseudo-compétition qui n'existe qu'en théorie car la vaste majorité des activités économiques est tombée dans les mains de puissants oligopoles qui ne recherchent surtout pas la concurrence. Le but de l'existence serait de se concurrencer les uns les autres, tant au niveau individuel qu'au niveau collectif. Déjà au berceau, il faudra enseigner aux nourrissons la nécessité et la beauté de la compétition. Que la vie sera donc belle ainsi !*

Il faut mettre un frein à la montée du néolibéralisme avant qu'il ne soit trop tard, sinon il ne sera plus possible de revenir en arrière, une fois que l'on aura tout privatisé, démantelé tous nos acquis collectifs et que l'on sera rendu à l'État-néant. On essaie de nous faire croire que les outils collectifs dont nous nous sommes dotés au pays au cours des 40 dernières années furent une erreur de parcours et qu'il est urgent de revenir à la jungle du capitalisme débridé qui crée deux types d'individus : les winners *et les* losers. *Par contre, on dira aux exclus et aux pauvres qu'ils sont entièrement libres, qu'ils sont responsables de leur sort et qu'il n'en tient qu'à eux de devenir des gagnants : quand on veut, on peut, qu'ils nous diront.*

À quoi rime une société dans laquelle il y a un fossé énorme entre les riches et les pauvres et où ces derniers n'ont plus l'accessibilité universelle aux biens sociaux premiers ? C'est l'enfer, c'est la misère pour plusieurs et la souffrance pour d'autres, qui mènent bien souvent à la mort.

Nous avons le devoir de nous solidariser et de résister afin de changer les choses, quitte à brasser la cage. Mais on ne peut demander à des individus endoctrinés, « brainwashés » et culpabilisés de se solidariser. Pour ce faire, il faut avant tout se décrotter le cerveau afin de retrouver son esprit critique, de devenir un être vraiment libre. La lecture d'un livre comme celui-ci est un premier pas dans la bonne direction afin de se doter d'un esprit critique digne de l'être humain. C'est ainsi que nous pourrons mettre fin à notre exploitation, replacer les choses dans leur juste perspective et retrouver notre dignité afin de vivre réellement dans une société juste.

Léo-Paul Lauzon, titulaire de la Chaire d'études
socioéconomiques et professeur au département
des sciences comptables de l'Université
du Québec à Montréal
Montréal, le 10 juillet 1998

1
CANADA INC.

— Veux-tu me dire qui est-ce qui mène vraiment, dans ce pays ?

— Toi, comprends-tu ce qui se passe ? On se débarrasse des conservateurs de Mulroney parce qu'ils divisent le pays avec leur libre-échange et leur TPS, qu'ils mettent la hache dans les programmes sociaux et qu'ils coupent partout où ils peuvent ; on élit les libéraux de Chrétien à leur place, et puis là, on dirait qu'ils font la même chose... sauf qu'ils vont un peu plus vite !

— Ouais ! Et on est pris avec eux pour un bon bout de temps !

— Tu te souviens de toutes leurs belles promesses pendant la campagne électorale de 1993 ? Dans leur livre rouge, ils disaient : « On va créer des emplois, on va protéger nos programmes sociaux, notre régime d'assurance-maladie et l'environnement ! » Et qu'est-ce qui est advenu de ces promesses ? On a élu des politiciens pour qu'ils fassent un boulot, puis qu'est-ce qu'ils font dès qu'ils sont au pouvoir ? Exactement le contraire !

— Hum... Les gens disaient que le gouvernement de Brian Mulroney jouait le jeu des grandes entreprises, qu'il faisait leurs quatre volontés. Cela revenait à quelque chose comme : « Si c'est bon pour les grosses compagnies, c'est bon pour le Canada. » En tout cas, d'après ce que je peux voir, Jean Chrétien et sa bande font la même chose, mais en pire.

— Je pense que tu viens de mettre le doigt sur le bobo. Ceux qu'on a élus pour nous représenter à Ottawa ne dirigent peut-être rien du tout, au fond. Ou pas autant qu'on le croit. Je me demande si ce ne sont pas les grandes banques et les grosses compagnies qui font la pluie et le beau temps à Ottawa, ces temps-ci.

— Je commence à croire qu'il n'y a pas d'autre manière d'expliquer ce qui se passe au pays. Mais, tout ça ne s'est pas fait en un jour. Ça dure depuis combien de temps? Comment ça se fait qu'on n'en a jamais entendu parler avant?

Les années noires du monde des affaires

Ce n'est pas sous le gouvernement de Jean Chrétien ni même sous celui de Brian Mulroney que les grandes entreprises ont commencé à mettre la main sur le Canada. Il faut remonter quelque 25 ans en arrière. À cette époque, le patronat canadien broyait du noir, car la situation des grandes entreprises n'était pas brillante et leur avenir était sombre. Pendant les élections de 1972, les néo-démocrates, sous la conduite de David Lewis, avaient mené une vaste campagne pour mobiliser l'opinion publique contre les « quêteux en Cadillac ». Les libéraux de Pierre Trudeau ont été élus; contraints de former un gouvernement minoritaire, ils ont dû compter avec le Nouveau Parti démocratique (NPD). La confiance du public dans les grandes entreprises a continué de s'effriter.

Selon Jim Laxer, de l'université York, à cette époque le patronat américain logeait à la même enseigne que son voisin canadien. Alors que, vers la fin des années 1960, les sondages montraient que les grandes entreprises américaines avaient largement la confiance du public (à 58 %), en 1974 seuls 29 % des répondants les tenaient toujours en estime. L'attitude des entreprises pétrolières, durant la crise de l'énergie de 1973, est en grande partie à l'origine de la méfiance du grand public. Pendant que des millions d'Américains et de Canadiens voyaient les pays de l'Organisation des pays exportateurs de pétrole (OPEP) quadrupler le prix du pétrole tandis qu'ils devaient faire la queue pendant des heures pour obtenir de l'essence, les médias annonçaient que des pétroliers attendaient, en haute mer, que les prix grimpent pour livrer leur cargaison. L'économie s'enfonçait dans une profonde récession, mais Exxon et les autres grandes compagnies pétrolières affichaient une hausse de leurs profits. Au cours de l'hiver de 1973, alors que la plupart des gens subissaient pénuries d'essence et flambées des prix, les grandes compagnies de pétrole remplissaient allègrement leurs coffres.

Pour les grandes entreprises établies aux États-Unis et au Canada, l'épisode a tourné au véritable cauchemar politique. Non seulement les gens ne leur faisaient plus confiance, mais ils émettaient de sérieux doutes quant au bien-fondé de la recherche du profit et de l'économie de marché. Afin d'éviter que la situation se détériore davantage, les grandes entreprises sont passées à l'offensive. La presse des affaires, notamment le *Wall Street Journal* aux États-Unis et le *Globe and Mail* au Canada, a commencé à publier des articles et des éditoriaux dépeignant les compagnies pétrolières comme les victimes d'attaques injustes et mal fondées. Sans attendre les médias, les géants du pétrole se sont jetés dans l'arène, s'adressant directement à l'opinion publique par le moyen de campagnes de relations publiques ou politiques.

Les compagnies pétrolières ont injecté des millions de dollars dans une vaste campagne de publicité afin de présenter leur version des faits et de vanter l'économie de marché. La colère des gens s'est finalement dissipée et la confiance est revenue. Ce scénario a cependant mis en évidence l'immense pouvoir des entreprises sur l'opinion publique, qu'elles peuvent retourner comme une crêpe grâce à leurs outils de propagande politique.

Au Canada, les grandes entreprises ont commencé à fourbir leurs armes en prévision d'une longue bataille. Une bonne partie de l'élite des grandes sociétés pensait que, depuis la guerre, le Canada avait poussé trop loin l'expérience de l'État-providence. Des couloirs de Bay Street, un concert de plaintes a commencé à s'élever, au milieu des années 1970, contre la lourdeur du « fardeau » fiscal des sociétés, les déficits publics croissants, l'ampleur des dépenses sociales, la satanée bureaucratie et ses trop nombreuses réglementations. L'instauration d'un contrôle des prix et des salaires, en 1975, sous le gouvernement libéral de Pierre Trudeau, a été la goutte qui a fait déborder le vase, les manitous des affaires percevant cette mesure comme une intrusion massive du gouvernement dans l'économie de marché.

Dans une entrevue réalisée à CTV (Canadian Television Network), à la fin de 1975, entrevue au cours de laquelle il justifiait les mesures prises par son gouvernement, Trudeau a convenu que le contrôle des prix et des salaires équivalait à une intervention massive de l'État dans le pouvoir de décision des groupes économiques, envoyant aux Canadiens le message que l'économie de marché était un échec, que nous n'avions pas su la faire fonctionner.

Laxer rappelle que les remarques de Trudeau, plus que n'importe quel événement, ont miné la confiance du public envers les manitous du monde des affaires et à l'égard du marché. Certains y ont aussi vu la menace d'un recours croissant à une intervention étatique pour pallier les faiblesses du marché et du secteur privé. Ce n'est un secret pour personne, bien sûr, que les relations entre Ottawa et les grandes entreprises au Canada se sont considérablement détériorées au cours des premières années du gouvernement Trudeau. Il n'était pas rare que le style arrogant du premier ministre soulève la colère des cadres des grandes sociétés, sans compter celle des dirigeants syndicaux. Pour Trudeau, du moins pendant ses premières années de pouvoir, les grandes entreprises étaient simplement un groupe de pression comme un autre dans la dynamique des forces nationales en jeu. L'élite des affaires, que cette attitude choquait, décida alors que le moment était venu de lancer une contre-offensive pour redorer l'image du secteur privé et de l'économie de marché.

Deux hommes en particulier ont dirigé la charge du patronat. Le premier, W. O. Twaits, président-directeur général de la Compagnie pétrolière Impériale, avait passé une grande partie de sa carrière à défendre la cause des grandes entreprises auprès du gouvernement fédéral et du public canadien. On voyait très souvent l'avion de la Compagnie pétrolière Impériale immobilisé à l'aéroport d'Uplands à Ottawa, signe que Twaits consacrait d'inlassables efforts à faire pression sur les dirigeants politiques du pays au nom des grandes entreprises. Un ministre du Cabinet libéral de l'époque, Eric Kierans, l'a qualifié d'homme le plus puissant du Canada.

Le second, Alfred Powis, géant des affaires et président-directeur général de Mines Noranda, avait déjà la réputation d'être le plus habile des représentants des grandes entreprises. Powis s'était élevé dans la hiérarchie de l'entreprise à toute vitesse, pour se hisser au sommet de Mines Noranda à l'âge de 38 ans. Au milieu des années 1970, il avait atteint l'apogée de sa carrière et exerçait une énorme influence, non seulement au sein du milieu des affaires, mais aussi dans les couloirs d'Ottawa.

Au début de 1975, Powis engage les hostilités en invitant les dirigeants d'entreprise à lancer une vigoureuse campagne en faveur de la libre entreprise au Canada. Dans un discours marquant prononcé devant le Canadian Club de Toronto, le 3 février de la même année, Powis affirme que les attaques du gouvernement contre le secteur privé ont dépassé les bornes. « Le secteur privé, s'indigne-t-il, est la cible d'attaques croissantes mal fondées, mais combien bruyantes et médiatisées, qui semblent se répercuter profondément sur les politiques gouvernementales. » Il décrit alors, de son point de vue, les types de contraintes que les gouvernements ont appliquées aux activités du secteur privé au Canada. Selon Powis, la vitalité du milieu des affaires est « minée de manière constante et insidieuse » par ces contraintes.

De son côté, lors d'un congrès annuel du Parti conservateur, W. O. Twaits, tout aussi passionné par la défense de l'économie de marché, mais plus coloré, compare l'économie du pays à une vache dont le lait s'est tari. Dans son scénario, le taureau, qui symbolise le secteur privé, n'a plus envie d'accomplir son devoir naturel. « Ce qui importe maintenant, explique Twaits, c'est de trouver toutes sortes de stimulants pour rendre la vache attirante afin que le taureau retrouve assez de vigueur et que la nature reprenne ses droits. » Sur sa liste de stimulants « préliminaires » figurent le gel des dépenses sociales, la diminution des nouveaux emprunts de l'État, la réduction du taux de cotisation à l'assurance-emploi, la baisse des impôts des sociétés et la suppression du contrôle exercé sur l'investissement étranger.

Peu de temps après l'entrevue télévisée au cours de laquelle, à la fin de 1975, Trudeau réfléchit sur l'échec de l'économie de marché, Powis lance une autre contre-offensive. Le 25 février 1976, devant l'assemblée générale de l'Association minière du Canada, il s'en prend, dans son discours, au premier ministre. L'amélioration de l'économie canadienne, fait-il valoir, « ne peut se faire dans un contexte où le destin de l'économie de marché est de toute façon scellé d'avance, où l'on commence par lier les mains du secteur privé pour l'assujettir ensuite à un contrôle serré en raison de sa piètre performance ».

Pour Powis et Twaits, l'équilibre traditionnel qui régnait dans l'après-guerre entre les secteurs public et privé s'était rompu. Il fallait arrêter et inverser la tendance de l'État à intensifier ses interventions sur le marché et laisser plutôt le champ libre aux grandes entreprises et au secteur privé afin de créer de la richesse.

Les théories du marché

La résurgence de théories économiques néoclassiques qui prônaient le système de l'économie de marché a donné des munitions à Powis et à Twaits. Depuis la crise de 1929, les pays industrialisés, comme le Canada, s'étaient largement inspirés des théories du célèbre économiste britannique John Maynard Keynes pour édifier ce que nous appelons aujourd'hui l'État-providence. Keynes soutenait que les gouvernements avaient un rôle crucial à jouer comme régulateurs des cycles d'expansion et de ralentissement des économies de marché. Il affirmait que, pour que le marché reflète bien l'intérêt public, les gouvernements avaient l'obligation d'intervenir et de réguler l'économie en recourant au financement par le déficit budgétaire pour assurer une transition sans heurts entre les reprises et les ralentissements de l'économie.

Dans les années 1970, cependant, les économistes des écoles néo-classiques avec, à leur tête, la nouvelle célébrité de l'époque, Milton Friedman, de l'université de Chicago, s'opposèrent avec acharnement aux théories de Keynes.

Friedman était un défenseur passionné des théories économiques du XIXe siècle, lesquelles reposaient sur une foi inébranlable dans le marché et la concurrence. Au début des années 1970, le célèbre économiste s'est opposé avec fougue à la bureaucratie et à l'intervention de l'État dans l'économie. S'inspirant d'idéaux libertariens, il affirmait que c'était le marché, et non le gouvernement, qui avait la capacité de satisfaire automatiquement et rapidement les goûts et les désirs des gens, créant ainsi ce qu'il appelait « l'unanimité sans la conformité ». Les gouvernements, soutenait-il, imposent leurs décisions aux gens à partir d'en haut et représentent alors, dans le meilleur des cas, la « conformité sans unanimité » ou, autrement dit, la tyrannie d'une majorité incertaine. Pour que le secteur privé puisse prendre de l'essor, ajoutait Friedman, le gouvernement devait se limiter à n'être rien de plus qu'un arbitre sur le plan économique.

Dès les années 1970, il était devenu évident que les solutions keynésiennes à la crise économique ne donnaient pas les résultats escomptés : le chômage, l'inflation et l'incertitude étaient en hausse. Friedman a saisi cette occasion pour lancer une série d'attaques contre les partisans de l'interventionnisme d'État. Du New Deal de Franklin Roosevelt, dans les années 1930, à la Great Society de Lyndon Johnson, dans les années 1960, Friedman a critiqué sévèrement l'« omniprésence » de l'État en Amérique et pris pour cibles l'inefficacité et l'inertie de sa bureaucratie. La seule issue possible, affirmait Friedman, consistait à revenir au système de l'économie de marché et à son mécanisme autorégulateur, souple et concurrentiel. Pour ce faire, toutefois, il fallait réduire de beaucoup l'intervention de l'État et les tracasseries administratives, à défaut de les éliminer carrément. Friedman en a profité pour présenter un ensemble de propositions en ce sens afin de permettre à l'économie de marché de se développer. Il a ainsi réclamé l'élimination des impôts sur le revenu des sociétés et proposé d'instaurer, à la place, un impôt sur le revenu des particuliers uniforme et non progressif, sans échappatoire. Ce régime fiscal prévoyait, d'une part, l'adoption d'un impôt négatif afin d'offrir aux personnes à faible revenu un versement en espèces, ce qui impliquait, d'autre part, la suppression de la plupart des autres formes d'aide sociale.

Friedman exhortait les gouvernements à abandonner le modèle keynésien, qui consistait à soutenir l'économie par l'accumulation de déficits budgétaires pendant les récessions économiques et les périodes de chômage élevé, et à supprimer les mécanismes artificiels de contrôle des prix de biens comme le pétrole. Il appuyait aussi le mouvement en faveur du libre-échange dans une économie mondiale, l'imposition de restrictions afin d'affaiblir le pouvoir de négociation des grands syndicats et l'élimination du salaire minimum obligatoire.

Rapidement, cette vigoureuse apologie de l'économie de marché, qui allait à l'encontre de l'interventionnisme d'État, s'est érigée en une nouvelle religion. Au Canada, tout comme aux États-Unis, la plupart des départements de sciences économiques et administratives des universités ont repris les théories et les doctrines de Friedman. Aux yeux d'un milieu des affaires quelque peu aux abois, les théories de Friedman étaient de toute évidence une véritable bénédiction… et une aubaine. Les gens d'affaires trouvaient là une série de théories économiques qui rendaient l'appareil gouvernemental carrément responsable de la crise que traversait le pays, au lieu de jeter le blâme sur les grandes entreprises. En fait, ces théories économiques donnaient enfin à ces dernières la crédibilité et la légitimité intellectuelles qui leur faisaient défaut pour obtenir le soutien et la confiance du public dans leur bataille contre l'intervention bureaucratique et l'État-providence. Il ne restait plus qu'à convaincre les bureaucrates d'adopter les théories du marché de Friedman.

Au Canada, les centres d'étude et de recherche et les organismes consultatifs ont été le point d'ancrage qui a permis aux théories de Friedman de s'infiltrer au sein de la bureaucratie. Lorsque le Nouveau Parti démocratique (NPD) de Dave Barrett eut pris le pouvoir en Colombie-Britannique, un groupuscule composé de puissants cadres d'entreprise de la province et ayant à sa tête Pat Doyle, de MacMillan Bloedel, s'est réuni en 1975 afin de fonder un centre d'étude et de propagande destiné à combattre l'action des « socialistes ». Selon l'auteur Murray Dobbin, ils auraient alors fait appel à Michael Walker, Terre-Neuvien travaillant pour la Banque du Canada, qui leur avait déclaré : « Pour vraiment changer le monde, il faut d'abord en changer la trame idéologique. »

Walker a commencé par former l'institut Fraser, organisme qui s'inspirait directement des théories sur l'économie de marché de Milton Friedman. Se donnant pour objectif de promouvoir les valeurs du marché et le changement culturel, Walker et ses collègues de l'institut ont élaboré un programme comportant plusieurs volets, notamment : la rédaction de textes anti-interventionnistes et d'articles en faveur de l'économie de marché destinés aux hebdomadaires ; des appels lancés aux étudiants des universités en vue de débattre des théories de l'économie de marché ; l'envoi d'études sur la question aux législateurs de tout le pays.

Toutefois, ce n'est que lorsque des organismes consultatifs bien établis, comme l'institut C. D. Howe et le Conseil économique du Canada, ont commencé à adopter les théories de Friedman que la bureaucratie d'Ottawa et celle de plusieurs capitales provinciales ont commencé à tendre l'oreille. Entre-temps, le président de l'institut C. D. Howe, Carl Beigie, s'est affirmé comme l'un des grands gourous économiques du pays dans la lutte contre l'intervention grandissante de l'État. Presque chaque jour, Beigie s'est prononcé, dans la presse des affaires, contre l'escalade des déficits budgétaires et contre la menace d'un protectionnisme alarmant, et il a réclamé la mise en place du libre-échange avec les États-Unis ainsi que la redéfinition du rôle de l'État.

Dans les faits, l'institut C. D. Howe est devenu un tremplin favorisant la pénétration des théories de l'économie de marché dans les milieux gouvernementaux au Canada. Si l'institut Fraser avait, sans aucun doute, la réputation d'appuyer sans réserve la théorie de Friedman au pays, l'institut C. D. Howe, quant à lui, sous la direction de Beigie, s'est fait connaître comme le plus prestigieux centre de recherche économique du Canada. C'est ce groupe qui a ouvert la voie à la reconnaissance des théories du marché de Friedman dans les cercles du pouvoir et dans les organes de presse dominants. Personne n'a d'ailleurs été surpris d'apprendre que ces deux instituts recevaient des fonds considérables de certaines grandes sociétés et banques du Canada.

Les bureaucrates d'Ottawa

Au milieu des années 1970, les travaux du Canadien John Galbraith, économiste de Harvard profondément imprégné des théories keynésiennes, exercent une large influence sur le gouvernement Trudeau. Selon Galbraith, les grandes sociétés transnationales dominent l'économie de marché moderne et peuvent contrôler les coûts, les prix, le travail et les matériaux grâce à leur capacité de planifier à long terme et de réduire les risques au minimum. Le gouvernement peut bien s'efforcer de réguler l'économie par le biais de mesures monétaires et fiscales traditionnelles, les grandes sociétés s'en moquent puisqu'elles peuvent générer elles-mêmes leur propre capital. C'est pour cette raison, estime Galbraith, que toutes les tentatives de l'État pour contrer l'inflation et infléchir la spirale des coût et des prix se sont soldées par un échec. Le système de marché, au sens traditionnel du terme, ne fonctionnant plus, Galbraith recommande que les gouvernements rappellent à l'ordre les grandes sociétés et les syndicats en imposant un contrôle des prix et des salaires. C'est en grande partie sur le conseil de Galbraith que, en raison du dérèglement du marché, Trudeau instaure, en 1975, une politique de contrôle des prix et des salaires.

Les recommandations de Galbraith sont vite devenues la cible de l'ancien sous-ministre des Finances, Simon Reisman. Qualifié d'homme à « la volonté de fer, au franc-parler mais très spirituel », il a fait une longue et brillante carrière dans la fonction publique. Au sommet de sa carrière, il a été secrétaire du Conseil du Trésor à la fin des années 1960, puis sous-ministre des Finances jusqu'en 1974, poste qui l'a amené à travailler en étroite collaboration avec le ministre des Finances d'alors, John Turner. En 1975, pourtant, Reisman quitte avec fracas la bureaucratie d'Ottawa pour s'établir comme expert-conseil en économie. Il se trouve alors dans une situation idéale pour se faire le champion de la cause des grandes entreprises et défier la pensée galbraithienne du gouvernement Trudeau.

Le gel des salaires et des prix, adopté à l'automne de cette même année, fournit à cet ancien sous-ministre l'occasion de monter aux barricades pour empêcher le gouvernement en place d'intervenir en permanence dans l'économie. Il profite d'une conférence organisée par le *Financial Post,* en octobre 1976, pour cribler Galbraith de ses flèches et réfuter ses analyses. Selon Reisman, rien ne prouve que les très grandes sociétés occupent maintenant une trop large part de l'économie de marché et que le pouvoir des entreprises — c'est-à-dire le pouvoir oligopolistique — s'est énormément étendu au cours des dernières décennies, que ce soit aux États-Unis ou au Canada, et que, de ce fait, il a transformé les fondements de l'économie.

Au contraire, soutient Reisman, le système de marché est vivant et en bonne santé. Le vrai responsable de l'inflation persistante n'est pas la grande entreprise, mais bien l'appareil de l'État. Reisman discerne trois facteurs à l'origine des difficultés du pays : la hausse démesurée des dépenses publiques entre 1965 et 1975 ; les révisions du programme d'assurance-chômage, en 1971, « qui, selon lui, ont créé un régime parmi les plus généreux du monde » ; enfin, l'expansion du militantisme syndical au sein du secteur public, qui a sonné l'heure de l'augmentation des règlements salariaux au Canada.

Pourtant, et fort curieusement, c'est une véritable volte-face qu'effectue Reisman en s'attaquant à la politique du contrôle des prix et des salaires de Trudeau. Après son départ du ministère des Finances, il a tout d'abord préconisé l'adoption d'un contrôle obligatoire. Cependant, dans le discours qu'il livre à la conférence du *Financial Post,* Reisman essaie d'expliquer cette contradiction en affirmant qu'il n'a recommandé une telle mesure que « pour une durée limitée et dans un but précis ». De toute évidence, en s'attaquant ouvertement à Galbraith, l'ancien sous-ministre des Finances prend désormais fait et cause pour la grande entreprise.

Dans un vibrant plaidoyer inspiré de Friedman, Reisman conclut ainsi son discours : « Le contrôle du marché fait bien plus qu'affaiblir l'économie, il empêche toute liberté. Vouloir l'imposer en permanence serait porter un coup terrible aux fondements mêmes de notre société libre et conduirait, à mon avis, à la mise en place d'un système autoritaire. »

Les attaques de Reisman contre les théories de Galbraith ont eu une incidence à la fois considérable et durable sur les bureaucrates d'Ottawa. Non seulement un ancien sous-ministre des Finances défiait publiquement Galbraith, gourou économique du gouvernement Trudeau, mais il légitimait en même temps les théories de l'économie de marché de Milton Friedman. Les bureaucrates qui adhéraient aux théories de Friedman auraient prise, dorénavant, sur l'élaboration des politiques gouvernementales. Il s'agissait d'un gain essentiel pour les grandes entreprises, dans leur lutte contre l'interventionnisme d'État et pour la défense de l'économie de marché.

Entre-temps, le patronat avait tenté de résoudre un ensemble de questions afin d'échafauder la meilleure tactique possible pour faire entendre sa voix à Ottawa. Le lobbying d'affaires traditionnel n'avait plus de poids. Ni l'Association des manufacturiers canadiens (AMC) ni la Fédération canadienne des chambres de commerce (FCCC) n'arrivaient à faire valoir correctement les intérêts des grandes entreprises. Parfois, elles s'enlisaient dans la rhétorique en cherchant à promouvoir des intérêts particuliers, sans compter qu'elles ne possédaient pas les aptitudes nécessaires à l'élaboration d'options politiques claires pouvant servir d'inspiration aux bureaucrates. Organismes plutôt amorphes composés de PME et de grandes entreprises, l'AMC et la FCCC « s'éparpillaient ». En outre, les PDG des grandes entreprises ne jouaient plus un rôle actif dans ces associations. Comme l'a fait remarquer Michael Pitfield, alors secrétaire du Cabinet, aucune organisation ne défendait, dans les coulisses de la capitale nationale, les intérêts des grandes sociétés, encore moins ceux, extrêmement variés, du milieu des affaires dans son ensemble.

À l'ère Trudeau, la bureaucratie d'Ottawa subit, elle aussi, une restructuration. À la suite des réformes du Cabinet de 1968, on assiste à une plus grande centralisation de la prise de décision au siège même du pouvoir, les simples députés se trouvant relégués à un rôle plus discret qu'autrefois. De plus, l'adoption d'un mécanisme de prise de décision plus collégial vient limiter les occasions d'influencer directement les ministres. En même temps, la complexité croissante de la machine gouvernementale, à tous les niveaux, réclame une plus grande concentration du pouvoir entre les mains des sous-ministres et de leurs hauts fonctionnaires. Pour toutes ces raisons, les grandes entreprises jugent alors opportun de créer leur propre association, dotée d'un mécanisme adéquat de prise de décision et organisée de manière à pouvoir exercer des pressions.

Durant cette même période, le gouvernement Trudeau se rend compte que le monde des affaires n'est pas assez bien représenté à Ottawa dans les cercles où se prennent les décisions. Reconnaissant « le besoin d'établir une relation plus étroite entre le monde des affaires et le gouvernement », il met sur pied, en 1976, un groupe de travail, sous la présidence de Roy MacLaren, alors cadre dans une agence publicitaire de Toronto (et qui, plus tard, sera ministre du Commerce dans le gouvernement Chrétien). Dans son rapport, le groupe de travail recommande l'établissement d'un comité des affaires afin d'assurer une présence cohérente de ce milieu dans le marché national et la mise en place d'une « gestion systématique des rapports entre les secteurs public et privé ». Le rapport souligne qu'un « forum efficace du monde des affaires et du gouvernement » est un outil essentiel pour « bien mesurer les défis économiques que doit relever notre pays » et « pour dégager une vision commune sur la direction que prend l'économie et sur les méthodes pertinentes à adopter pour la poursuite d'un dialogue ».

L'alliance du patronat

Tandis que le groupe de travail finissait son rapport, le patronat canadien mettait la dernière main à une nouvelle alliance. À partir de 1975, les plus grands patrons du pays ont tenu une série de rencontres à huis clos afin de mettre au point leur plan d'action. Ils voulaient créer une nouvelle forme de lobby d'affaires structuré et efficace. Ils se sont inspirés de leurs homologues américains qui, en 1972, avaient formé la Business Round Table à laquelle ne siégeaient que les PDG des plus grandes sociétés et banques de leur pays. En raison de sa composition, cette organisation n'a pas tardé à surpasser toutes les formes traditionnelles de lobby des affaires aux États-Unis en devenant la voix la plus forte du patronat américain. Dans cette foulée, les plus importants chefs d'entreprise du Canada ont décidé de former une nouvelle association composée, à l'instar de la Business Round Table, des PDG des plus grandes sociétés et banques du pays et dont on ne devenait membre que sur invitation.

Cette prestigieuse alliance des grandes entreprises, lancée en avril 1977 et appelée Conseil canadien des chefs d'entreprises (CCCE), s'est rapidement imposée à Ottawa et dans tout le pays. Les deux présidents fondateurs du CCCE n'étaient nuls autres que W. O. Twaits, qui venait de prendre sa retraite de la Compagnie pétrolière Impériale, et Alf Powis, le vénérable et toujours puissant PDG de Mines Noranda. En quelques mois, le CCCE a attiré rien de moins que les chefs d'entreprise de 140 des plus grandes sociétés et banques du Canada, représentant un tiers de tout le capital privé du pays.

Mis à part Powis et Twaits, la direction du CCCE était alors constituée de plusieurs membres du patronat canadien, notamment

Earle McLaughlin de la Banque Royale, Paul Desmarais de Power Corporation, Jack Armstrong de la Compagnie pétrolière Impériale et Thomas Bell de la Compagnie de papier Abitibi.

Avec la création du CCCE, les grandes entreprises démontraient qu'elles se prenaient en main. Elles voulaient freiner l'interventionnisme étatique et empêcher la croissance de l'État-providence. Dans une entrevue accordée au *Toronto Star* en 1977, Twaits a expliqué qu'il était grand temps que le gouvernement et le public « cessent de s'amuser à presser le monde des affaires comme un citron ». Il ajoutait : « Lorsque David Lewis a fait campagne contre les abus des grandes sociétés, il n'y a eu aucune voix crédible capable de rassembler le monde des affaires pour se dresser sur son chemin. » Toutefois, concluait-il, la mise sur pied du CCCE nous permet d'entendre « la voix des grandes entreprises ». Pour Powis et Twaits, le moment était venu de signifier aux politiciens et au public que le Canada était un pays de libre entreprise. En effet, cette nouvelle alliance élitiste envoyait le signal que les vieux compromis de l'après-guerre entre les patrons et les syndicats et entre les secteurs public et privé tiraient à leur fin.

Dès le début, le CCCE se voulait une alliance puissante. Parmi ses membres, on dénombrait les PDG des 8 grandes banques à charte du pays, des 10 principales compagnies d'assurances et de pas moins de 18 sociétés pétrolières et de pipelines. Des noms connus comme Shell, la Compagnie pétrolière Impériale, Gulf et Texaco siégeaient par la voix de leur PDG au CCCE, tout comme de grandes entreprises industrielles telles que Ford, Kodak et CIL. Les entreprises transnationales canadiennes, dont Inco, Alcan, Stelco et Trizec, travaillaient de concert avec des géants américains comme IBM, Xerox, Bechtel et ITT. De fait, la plupart des entreprises qui formaient alors le CCCE obéissaient aux préceptes du capital international. Même si beaucoup d'entreprises, au Canada, appartenaient encore à des intérêts étrangers, un nombre croissant d'entreprises canadiennes devenaient des sociétés transnationales dans la foulée de la mondialisation naissante de l'économie. En fait, la distinction entre les entreprises étrangères et canadiennes commençait à s'estomper.

Lors de sa création, le réseau du CCCE n'a pas attiré les dirigeants de toutes les sociétés de premier ordre. Les chefs d'empires familiaux comme les Reichman, Bronfman, Irving et Thomson ne siégeaient pas eux-mêmes à la table du CCCE. Ils se faisaient plutôt (et se font encore) représenter au Conseil par un réseau d'entreprises qu'ils contrôlaient. Néanmoins, le CCCE a été édifié avec soin de manière à ce que la communauté des affaires présente un front commun. Même si le Conseil a été créé pour éclipser les lobbies d'affaires traditionnels, ses fondateurs se sont arrangés pour que les dirigeants des chambres de commerce du Canada, de l'Association des manufacturiers canadiens et du Conseil du patronat ne soient pas oubliés dans la structure d'élaboration des politiques de l'organisme. Les divers conglomérats avaient bien leurs différends, mais ils partageaient le même engagement politique à l'égard de la libéralisation du marché, fondée sur un secteur privé en plein essor et sur des formes d'intervention et de réglementation étatiques minimales (ou inexistantes).

Désireux d'élaborer une plate-forme qui favoriserait l'économie de marché et préparerait le démantèlement de l'État-providence au Canada, la totalité des chefs d'entreprise membres du CCCE se réunissaient tous les six mois, à huis clos. Entre ces séances plénières, un petit cercle de 21 membres constitué de chefs d'entreprise issus de chacun des secteurs économiques représentés par le Conseil (par exemple, l'agriculture, l'industrie de l'automobile, les institutions financières, l'industrie pétrolière, les aciéries, les entreprises de transformation des aliments, etc.), se rencontrait pour concocter des stratégies détaillées. Des groupes de travail étudiaient un large éventail de questions politiques, notamment les finances nationales, le commerce international, l'impôt des sociétés, les politiques énergétiques, les programmes sociaux, les ressources naturelles et la politique étrangère. Des firmes de consultants comme Touche-Ross & associés et des instituts de recherche comme l'institut C. D. Howe rivalisaient à coup d'études sur divers sujets reliés aux politiques économiques et sociales qui intéressaient particulièrement les grandes entreprises.

Dès sa création, le CCCE faisait valoir ses positions dans un style soigneusement étudié, que le politologue David Langille qualifie de coopératif et non conflictuel. Cette attitude a clairement distingué le Conseil, à ses débuts, d'autres groupes tels que la Fédération canadienne de l'entreprise indépendante, qui avaient la réputation de « taper du poing sur la table ». Au contraire, le CCCE s'est engagé dans une démarche de travail axé sur le partenariat avec Ottawa, favorisant une approche modérée et calme, dans les coulisses. Par ailleurs, l'approche stratégique du Conseil dans l'établissement des politiques se voulait préventive et active. L'organisme cherchait constamment à être « à la fine pointe » du processus de décision, pas seulement en définissant les questions selon ses priorités, mais en devançant la bureaucratie et en lui présentant un programme complet d'analyses et de recommandations. Car le temps était un facteur clé, et, pour le CCCE, cela voulait dire qu'il devait prendre les devants sur la bureaucratie dans la prise de décisions. Cette méthode de travail plaçait les grandes entreprises en bonne position pour établir le cadre et l'orientation des politiques économique et sociale à Ottawa.

Au moment d'arrêter ses choix politiques et de formuler ses stratégies, la nouvelle alliance disposait aussi de ressources considérables. Non seulement le CCCE pouvait bénéficier de l'aide des meilleurs stratèges des entreprises les plus puissantes et les plus lucratives du pays, mais il pouvait aussi faire appel aux ressources de centres de recherche comme l'institut C. D. Howe. En fait, la plupart des principales entreprises qui parrainaient l'institut faisaient aussi partie du CCCE, notamment Air Canada, Alcan Aluminium, la Banque de Montréal, la Banque de Nouvelle-Écosse, le Canadien Pacifique, Great West Life, General Motors, la London Life, MacMillan Bloedel, les Mines Noranda, Power Corporation, la Banque Royale, Southam News, Shell Canada, la Banque Toronto-Dominion et George Weston Ltd.

Par ailleurs, des réseaux de communication comme Southam et des sociétés de médias comme Power Corporation faisant partie de l'alliance, le CCCE avait l'assurance que le message des grandes entreprises allait parvenir au public canadien. Même s'il prenait soin de ne pas entretenir de relations officielles ou discrètes avec les mouvements de droite, il savait que son message serait bientôt repris par des réseaux comme la National Citizen's Coalition.

En un temps record, le CCCE s'est révélé la voix la plus importante et la plus efficace du patronat à Ottawa. Les principaux chefs d'entreprise du pays ont fait sentir leur présence non seulement lors des rencontres avec le cabinet du premier ministre et le bureau du Conseil privé, mais aussi dans plusieurs capitales provinciales et en prononçant des discours dans de nombreux forums sur les affaires partout au pays. Si William Archibold a été le premier président du CCCE, il revient toutefois à Thomas d'Aquino d'avoir rapidement donné à l'organisme une grande visibilité grâce au dynamisme dont il a fait preuve sur la scène d'Ottawa. Ancien conseiller de Trudeau et expert en droit international, d'Aquino connaissait bien la bureaucratie ainsi que les intérêts stratégiques et les priorités des grandes entreprises. Avec lui à leur tête, le CCCE et son effectif de chefs d'entreprise se sont emparés en très peu de temps des rênes du pouvoir dans la capitale nationale.

Première étape : créer un climat propice

Vers la fin des années 1970, le CCCE a lancé une série de campagnes préliminaires dans le but de créer chez les décideurs politiques un climat favorable à la déréglementation de l'économie et à la privatisation des entreprises publiques. Le gouvernement conservateur de Joe Clark, tout récemment élu, a servi de terrain d'essai. Le court mandat de ce gouvernement minoritaire, en 1978-1979, aura permis au ministre des Finances, John Crosbie, d'ouvrir la voie en instaurant une variété de nouvelles mesures pour déréglementer les secteurs clés de l'économie. Le président du Conseil du Trésor, Sinclair Stevens, a poursuivi en dressant une liste des 401 sociétés de la Couronne et entreprises publiques qui pouvaient être vendues au secteur privé.

Pendant ce temps, raconte le politologue David Langille, le groupe de travail du CCCE sur la concurrence, assisté de 25 conseillers juridiques, a pratiquement récrit la *Loi des enquêtes sur les coalitions* et l'a mise entre les mains du gouvernement (amendements statutaires compris) un an avant qu'Ottawa ne prévoie publier un document de travail sur la question. Cela laissait présager, comme le soulignait d'Aquino, la façon dont le CCCE travaillerait à l'avenir.

La réélection des libéraux de Trudeau, toutefois, est venue mettre la pagaille dans les plans des grandes entreprises. En 1980, les libéraux avaient axé leur campagne sur le nationalisme économique. Aiguillonné par l'opposition du NPD, c'est un gouvernement Trudeau revitalisé qui a entamé son nouveau mandat en se donnant pour tâche de diminuer la proportion déjà élevée des entreprises étrangères qui faisaient main basse sur l'économie canadienne. Le controversé Programme énergétique national (PEN), qui visait à augmenter la part de propriété canadienne dans l'industrie pétrolière du pays en la faisant passer de 30 % à 50 % en 1990, formait le noyau de la plate-forme libérale. Le gouvernement fédéral voulait se donner les outils dont il avait besoin, non seulement pour reprendre le contrôle du secteur vital de l'énergie que l'on considérait comme la pièce maîtresse de l'économie canadienne, mais aussi pour préparer le terrain à l'élaboration d'une stratégie industrielle nationale. De plus, le gouvernement libéral prévoyait mettre en place de nouvelles mesures pour renforcer le mandat et les pouvoirs de l'Agence d'examen de l'investissement étranger (AEIE).

Les géants pétroliers américains ont riposté, soutenus par le nouveau gouvernement de Ronald Reagan, en orchestrant une campagne de représailles économiques : annulation soudaine des nouveaux projets d'investissement dans le pétrole de l'Alberta et établissement de mesures pour empêcher l'utilisation au Canada de tours de forages américaines et d'autres équipements de production. En bref, les grandes sociétés pétrolières américaines Exxon, Gulf, Texaco, Mobil, Amoco et Chevron (pour ne nommer que les principales) ont amorcé, en quelque sorte, une grève du capital contre le Canada.

À Washington, le nouveau gouvernement Reagan, élu après tout pour éliminer les obstacles à la libre circulation des investissements et au commerce, déployait toute son artillerie contre le PEN et l'AEIE. En termes très clairs, les reaganiens ont vite fait comprendre au Canada qu'ils voulaient reléguer le PEN aux oubliettes et assouplir l'AEIE. Lorsque le Canada a commencé à appliquer les mesures de rachat prévues par le PEN, le Congrès américain a exigé que les États-Unis réagissent vigoureusement avant qu'une autre entreprise contrôlée par le gouvernement canadien « ne vienne picorer dans l'assiette d'une société américaine ».

Le CCCE se trouvait lui-même dans une impasse. Alors qu'il percevait les programmes du PEN et de l'AEIE comme une mise au ban de son plan d'économie de marché, certaines de ses sociétés membres, notamment plusieurs entreprises pétrolières indépendantes et des banques comme la CIBC, avaient une chance inespérée de tirer d'immenses profits des mesures de rachat prévues par le PEN. Pris entre deux feux, le CCCE s'est retrouvé sur la touche, en quelque sorte, dès le début de la bataille. En revanche, il s'est préparé à jouer un rôle beaucoup plus actif dans la suite des événements, dès que le ministre des Finances, Allan MacEachen, a indiqué que le gouvernement pliait sous les pressions énormes des Américains. En effet, dans son budget du mois d'août 1981, le ministre a annoncé que le gouvernement n'appliquerait pas le PEN pour nationaliser d'autres industries, selon ce qui était initialement prévu, ni ne prendrait de mesures législatives pour étendre le mandat et les pouvoirs de l'AEIE.

Langille raconte que, prévoyant une recrudescence de la bataille au terme de l'accord sur l'établissement des prix entre le gouvernement fédéral et le gouvernement albertain, en 1985, le CCCE a mis sur pied un groupe de travail sur la politique énergétique présidé par le PDG de la Compagnie pétrolière Impériale, Donald McIvor. D'Aquino a été dépêché pour rencontrer en tête-à-tête les principaux acteurs politiques : le premier ministre de l'Alberta, Peter Lougheed, le premier ministre de l'Ontario, Bill Davis, et le ministre fédéral de l'Énergie, Jean Chrétien. Un sommet de deux jours, tenu à huis clos, a suivi en novembre 1983, au Niagara Institute, en Ontario.

Dans la foulée d'une autre série de consultations, un deuxième sommet s'est tenu en juin 1984, coprésidé par d'Aquino et McIvor. Des dirigeants du gouvernement y participaient, mais à titre d'observateurs. Les chefs d'entreprise ont pratiquement mis au point les derniers détails de la nouvelle politique énergétique du Canada. Le plan prônait la mise au rancart du PEN, l'alignement sur les prix mondiaux et une refonte de l'impôt sur les sociétés.

Pendant ce temps, le gouvernement Trudeau avait déjà fait part de son désir de conclure une trêve avec les grandes entreprises. Après le remaniement ministériel de 1982 qui a vu un Marc Lalonde, habitué à la confrontation, quitter le ministère de l'Énergie pour remplacer MacEachen aux Finances, les tensions ont commencé à s'apaiser. Peu de temps après avoir pris le portefeuille des Finances, Lalonde a rencontré les dirigeants du CCCE chez d'Aquino à Rockliffe, où il aurait, paraît-il, pactisé avec les dirigeants d'entreprise et fait la promesse que le gouvernement leur fournirait soutien et coopération à l'avenir.

À cette époque, le gouvernement Trudeau était aux prises avec deux problèmes cruciaux : l'inflation (qui avait atteint un pic de 12 % avant de retomber à 6,6 %) et le chômage (qui s'était fixé à un taux officiel de 13 %, représentant environ deux millions de sans-emploi). De concert avec l'institut C. D. Howe, le CCCE avait entrepris une vigoureuse campagne pour obliger le gouvernement à s'attaquer à l'inflation plutôt qu'au chômage, alléguant qu'il était essentiel que les grandes entreprises maintiennent leurs coûts de production et les salaires à un bas niveau afin de pouvoir être concurrentielles sur le marché international. Lalonde partageait cet avis et il a instauré le programme de restriction des hausses de salaires 6 & 5 pour « envoyer l'inflation au tapis ». Non seulement le ministre a conçu ce programme en grande partie à partir des recommandations du CCCE, mais il a aussi nommé le directeur général du Canadien Pacifique, Ian Sinclair, ainsi que le sénateur Keith Davey à la présidence de ce programme.

Deuxième étape : Canada inc. prend forme

La victoire écrasante de Brian Mulroney aux élections de 1984 a ouvert de nouvelles perspectives au Canada des affaires. L'ancien directeur de succursale d'une entreprise américaine (Iron Ore Co., filiale de Hanna Mining de Cleveland, [Ohio]) était promu président-directeur général de l'État canadien. Profitant à fond du ras-le-bol généralisé du public face aux libéraux de Trudeau, les conservateurs ont été portés au pouvoir et chargés de relancer l'économie du Canada. Le problème qui se posait à l'équipe Mulroney, à partir de ce moment-là, était l'absence de programme pour mener à bien cette mission. Le CCCE n'était que trop heureux de lui (à l'équipe Mulroney) rendre service.

Peu de temps après, le CCCE invitait le nouveau Cabinet conservateur à participer à une séance d'information intensive, sorte de retraite dans les collines de la Gatineau. Affichant une grande méfiance à l'égard des bureaucrates d'Ottawa, qui avaient été sous la férule des libéraux pendant des années, Mulroney n'était que trop heureux de pouvoir compter sur les groupes de travail du CCCE pour guider le vaisseau de l'État. À cette époque, parmi ceux qui présidaient les groupes de travail du Conseil, on trouvait Darcy McKeough, de Union Gas, dans le groupe de la politique financière, Alf Powis, de Mines Noranda, dans celui de la politique commerciale et Charles Baird, d'Inco, ainsi que Sidney Jackson, de Manulife, dans le groupe de la politique sociale.

La réforme fiscale figurait au cœur des préoccupations du CCCE, dès les débuts du gouvernement Mulroney. Depuis que le gouvernement Reagan avait diminué les impôts sur les sociétés aux États-Unis, les grandes entreprises canadiennes demandaient à Ottawa de faire la même chose. L'arrivée aux Finances de Michael Wilson, allié de confiance de Bay Street, a donné au Conseil l'occasion de présenter son propre projet de refonte du régime fiscal du pays. En échange d'une baisse importante du taux d'imposition des sociétés, les grandes entreprises étaient prêtes à renoncer à diverses échappatoires fiscales (notamment, au besoin, à la moitié des 500 000 $ de l'exemption sur les gains en capital) et aux subventions aux entreprises (qui coûtaient au gouvernement fédéral environ 11 milliards de dollars par année). Toutefois, il fallait conserver les déductions pour amortissement, qui permettaient aux sociétés de soustraire à l'impôt la dépréciation de l'équipement et de l'immobilier. Il fallait aussi réduire les impôts des contribuables à revenu élevé.

Pour compenser la baisse des recettes de l'État, le Conseil recommandait d'élargir le taux d'imposition en instituant une taxe de vente nationale, la taxe sur les produits et services (TPS). Wilson a adhéré complètement au programme du CCCE, y apportant quelques modifications mineures, pour l'implanter ensuite progressivement au cours des années qui ont suivi.

Pour les grandes entreprises, la nécessité de concrétiser un accord bilatéral de libre-échange avec les États-Unis devait être la priorité absolue du gouvernement Mulroney, dès son premier mandat. Après tout, 200 sociétés canadiennes, la plupart membres du CCCE, représentaient 90 % du commerce total entre le Canada et les États-Unis et plus de 95 % de tous les investissements directs étrangers dans les deux pays. Cependant, alors que le Canada des affaires devenait de plus en plus dépendant du marché américain, la protection de ses intérêts aux États-Unis allait en s'amenuisant, car les producteurs américains s'engageaient dans des pratiques commerciales « injustes » face aux exportations canadiennes, et Washington menaçait de durcir sa position envers le Canada dans les domaines du commerce et de l'investissement.

Rêvant d'un accès garanti au marché américain, le CCCE et ses sociétés membres ont commencé à planifier un accord global de libre-échange entre les deux pays. Un traité de libre-échange forcerait aussi les gouvernements fédéral et provinciaux du Canada à souscrire à des règles économiques fixes. L'économie canadienne s'harmoniserait alors avec une économie américaine propice aux affaires, en restreignant les formes d'intervention et de réglementation de l'État, tout en réduisant les coûts des programmes sociaux et en freinant les exigences salariales des travailleurs.

Cependant, les grandes entreprises devaient d'abord faire accepter l'idée du libre-échange au nouveau gouvernement Mulroney. Pendant la course au leadership, en 1983, Mulroney avait déclaré de manière péremptoire : « Ne me parlez pas de libre-échange... Le libre-échange est une menace à notre souveraineté. » Cela n'a pas arrêté le CCCE qui, dès 1982, avait entrepris dans les coulisses de convaincre l'élite politique et économique des deux côtés de la frontière d'entamer les négociations commerciales. En 1983, d'Aquino s'est rendu à Washington pour discuter de cette idée avec la Business Round Table américaine et le gouvernement Reagan, qui avaient déjà réclamé la création d'une économie de marché nord-américaine. La même année, le CCCE s'est allié aux chambres de commerce afin d'inciter le monde des affaires à délaisser son protectionnisme traditionnel en faveur d'un accord de libre-échange avec les États-Unis. Peu de temps après les élections de 1984, le CCCE a chargé un groupe de travail composé de 45 membres du monde des affaires « de coordonner une action canadienne responsable dans le dossier du commerce entre les deux pays, à un moment où le gouvernement canadien était loin d'avoir clairement défini sa politique et ses options ».

En 1985, Brian Mulroney s'est mis à chanter un autre refrain, cette fois-ci aux côtés de Ronald Reagan dans le cadre du Sommet de Shamrock, à Québec. Les deux chefs d'État se sont engagés à ouvrir les négociations entre leurs deux pays en vue de conclure le premier traité global de libre-échange du monde. La publication du rapport de la Commission Macdonald, la commission royale que Trudeau avait mandatée pour étudier les perspectives d'avenir du développement économique, a conforté Mulroney dans sa décision de conclure ce traité. Sous la présidence de Donald Macdonald (ancien ministre libéral des Finances puis avocat à Bay Street), cette commission a fait du libre-échange avec les États-Unis le pivot de son rapport en trois volumes sur l'avenir économique du Canada.

Ne pouvant en assurer les résultats, Macdonald lui-même qualifiait le libre-échange d'« acte de foi ». En fin de compte, la recette de la Commission Macdonald n'était rien d'autre qu'une copie conforme de ce que le CCCE avait présenté à cette commission au cours de ses audiences publiques tenues dans tout le pays. En 1986, Mulroney nommait nul autre que Simon Reisman pour diriger les négociations concernant un traité de libre-échange nord-américain.

La bataille en faveur du libre-échange est rapidement devenue une préoccupation de tous les instants pour d'Aquino et le Conseil. Afin de gagner un vaste soutien public et de neutraliser l'opposition grandissante à un traité de libre-échange avec les États-Unis, le CCCE a mis sur pied, en avril 1987, ce qu'il a appelé l'Alliance canadienne pour le commerce et l'emploi. Cette nouvelle alliance était présidée par Peter Lougheed et Donald Macdonald lui-même. Bien sûr, ses membres étaient des sociétés et des banques qui provenaient du Conseil et dont le poids économique était considérable. Alcan, Mines Noranda et la Banque Royale ont versé chacune 400 000 $, tandis que des dizaines d'autres entreprises (dont 19 appartenaient à des intérêts étrangers) ont fourni trois millions de dollars supplémentaires.

L'Alliance a aussi travaillé en étroite collaboration avec son homologue américain, l'American Coalition for Trade Expansion with Canada, qui représentait 600 sociétés et associations d'affaires américaines. Par l'intermédiaire de leurs filiales, un nombre important de sociétés américaines se sont retrouvées directement engagées dans l'Alliance canadienne.

Alors que les Canadiens rassemblaient leurs forces en vue de la grande élection de 1988, dont l'enjeu était le libre-échange, les grandes entreprises ont tout fait pour que les forces politiques en faveur du libre-échange soient bien pourvues. Face aux libéraux de John Turner et aux néo-démocrates d'Ed Broadbent, tous opposés à la libéralisation du commerce, les conservateurs de Mulroney étaient la seule force en présence à soutenir le patronat. L'Alliance et les conservateurs recevaient des fonds des grandes sociétés du pays.

Durant cette course électorale, par exemple, la Compagnie pétrolière Impériale a versé 200 000 $ à l'Alliance et 46 000 $ aux conservateurs, et Bombardier, 69 000 $ à l'Alliance et 30 000 $ aux conservateurs.

Les sociétés basées à l'étranger ont également payé un lourd tribut aux forces du libre-échange. Shell aurait donné 250 000 $ et Texaco 100 000 $. L'Alliance a, elle-même, investi un peu plus de cinq millions de dollars dans une habile campagne de promotion avant les élections. Et, lorsqu'il est apparu clairement que les conservateurs commençaient à perdre du terrain, après le débat des chefs télévisé dans tout le pays, les grandes entreprises ont sorti des millions de dollars de leurs coffres, à la dernière minute, afin de les injecter dans une campagne éclair vantant les mérites du libre-échange. Les dirigeants de diverses sociétés canadiennes ont, par exemple, commandité un tabloïd de quatre pages assurant les Canadiens que le libre-échange créerait des emplois et protégerait les programmes sociaux. Ce document a été inséré dans les grands quotidiens du pays, deux semaines avant le jour du scrutin.

Troisième étape : la prise du pouvoir

Les élections de 1988 ont marqué un tournant décisif pour le Canada des affaires. Non seulement les conservateurs, qui avaient un parti pris pour le monde des affaires, ont obtenu une victoire cruciale aux élections, mais la destinée du pays au chapitre du libre-échange sur le continent avait été signée et scellée. Dans les 24 heures qui ont suivi la fermeture des bureaux de vote, d'Aquino a déclaré que, le libre-échange étant à portée de main, le CCCE s'évertuerait désormais à faire de la réduction du déficit la priorité nationale. Voilà qui n'était pas nouveau, bien sûr. Depuis le milieu des années 1970, la réduction radicale des dépenses publiques avait été un objectif fondamental des grandes entreprises. Cependant, au cours des mois qui ont mené au dépôt du budget fédéral de Michael Wilson, en 1989, le CCCE, de concert avec les chambres de commerce canadiennes et l'Association des manufacturiers canadiens, a lancé à Ottawa une campagne de lobbying vigoureuse et implacable afin que la réduction du déficit soit la priorité absolue.

Dans leur message, les lobbyistes pointaient les dépenses croissantes du gouvernement, surtout celles reliées aux programmes sociaux, comme la cause principale de l'escalade des déficits publics.

Toutefois, le milieu des affaires ne cherchait pas à réduire le déficit par pure bonté d'âme, pour améliorer la santé économique de la nation. La lutte contre le déficit consistait plutôt à défendre des intérêts financiers profondément enracinés. Le CCCE, par exemple, représentait d'importantes institutions financières, notamment les cinq grandes banques nationales (la Banque Royale, la CIBC, la Banque de Nouvelle-Écosse, la Banque de Montréal et la Toronto-Dominion) en plus d'un réseau complexe de sociétés de placement connexes, comme RBC Dominion Securities, Scotia McLeod, Ernst and Young, Nesbitt Burns et Midland Walwyn Capital. Ces institutions financières avaient pour but de gérer l'argent et les opérations d'investissement sur les marchés financiers. Ce sont elles qui avaient le plus à gagner à ce que l'on achète et vende des obligations d'État sur les marchés financiers en vue de réduire les déficits. Ajoutons à cela les intérêts directs des banques et des sociétés de placement à Wall Street, combinés à ceux d'agences de crédit comme Moody's et Standard & Poor, et l'on voit que le CCCE se trouvait en position de force pour exiger du gouvernement d'Ottawa qu'il donne la priorité à la réduction du déficit.

Les grandes banques du Canada et les sociétés de placement voulaient accroître leur contrôle sur les politiques fiscale et monétaire du pays. Dans le passé, le gouvernement fédéral avait toujours été responsable de la gestion de la politique monétaire par l'intermédiaire de son agence, la Banque du Canada. Toutefois, dans les années 1980, le CCCE et l'institut C. D. Howe ont réclamé des changements majeurs dans le mandat de la banque centrale et une plus grande indépendance du Cabinet et des élus. Du même souffle, ils poussaient Ottawa à se tourner davantage vers les marchés financiers privés. Dans le passé, quand le gouvernement avait besoin de fonds supplémentaires pour financer sa dette, il pouvait traditionnellement compter sur les prêts sans intérêt de la Banque du Canada. En 1977, par exemple, cette dernière détenait 21 % de la dette publique. À l'arrivée du gouvernement Mulroney, en 1984, ce chiffre était descendu à 10,5 %, pour tomber à 6 % en 1993. De plus, non seulement Ottawa a accepté d'emprunter davantage des banques privées à des taux d'intérêt plus élevés, mais il a également aboli l'obligation, pour les banques privées, d'avoir des réserves de caisse ne rapportant pas d'intérêt à la Banque du Canada, ce qui leur a permis d'accumuler des millions de dollars supplémentaires en intérêts et en profits. En revanche, cette nouvelle politique monétaire a largement contribué à la croissance de la dette publique.

En réponse aux attaques du public qui les accusait de servir la haute finance, le CCCE et l'institut C. D. Howe ont accusé le gouvernement d'être responsable des déficits publics croissants en pointant ses dépenses « excessives », particulièrement au chapitre des programmes sociaux. En 1989, l'institut C. D. Howe a commandé à Tom Courchene, de l'université Queen, une étude sur la politique sociale dans les années 1990, étude dans laquelle il affirmait que le programme d'assurance-chômage était une cause importante du déficit et du chômage (puisqu'il n'incitait pas au travail, selon lui). L'institut a alors préconisé une refonte complète des programmes sociaux du Canada, notamment de l'assurance-chômage, des allocations familiales, de l'aide sociale, de la sécurité de la vieillesse et des prestations pour enfants. Plaidant pour un renouvellement de la fiscalité canadienne, il suggérait de substituer aux paiements de transfert un système de transmission de points d'impôt aux provinces pour la santé et l'aide sociale. L'institut favorisait aussi la privatisation du système de santé et le remplacement des subventions pour l'éducation post-secondaire par des transferts directs aux étudiants. Parallèlement, la presse des affaires publiait un grand nombre de discours dans lesquels des présidents de banque réclamaient d'Ottawa la réduction du déficit au moyen de la compression des dépenses sociales.

Le budget de Michael Wilson, en 1989, marque le début de la mise en application du programme de réforme sociale inspiré par les grandes entreprises. L'assurance-chômage est la première cible : dans la foulée de l'instauration du libre-échange, le gouvernement fédéral annonce qu'il se retire du programme en tant que partenaire financier principal. Dans les mois qui suivent, les allocations familiales et la sécurité de la vieillesse se retrouvent dans le collimateur. La suspension des paiements de transfert aux trois provinces les plus riches (l'Ontario, l'Alberta et la Colombie-Britannique) vient rompre l'entente fédérale-provinciale sur le partage des coûts relatifs au régime d'assistance publique du Canada, qui avait pour but d'aider les gens vivant dans la pauvreté. On vote alors une loi qui, dans les faits, prévoit l'arrêt progressif des paiements de transfert d'Ottawa aux provinces au chapitre des soins de santé et de l'éducation postsecondaire. En lieu et place, comme l'institut C. D. Howe l'avait recommandé, les provinces recevront dorénavant des points d'impôt pour augmenter les fonds publics destinés à ces programmes. En conséquence, Ottawa devrait s'être complètement retiré du secteur de la santé en l'an 2003.

Pendant ce temps, d'autres changements de politique, prônés par le CCCE et l'institut C. D. Howe au nom des grandes entreprises, ont contribué à augmenter les déficits de l'État au cours de cette période. Les deux groupes ont fortement appuyé le gouverneur de la Banque du Canada, John Crow, lorsque, en 1988, il a haussé les taux d'intérêt pour réduire l'inflation à néant. En l'espace de deux ans, Crow a fait passer le taux d'intérêt nominal de la banque de 8,8 % à 14 %, soit à plus du double de ce qu'il était aux États-Unis. En 1990, le taux d'inflation est resté le même, soit à 4 %, mais l'économie du pays était aux prises avec une autre forte récession. Les trois années suivantes, le chômage et le nombre de faillites ont monté en flèche, ce qui a entraîné une diminution des recettes fiscales d'Ottawa et des provinces.

En 1993, la perte de revenus fiscaux due à un taux de chômage élevé, combinée aux coûts croissants de l'aide sociale et de l'assurance-chômage, a entraîné une perte de revenu nette estimée à 47 milliards de dollars pour les gouvernements, à tous les niveaux. Pour couronner le tout, à la suite de l'adoption, par Michael Wilson, des initiatives de réforme fiscale du CCCE, les taux d'imposition des grandes entreprises ont chuté dramatiquement (passant de 15 % au milieu des années 1980 à environ 7,5 % en 1993). Il ne faut donc pas s'étonner qu'Ottawa se soit cru au bord de la faillite.

Mais ce n'est que la pointe de l'iceberg. La plupart des sociétés membres du CCCE, lequel avait promis, en 1988, de créer « des emplois à de meilleures conditions » si le traité de libre-échange nord-américain était ratifié, ont finalement, à la place, mis à pied 200 000 personnes. En 1988, 37 entreprises du CCCE, employant un total de 765 338 personnes, ont réduit leurs effectifs à 549 924 employés en 1994, ce qui représentait une perte de 215 414 emplois. En tête de liste des entreprises « coupeuses d'emplois » du CCCE au cours de ces six années, on trouve le Canadien Pacifique, qui a mis à pied 49 200 personnes, et Imasco, qui a éliminé 26 553 emplois. Ford Motor Co. et Mines Noranda suivent, avec environ 13 000 emplois en moins chacune. Puis viennent Sears Canada et Abitibi Price, qui ont chacune éliminé près de 10 000 emplois, et General Motors, Domtar, Alcan et Dofasco, qui ont supprimé, chacune, en moyenne 6 500 emplois. Parallèlement, les 37 sociétés membres du CCCE ont vu leurs revenus annuels combinés augmenter de 32,1 milliards de dollars (passant de 141,9 milliards en 1988 à 174,0 milliards en 1994). Depuis la signature de l'ALE, 11 sociétés du CCCE ont réussi à créer 11 993 emplois : un chiffre plus que modeste !

La situation ne s'est pas non plus améliorée, comme promis, à la suite de l'accroissement de l'investissement étranger. Peu de temps après son arrivée au pouvoir, le gouvernement Mulroney a « étouffé » l'AEIE pour lui substituer Investissement Canada, qui a eu pour mandat d'encourager activement les investissements étrangers. Dans la décennie qui a suivi, a remarqué l'économiste David Robinson, Investissement Canada a approuvé la vente de plus de 6 000 entreprises canadiennes, d'une valeur supérieure à 64 milliards de dollars, à des sociétés étrangères. Dans presque tous les cas, cette mainmise étrangère a provoqué des pertes d'emplois et des déplacements de production. Ainsi, quand la Stone Container, société de Chicago, a pris le contrôle de la Consolidated-Bathurst de Montréal, elle n'a gardé que 150 des 400 employés qui travaillaient au siège social.

Étant donné que les sociétés basées à l'étranger exercent un contrôle considérable sur leurs filiales canadiennes, explique Robinson, du jour où l'ALE est entré en vigueur, les sociétés mères se sont mises à racheter toutes les actions détenues par les actionnaires minoritaires des succursales canadiennes et ont restructuré leurs activités continentales. En 1991, par exemple, Union Carbide a racheté ses actions canadiennes, mis à pied plus de 4 000 employés et transféré sa production aux États-Unis. En conséquence, cette société n'est plus qu'un bureau de vente au Canada.

Pis encore, le gouvernement Mulroney mettait la dernière main à l'Accord de libre-échange nord-américain (ALENA). Les fondements de cet accord devaient être les mêmes que ceux de l'Accord de libre-échange (ALE) conclu à l'origine par le Canada et les États-Unis, à la seule différence que le Mexique devenait un partenaire et qu'on y incluait quelques éléments supplémentaires. Un spécialiste en droit commercial, Barry Appleton, soutient, par exemple, que les négociations au sujet de l'ALENA ont mis en évidence le fait qu'on attribue aux gouvernements un rôle beaucoup plus limité. En réalité, le rôle et l'autorité des futurs gouvernements dans les trois pays ont été redéfinis en fonction du modèle américain de gouvernement minimal. Dans le cadre de l'ALENA, il devenait possible pour les sociétés d'opposer un veto à virtuellement toute tentative gouvernementale pour mettre sur pied des entreprises ou des programmes publics destinés à fournir des biens et des services au peuple canadien. En d'autres mots, les sociétés ou les pays partenaires de l'ALENA pourraient contrecarrer toute tentative, de la part d'Ottawa, de reconstruire le secteur public ou le filet de sécurité sociale à l'avenir.

Le nouveau régime de libre-échange prévoyait une réglementation qui protégerait les droits des sociétés sur leur propriété intellectuelle. Pour les Canadiens, cette mesure aurait un impact direct sur les coûts des soins de santé, puisque le prix des médicaments brevetés augmenterait. Déjà en 1992, le gouvernement Mulroney avait porté de 10 à 20 ans la période de monopole des sociétés de médicaments brevetés (projet de loi C-91), empêchant alors les fabricants canadiens de médicaments génériques de fournir des produits brevetés à moindre coût. Cette mesure législative deviendrait irréversible avec son enchâssement dans l'ALENA.

À ce stade, il était clair de toute façon que le CCCE et ses alliés s'étaient déjà gagné l'appui du public. En 1993, les sondages montraient que les Canadiens n'étaient pas loin de comprendre le raisonnement qui sous-tendait la volonté du gouvernement d'accorder la priorité à la réduction du déficit. Les compressions de personnel dans le secteur privé comme dans la fonction publique étaient devenues une réalité nécessaire (sinon inévitable). L'opposition du public au libre-échange s'était tellement atténuée que l'ALENA n'allait pas devenir l'enjeu de l'élection de 1993, comme l'avait été son précurseur, l'ALE, en 1988.

Voyant que la confiance du public dans le gouvernement conservateur de Mulroney s'était considérablement effritée, le CCCE s'apprêtait apprêté à changer son fusil d'épaule. Dans les coulisses, des rencontres et des consultations avaient déjà eu lieu avec Jean Chrétien et le Parti libéral du Canada.

Le cabinet fantôme

Lorsque Brian Mulroney a annoncé sa démission et que la fièvre électorale a repris au printemps de 1993, il était évident que le pouvoir avait radicalement changé de camp au pays. Le CCCE était devenu le puissant bras politique du patronat canadien à Ottawa. Représentant environ 150 des principales sociétés et banques du pays et totalisant des actifs de 1 500 milliards de dollars, cet organisme s'était solidement implanté et constituait une formidable force politique. Selon Langille, il jouait le rôle d'un véritable cabinet fantôme. Le comité des orientations, composé de 28 membres du CCCE, comprenait certains des dirigeants les plus influents du pays. Le Conseil, à ce moment-là, comptait six groupes de travail en activité, couvrant respectivement l'économie nationale, la politique sociale, la réforme politique, la politique environnementale, l'économie internationale et les affaires étrangères. Tous ces groupes de travail (y compris les anciens que l'on pouvait remettre sur pied, au besoin) étaient présidés par des PDG de sociétés membres, appuyés par des comités consultatifs et une kyrielle de chercheurs provenant d'instituts comme le C. D. Howe et d'autres centres de recherche du milieu des affaires.

Ce tableau, pourtant, ne donne pas la pleine mesure du pouvoir patronal qui présidait à l'élaboration des politiques économique et sociale à Ottawa. Pas moins de 18 des 25 dirigeants les plus puissants du patronat canadien, classés dans le *Globe and Mail Report on Business* en fonction du chiffre d'affaires de leurs entreprises, qui atteignait plusieurs milliards de dollars, étaient (et sont) membres du CCCE *(voir l'annexe III)*. Douze d'entre eux étaient membres du comité des orientations du CCCE : Maureen Darkes, de General Motors Canada, Lynton R. Wilson, de BCE, John Cleghorn, de la Banque Royale, Al Flood, de la CIBC, Matthew Barrett, de la Banque de Montréal, Jean Monty, de Northern Telecom, John D. McNeil, de la Sun Life du Canada, Robert B. Peterson, de la Compagnie pétrolière Impériale ltée, Jacques Bougie, d'Alcan Aluminium, Brian Levitt, d'Imasco, David Kerr, de Noranda, David O'Brian, du Canadien Pacifique. Trois d'entre eux, Flood, Monty et O'Brian, sont devenus membres du bureau de direction du CCCE, lequel se compose de cinq dirigeants. On constate avec surprise que, dans la liste des 25 PDG les plus puissants du pays, ne figurent pas des dirigeants de société très connus tels que Conrad Black, de Hollinger, Paul Desmarais, de Power Corporation, et Peter Munk, de Barrick Gold.

En fait, peu de ces 25 grands sont des noms familiers au Canada aujourd'hui. Ils sont loin de la reconnaissance dont jouissent les Jean Chrétien, Ralph Klein, Lucien Bouchard, Mike Harris, Preston Manning, Paul Martin et Sheila Copps, sans compter une foule d'autres premiers ministres provinciaux, de ministres et même de simples députés. Ils ne sont pas élus par le public et n'ont pas de comptes à lui rendre. Si on les compare aux politiciens que nous élisons, on sait très peu, ou rien, à leur sujet. Pour la plupart, ils ont choisi de vivre dans l'ombre des salles de réunion de leur siège social à Toronto ou à Montréal.

Pourtant, quelques-uns, comme Conrad Black, ne sont pas des inconnus du pouvoir politique. Après tout, c'est Black qui a financé Brian Mulroney la première fois qu'il s'est présenté à la direction du Parti conservateur en 1976. Pour le magnat de la presse canadienne, l'exercice du pouvoir est aussi important que la production de journaux rentables. Laurier LaPierre, qui a été son professeur à l'Upper Canada College, a dit de lui : « Être premier ministre, cela n'intéresse pas Conrad. Non, ce qu'il veut par-dessus tout, c'est être celui qui tire les ficelles, et c'est grâce à l'argent, croit-il, qu'il y arrivera. »

Aux groupes de travail provenant du CCCE et de centres de recherche comme l'institut C. D. Howe est venu se joindre un réseau complexe de groupes de pression politiques à Ottawa. Ce réseau a été créé afin de fournir aux entreprises toute l'aide requise pour pouvoir communiquer avec les plus hautes instances gouvernementales et pour plaider leur cause auprès d'elles. Les journalistes d'enquête John Sawatsky et Stevie Cameron ont monté des dossiers sur des personnalités intrigantes et sur des faits curieux qui se sont déroulés dans les couloirs du Parlement, particulièrement du temps de Mulroney. En fait, Tom d'Aquino lui-même a suivi ce chemin avant d'être nommé à la tête du CCCE.

Même si les PDG des grandes sociétés du pays ont certainement leurs entrées directes au bureau des principaux ministres, ils doivent compter sur tout un contingent de firmes spécialisées en planification stratégique et en affaires publiques pour rester en phase avec les bureaux des sous-ministres et des principaux responsables politiques. Pour les entreprises, avoir ses entrées en politique est une dimension vitale de l'exercice du pouvoir à Ottawa, et chaque grande entreprise a une firme de lobby en réserve. Deux sociétés, Executive Consultants Limited (ECL) et Public Affairs International (PAI), ont dominé la scène à Ottawa durant les années 1970 et 1980. Leurs activités, au cours de cette période, ont transformé l'appareil de prise de décision à Ottawa, du cabinet du premier ministre, en passant par les principaux ministères, jusqu'aux comités législatifs eux-mêmes.

Bien que le CCCE et ses sociétés membres soient, en général, la crème de la crème de l'élite économique canadienne, ils n'ont pas travaillé dans un vide politique total depuis le début des années 1980. À maints égards, ils ont reçu un coup de main indirect des groupes de citoyens de droite. Le plus connu de ces groupes est la National Citizens' Coalition (NCC), fondée en 1975 et financée par le magnat de l'assurance Colin Brown, de London, en Ontario. Au fond, la NCC n'était pas destinée à devenir un mouvement de citoyens ni même une coalition. Dirigée plutôt par un petit conseil, elle recevait un appui financier de particuliers qui n'avaient pas ou peu de voix au chapitre dans les décisions de politique organisationnelle et dans les actions enteprises.

Selon Murray Dobbin, la NCC a fait progresser le programme d'action des sociétés à la manière d'un *pit bull*. Au lieu de faire pression directement sur le gouvernement et la bureaucratie d'Ottawa, la NCC mettait toute son énergie et des millions de dollars dans des actions médiatiques incendiaires. Tout au long des années 1980, des campagnes éclair importantes ont visé la réforme de l'impôt progressif, le Programme énergétique national, le régime d'assurance-maladie, la politique d'immigration et les droits des syndicats. En 1984, la NCC a gagné une cause devant les tribunaux et forcé le gouvernement à abroger la loi fédérale qui interdisait aux sociétés et aux nantis de consacrer de grosses sommes à l'achat de publicité politique dans le cadre des campagnes électorales. En fait, cette action a donné lieu à un raz-de-marée publicitaire de la part des sociétés durant les élections de 1988, dont l'enjeu était le libre-échange. Durant la campagne électorale de 1988, avant le débat des chefs de parti, à la suite duquel le vent a tourné, la NCC avait dépensé à elle seule plus de 400 000 $ en annonces publicitaires pour promouvoir le libre-échange.

Le CCCE, bien sûr, s'est arrangé pour entretenir une relation distante avec la NCC et les autres groupes de citoyens de droite. Joyau de l'élite économique et politique de la nation, il ne voulait pas ternir son image en étant associé à certains éléments d'extrême droite. Par contre, il savait pertinemment que l'influence de ces groupes est essentielle pour amener un changement des valeurs et des attitudes dans la population.

La Fédération canadienne des contribuables (FCC) en est une bonne illustration. Au moment où les grandes entreprises faisaient grand bruit pour que la lutte contre le déficit et la réduction des dépenses sociales constituent la grande priorité du gouvernement Mulroney, à la suite de leur victoire pour le libre-échange, ce sont des groupes comme la FCC qui ont ouvert la voie à un changement radical de l'opinion publique, grâce à leurs vigoureuses campagnes contre la lourdeur du fardeau fiscal. Cette association rédigeait des articles destinés aux hebdomadaires régionaux du pays, diffusant son message au moyen des médias électroniques régionaux et nationaux, et organisait des rallyes anti-impôt aussi bien dans les régions urbaines que dans les régions rurales.

Certaines de ces campagnes orchestrées par la FCC ont atteint leur sommet plus tard, sous le gouvernement Chrétien, mais c'est au cours des dernières années du gouvernement Mulroney que cette organisation a commencé à attiser l'hystérie anti-gouvernement.

En même temps, Tom d'Aquino et son comité des orientations devaient redresser la barre afin de bien diriger leur navire dans les méandres de la politique partisane. L'ampleur de l'opposition populaire qui s'était mobilisée contre le gouvernement Mulroney (une grande partie de cette opposition ayant pris racine dans les mouvements contre le libre-échange) a amené les entreprises à modifier leur stratégie. Les conservateurs de Mulroney étaient devenus un boulet politique. Pour maintenir leurs priorités, les grandes entreprises devaient consolider l'appui qu'elles trouvaient au sein du Parti libéral. Puisque les sociétés membres du CCCE avaient la capacité de financer les partis et les élections, la plupart d'entre elles ont discrètement déplacé leurs appuis financiers afin de garnir les coffres du Parti libéral.

Sur le plan idéologique, les sociétés membres du CCCE n'ignoraient pas que le Parti réformiste prenait lui aussi à cœur les intérêts des grandes entreprises et qu'il appuyait avec force la politique de libre-échange. Toutefois, elles savaient pertinemment que la majorité des Canadiens ne soutiendraient pas de sitôt Preston Manning et qu'il était donc préférable de contrôler la direction du pays par l'entremise des deux principaux partis.

En fin de compte, ce qui importe aux yeux des magnats des grandes entreprises, ce n'est pas le parti qui forme le gouvernement, mais la façon dont ils peuvent garder bien en main les leviers du pouvoir et de la prise de décision dans la capitale du pays et dans les provinces. Tant et aussi longtemps que le CCCE, par l'intermédiaire de ses sociétés membres, aura la capacité d'acheter les partis et les élections, il continuera de mener le navire de l'État.

En un sens, on pourrait dire qu'il n'y a rien de particulièrement nouveau dans tout cela. Dès le début de l'instauration des seigneuries au Québec et du *Family Compact* en Ontario, jusqu'à la construction du chemin de fer du Canadien Pacifique vers l'ouest, les grandes entreprises ont joué un rôle décisif dans les origines et l'évolution du Canada. Pour ce qui est de notre époque, elle a vu bien souvent permuter des dirigeants politiques et des chefs d'entreprise, tandis que d'anciens ministres se sont retrouvés aux conseils d'administration de sociétés privées. La nouveauté aujourd'hui tient au pouvoir et à l'influence profonde, envahissante et générale qu'exercent les chefs d'entreprise sur les affaires publiques à Ottawa (et dans les capitales des provinces). Jamais, avant le XXᵉ siècle, les grandes entreprises n'ont été aussi près de substituer leurs propres mécanismes à l'appareil étatique.

Après tout, le CCCE n'a pas été constitué simplement pour que le gouvernement vienne régulièrement consulter les grandes entreprises. Son rôle était de formuler et d'orienter la politique nationale dans les secteurs clés touchant l'économie et la société canadiennes, pas seulement d'infléchir et de changer des règles particulières ou des aspects de la législation. Son but premier, en fin de compte, était ni plus ni moins qu'une redéfinition de l'État. Sur ce terrain, le CCCE n'était certes pas seul. Partout, dans l'économie mondiale, des tenants de la même idéologie ont aussi évolué rapidement dans cette direction.

2

AU-DESSUS DES NATIONS

— Ces PDG ont le bras terriblement long, pas vrai ?

— Ouais ! Pas étonnant que tout aille de travers dans ce pays.

— Remarque qu'on n'est pas les seuls. Tu te rappelles cette histoire, il y a quelques années, sur le rôle de Shell au Nigeria ? Tous les journaux en parlaient.

— Oui ! Je me rappelle ! L'histoire de l'écrivain Ken Saro-Wiwa et des neuf écologistes assassinés par la police nigériane parce qu'ils s'opposaient à ce que Shell touche à leurs terres et à leurs ressources ?

— C'est ça. Un tas de gens de partout dans le monde ont écrit à Shell pour demander que les assassins soient traduits en justice, mais c'est à peine si Shell a réagi. Mieux que ça, la compagnie a acheté des pages entières dans les journaux pour présenter sa version des faits.

— Ce qui m'inquiète dans tout cela, c'est qu'on ne voit que la pointe de l'iceberg. J'ai lu quelque part que Shell est installée dans plus de 150 pays. C'est pareil pour un tas de grosses compagnies comme General Motors, Coca-Cola, Toyota, IBM, McDonald et des centaines d'autres dont on ne sait presque rien. Penses-y rien qu'une minute !

— C'est incroyable ! Quand on pense qu'on vit dans un monde où une poignée de grosses compagnies sont devenues tellement puissantes et tellement riches qu'elles peuvent contrôler des pays entiers. Bientôt, c'est toute la planète qu'elles dirigeront !

— J'ai toujours entendu dire que les grandes compagnies devaient absolument grossir et prendre de l'expansion si on voulait préserver la démocratie partout dans le monde. J'ai plutôt l'impression que c'est l'inverse qui se produit.

— Bon, avant d'aller trop loin, on devrait peut-être regarder de plus près ce qui se passe vraiment.

Un monde sans frontières

Les sociétés transnationales, communément appelées multinationales, ont toujours exercé une influence sur la vie politique des pays, particulièrement dans les régions les moins industrialisées du Sud. L'embauche de hauts fonctionnaires de l'État, la participation directe aux comités d'élaboration des politiques économiques nationales, le versement de contributions financières aux partis politiques ainsi que l'utilisation de diverses manœuvres de corruption ont permis aux entreprises d'exercer une pression politique considérable sur les gouvernements des pays du Sud.

Parfois, les multinationales n'ont pas hésité à se tourner vers leurs propres gouvernements pour obtenir un appui militaire. En 1954, par exemple, les États-Unis ont envahi le Guatemala pour empêcher l'État guatémaltèque d'exproprier (contre compensations et intérêts) les terres inutilisées de la United Fruit Company afin de les redistribuer aux paysans de la région.

L'exemple le plus frappant, peut-être, de l'ingérence des entreprises dans les affaires politiques d'un État souverain remonte au début des années 1970, lorsque l'International Telephone and Telegraph (ITT) a offert de financer une campagne menée par les services d'espionnage américains (la Central Intelligence Agency — CIA), campagne qui avait pour but de défaire Salvador Allende, alors candidat aux élections présidentielles chiliennes. Même si la CIA a décliné cette offre, ITT a exercé de fortes pressions sur Washington et d'autres entreprises, après l'élection d'Allende, pour que l'on impose des sanctions économiques au gouvernement en place : fin du crédit et de toute forme d'aide, appui aux rivaux politiques d'Allende.

La divulgation, dans les médias, des manigances d'ITT pour renverser Allende a conduit l'Organisation des Nations unies à mettre sur pied un centre de surveillance des entreprises multinationales et à ébaucher un code de conduite afin de définir une éthique générale pour les multinationales. À la même époque, le pouvoir grandissant de ces entreprises sur la politique et l'économie est devenu l'une des principales préoccupations de l'ONU dans sa tentative pour négocier un nouvel ordre économique mondial.

Toutefois, ces démarches se sont très vite butées à des obstacles infranchissables. Il n'y a jamais vraiment eu de négociations pour l'instauration d'un nouvel ordre économique mondial, et le Centre de surveillance des multinationales s'est retrouvé mis à l'écart, si bien qu'il a fini par être démantelé. Pendant ce temps, les PDG des grandes entreprises s'efforçaient de promouvoir leur vision d'un nouvel ordre économique, celui d'un monde sans frontières. PDG de la mondialisation, ils rêvaient d'un monde sans intervention ou réglementation d'État, qui permettrait aux grandes entreprises de transférer leurs activités d'un pays à un autre, du jour au lendemain, afin de profiter d'occasions d'investissement plus intéressantes.

Dans ce nouvel ordre mondial, les multinationales se trouveraient au-dessus des lois des nations démocratiques et, par conséquent, se substitueraient aux États-nations pour devenir des institutions dominantes et immensément puissantes capables de modeler le destin des habitants de la planète. Grâce à la libéralisation des échanges et à l'intégration économique régionale des quelque 20 dernières années, le rêve des PDG de la mondialisation d'instituer un monde sans frontières a pris forme.

À maints égards, Akio Morita, fondateur et président dynamique de la société Sony, personnifie cette vision. Richard Barnet et John Cavanagh, deux Américains qui observent de près les activités des entreprises, rappellent qu'Akio Morita, après s'être fait un nom dans le domaine des transistors et des semi-conducteurs au début des années 1950, s'est attelé méthodiquement à la tâche de faire prospérer Sony, non seulement au Japon, mais dans le monde entier. Il passait la moitié de son temps à New York, où il s'évertuait à créer de nouveaux produits et à s'ouvrir des débouchés, entouré d'une pléiade de conseillers américains.

Morita a hissé Sony au rang des plus grands fabricants d'équipement électronique de divertissement. Dans les années 1970, grâce à ses usines implantées aux États-Unis et en Europe ainsi qu'au Japon, Sony a lancé sur le marché une multitude de gadgets électroniques, captivant ainsi l'imagination des habitants du monde industrialisé.

En fait, l'histoire d'Akio Morita et de Sony est un bel exemple de la percée effectuée par les entreprises transnationales et le nouvel ordre économique mondial. Il y a deux décennies à peine, selon les Nations unies, le monde comptait environ 7 000 multinationales. Aujourd'hui, il en compte plus de 40 000. Dans une récente étude, l'Institute for Policy Studies de Washington affirme que les 200 plus grandes multinationales du monde contrôlent, à l'heure actuelle, plus d'un quart de l'activité économique de la planète.

Les revenus de ces 200 géants mondiaux, qui totalisent 7 100 milliards de dollars, dépassent les recettes publiques combinées de 182 pays (sur 191). En fait, annuellement, ils représentent presque le double des revenus conjugués des quatre cinquièmes de l'humanité ayant les revenus les moins élevés (revenus qui se chiffrent à 3 900 milliards de dollars). Pourtant, ces géants n'emploient que 18,8 millions de personnes dans le monde entier, ce qui représente moins de 0,33 % de la population du globe.

À l'heure actuelle, 51 des 100 plus grandes puissances économiques mondiales sont des entreprises multinationales (il y a trois ans, elles n'étaient que 47). Parmi elles, on ne compte que 49 États. Mitsubishi, le plus grand conglomérat du monde, a des revenus totaux plus élevés que ceux de l'Indonésie, qui occupe la quatrième place parmi les nations les plus peuplées de la planète. L'économie de Wal-Mart est plus grosse que celle de 161 pays réunis, dont Israël, la

Pologne et la Grèce. L'économie de Ford surpasse celle de l'Arabie Saoudite ou de l'Afrique du Sud. Les ventes annuelles de Philip Morris dépassent le produit intérieur brut (PIB) de la Nouvelle-Zélande, alors que le chiffre d'affaires de General Motors est supérieur au revenu du Danemark, et celui de Toyota, au revenu de la Norvège. Cinq multinationales contrôlent à elles seules 50 % du marché mondial dans sept secteurs, soit ceux des biens de consommation durables, de l'automobile, de l'aviation, de l'aérospatiale, des composants électroniques, de l'acier ainsi que de l'électricité et de l'électronique.

Quel que soit leur pays d'attache, les géants japonais, américains et européens ont nettement tendance à devenir des entreprises apatrides adoptant diverses nationalités et offrant leur loyauté au gré de leurs intérêts concurrentiels. Quel que soit l'endroit où elles exercent leurs activités, ces multinationales peuvent adopter des nationalités étrangères en fonction de leurs besoins, par l'intermédiaire de leurs filiales outre-mer, de coentreprises, de licences et d'alliances stratégiques. Ce faisant, elles ont acquis la capacité, tels des caméléons, de prendre la couleur locale du pays dans lequel elles font des affaires. Comme l'a si bien dit un PDG : « À Bruxelles, nous sommes des États membres de la CEE, tout comme à Washington, nous sommes une compagnie américaine. » Les multinationales n'hésitent pas à se draper des couleurs nationales si elles peuvent ainsi bénéficier d'exemptions fiscales, de subventions de recherche, ou obtenir que le gouvernement les représente dans des pourparlers reliés à leurs plans de mise en marché. En agissant ainsi, ces entreprises apatrides amènent réellement les États à épouser leurs intérêts en matière d'investissement et de compétitivité transnationaux.

En 1993, s'étant acquis une solide réputation dans le monde, Akio Morita a adressé une lettre ouverte aux chefs d'État qui devaient participer au sommet du G7 à Tokyo, leur demandant de faire tomber *toutes* les barrières économiques qui entravaient les opérations commerciales et financières entre l'Amérique du Nord, l'Europe et le Japon. Du même souffle, il leur proposait de créer « le noyau d'un nouvel ordre économique mondial qui verrait l'harmonisation des pratiques commerciales du monde entier selon des règles et des procédures dont ils seraient unanimement convenus et qui feraient fi des frontières. À la longue, poursuivait-il, nous devrions tendre vers la création d'un environnement autorisant, de façon globale et sans entraves, la libre circulation des biens, des services, des capitaux, de la technologie et des personnes entre l'Amérique du Nord, l'Europe et le Japon ». Assorti d'une liste de propositions, le message que Morita envoyait aux gouvernements était très clair : ils devaient, en tout premier lieu, servir les « besoins » des entreprises mondiales, plutôt que de satisfaire ceux de leurs propres peuples.

La lettre de Morita aux leaders du G7 n'a fait que renforcer une tendance déjà bien engagée. Partout dans le monde, les gouvernements nationaux abaissaient leurs barrières économiques et déréglementaient leur économie à un rythme accéléré. Selon un rapport des Nations unies sur les investissements mondiaux, publié en 1995, les gouvernements ont, entre 1991 et 1994, mis en vigueur pas moins de 374 mesures législatives qui touchaient, de près ou de loin, les investissements des entreprises. De ces mesures, 369 visaient l'élimination des règlements sur les activités des grandes entreprises. En d'autres mots, 98,7 % de la nouvelle législation avait pour but de créer un environnement permettant aux multinationales de « transcender les frontières nationales ». Ce faisant, les gouvernements nationaux se sont départis des pouvoirs et des outils qui leur sont indispensables pour réglementer les grandes entreprises et leurs investissements, et ainsi mieux servir leurs citoyens.

Kenichi Ohmae, gourou des grandes entreprises et directeur de McKinsey & Company au Japon, fait miroiter cette vision d'un « monde sans frontières » aux gouvernements qui se trouvent être ses clients. Il affirme que l'économie nationale n'a pas d'existence et que les gouvernements n'ont désormais plus à gérer l'économie nationale puisque la mondialisation de l'économie et l'émergence des entreprises transnationales les ont rendus caducs. Les outils qui, par tradition, servaient à gérer l'économie, explique Ohmae, comme la hausse des taux d'intérêt pour juguler l'inflation ou l'imposition brutale de restrictions à l'importation afin de limiter la concurrence étrangère, sont aujourd'hui dépassés, pour la simple raison que les entreprises mondialisées peuvent facilement esquiver ou contourner ces mesures.

Il est temps pour les politiciens et les bureaucrates, conseille Ohmae, de reconnaître que le concept d'État est aujourd'hui « obsolète ». Il est temps que l'État laisse la place au capital afin que celui-ci puisse circuler librement en fonction des forces du marché.

Les trilatéralistes

Chez les nouveaux ténors de la mondialisation, l'attrait pour un monde sans frontières ne s'est cependant pas manifesté du jour au lendemain. Bien au contraire, il leur a fallu plus de 20 ans pour forger cette vision d'entreprise et mettre au point la stratégie mondiale qui ferait de cet idéal une réalité. Au début des années 1970, les PDG de certaines des multinationales dominantes ont commencé à rencontrer régulièrement, à huis clos, des dirigeants politiques des grands pays industrialisés par l'entremise de ce qui allait devenir la Commission trilatérale.

Ce n'était pas le premier forum international de ce genre organisé par le monde des affaires et pour lui. Durant la Seconde Guerre mondiale, le Council on Foreign Relations a vu le jour et a grandement contribué à l'instauration du Fonds monétaire international et de la Banque mondiale. De même, en 1950, le Groupe Bilderberg, réunissant des dirigeants du monde politique et du milieu des affaires, a été mis sur pied en vue de réaliser l'unification européenne. Cependant, la Commission trilatérale était le premier organisme de sa catégorie dont l'objectif affiché était de restructurer l'économie mondiale et de réorienter les politiques des États-nations en ce sens.

À l'origine de la formation trilatéraliste, en 1973, se trouvent David Rockefeller, à l'époque président de la Chase Manhattan

Bank, et le professeur Zbigniew Brzezinski, de l'université Columbia, devenu plus tard le conseiller en matière de sécurité nationale du président Jimmy Carter. Ce club d'élite regroupait 325 des dirigeants les plus importants, PDG de très grandes entreprises pour la plupart, ainsi qu'un nombre plus restreint de chefs d'État, de bureaucrates, de représentants des médias, et enfin, quelques dirigeants syndicaux des pays industrialisés de l'Europe de l'Ouest, de l'Amérique du Nord et du Japon. On y dénombrait les PDG de quatre des cinq plus grandes multinationales, de cinq des six principales banques internationales et des plus grandes entreprises du monde des médias des pays industrialisés. D'éminents PDG, comme Akio Morita, de Sony, ont présidé la Commission trilatérale. La Kettering Foundation et la Fondation Ford ont assuré le financement initial puis, des sociétés bien connues comme General Motors, Exxon, Sears Roebuck, Coca-Cola, Honeywell, Weyerhauser, Bechtel, Texas Instruments, Caterpillar Tractor, Cargill, John Deere, Time et CBS ont alimenté le fonds de roulement de la Commission.

Au cours des années 1970, les trilatéralistes ont élaboré un plan d'action commun dans le but de restructurer l'économie mondiale et les États-nations. Ce plan, selon la sociologue Patricia Marchak, de l'université de Colombie-Britannique, avait deux objectifs stratégiques. En premier lieu, pour réunir les conditions nécessaires à la restructuration des économies nationales dans un marché mondial, il fallait redéfinir de fond en comble les rapports existant entre les gouvernements et leurs citoyens. Pour les trilatéralistes, cela signifiait qu'il fallait renforcer le contrôle des gouvernements sur les mouvements de citoyens et les groupes de défense de l'intérêt public. En second lieu, pour accroître la liberté de mouvement du capital transnational, il fallait effectuer des changements dans les structures internationales des États-nations. Il s'avérait essentiel de rebâtir les systèmes monétaire et commercial internationaux afin de les adapter au capital mondial. Les modèles keynésiens de l'État-nation et de l'économie internationale étaient un obstacle commun à ces deux objectifs, et il fallait les éliminer.

L'une des premières grandes études que les trilatéralistes ont commandée portait sur la crise que traversaient les gouvernements démocratiques, problème épineux auquel se heurtaient les multinationales. Les auteurs d'un rapport portant sur la crise de la démocratie soutenaient que, dans l'histoire de la gestion démocratique des affaires publiques, le balancier avait parfois oscillé soit vers un excès d'autorité gouvernementale, soit vers un excès de démocratie. Dans les années 1970, rappellent-ils, des groupes de pression particuliers, des programmes sociaux trop lourds, une protection des travailleurs excessive au sein de l'économie, une bureaucratie mal équilibrée et de trop nombreuses critiques provenant des médias et du milieu universitaire paralysaient littéralement les gouvernements démocratiques. En bref, le balancier oscillait un peu trop du côté de la démocratie. Les auteurs de l'étude ont qualifié ce problème politique central de « démocratie excessive », ce qui revenait à dire : « l'aptitude à gouverner fait défaut ». Et qui montre-t-on du doigt ? L'État-providence keynésien.

Même si le rapport ne réclamait pas un démantèlement complet de l'État-providence, les auteurs proposaient d'apporter des changements radicaux au modèle de gouvernement démocratique. Selon eux, la solution à la crise résidait dans un gouvernement fort à l'intérieur d'une structure démocratique plus faible. Afin de bien coordonner et de bien planifier les changements à apporter aux économies nationales en vue de favoriser les investissements transnationaux, les gouvernements devaient affirmer leur autorité centrale et se montrer moins attentifs aux demandes des mouvements de citoyens. Il fallait discipliner les médias en rendant les lois sur la diffamation doublement sévères et en restreignant l'accès à l'information publique.

Le rapport recommandait aussi de freiner l'éducation de masse (le nombre de gens instruits était trop élevé par rapport au nombre d'emplois disponibles sur le marché) et de prendre des mesures pour étouffer les critiques qui s'élevaient dans les milieux universitaires. Tout au long de leur étude, les auteurs laissaient entendre que les grandes entreprises devaient avoir toute liberté de modifier les règles de l'économie nationale.

En même temps, les trilatéralistes ont commandé un ensemble d'études et de rapports sur la restructuration de l'économie mondiale. En 1973 et en 1974, par exemple, la Commission trilatérale a publié des rapports qui réclamaient la refonte du système monétaire international ainsi que la révision du commerce mondial et des relations économiques Nord-Sud. On trouve dans tous ces rapports l'hypothèse implicite que la seule solution possible réside dans la création d'un libre marché mondial. L'expansion de la croissance économique, fondée sur la consommation de masse, était essentielle. Il fallait ouvrir de nouveaux marchés pour que les grandes entreprises puissent investir et prendre de l'expansion. Les nouvelles technologies avaient entraîné des changements dans les habitudes de consommation du monde industrialisé, tandis qu'on assistait à l'émergence de populations de nouveaux consommateurs dans les pays en voie de développement. Forts de ces arguments, les trilatéralistes ont fait valoir avec insistance que des changements importants s'imposaient dans les domaines de l'investissement, du commerce et de la politique monétaire.

Au moment de proposer des solutions, la Commission trilatérale s'est adressée en priorité aux institutions internationales au sein desquelles ses membres exerçaient une très grande influence — le Fonds monétaire international (FMI), la Banque mondiale et l'organisation des pays signataires de l'Accord général sur les tarifs douaniers et le commerce (GATT). En 1983, la Commission a publié un rapport sur les relations économiques entre le Nord et le Sud. L'un des auteurs, Robert McNamara, ancien président de la Banque mondiale, refusait délibérément d'accorder la moindre attention aux forums internationaux comme la Conférence des Nations unies sur le commerce et le développement (CNUCED), que les États-nations avaient à l'origine mis sur pied pour traiter de ces questions. Dans ce rapport, McNamara proposait plutôt de résoudre les problèmes économiques des pays en voie de développement par l'intermédiaire du GATT, du FMI et de la Banque mondiale.

Dans le cadre du GATT, les trilatéralistes ont réclamé de fortes réductions des barrières tarifaires et non tarifaires des économies de marché, particulièrement dans les industries du textile, du vêtement, de la chaussure, de la radio, de la télévision, de l'acier, ainsi que dans les industries navale et chimique. De même, les pays en voie de développement ne pouvaient régler la crise de l'endettement qui minait leur économie qu'en ayant recours au FMI et à la Banque mondiale. Ceux-ci rééchelonnaient leurs prêts en échange de « modifications structurelles » apportées aux politiques économique et sociale de ces pays.

De fait, la Commission trilatérale, organisme privé composé de PDG non élus et de dirigeants politiques choisis, s'est attribué la responsabilité de façonner la nouvelle économie mondiale. À l'exception du Mexique, les nations en voie de développement du Sud n'y avaient aucune représentation. De plus, les trilatéralistes n'ont tenu aucun compte des Nations unies et les ont circonvenues. Contrairement à leurs prédécesseurs, selon lesquels il ne fallait pas mélanger les affaires et le pouvoir politique, les trilatéralistes se voyaient les chefs de file tout désignés pour établir un consensus idéologique autour d'un nouveau plan d'action politique et économique. En tant que puissants représentants de l'élite mondiale, ils considéraient qu'ils avaient non seulement le privilège mais aussi l'obligation de présider à la restructuration de l'économie mondiale en cette fin de millénaire. En même temps, ils savaient qu'ils ne pouvaient appliquer ce plan d'action sans changer l'orientation prise par les politiques gouvernementales et l'opinion publique au sein des États-nations.

Les coalitions d'entreprises

La Commission trilatérale a notamment eu pour résultat d'entraîner la formation de coalitions de grandes entreprises, comme le Conseil canadien des chefs d'entreprises, dans les principaux pays et régions industrialisés. Constituées des PDG des plus grandes entreprises, ces coalitions doivent imprimer de nouvelles directions à l'élaboration des politiques sociales et économiques. Elles peuvent compter sur tout un réseau d'instituts de recherche sur la politique et de firmes de relations publiques et sont à même de rassembler des positions de principe, des analyses d'expert ainsi que des sondages d'opinion, et de former des groupes de citoyens pour mener leurs campagnes en faveur d'une réforme des États nationaux et de leurs politiques.

Lorsqu'elles parviennent à un consensus, les entreprises membres déclenchent un lobbying intense et de vastes campagnes de propagande sur d'importantes questions politiques, diffusant largement leurs points de vue au moyen des réseaux d'associations commerciales.

Les États-Unis ont mis sur pied, en 1972, la Business Round Table, qui comprend les PDG des 200 principales entreprises du pays. David Korten, analyste américain du monde des affaires, révèle que, parmi ses membres, se trouvent les têtes dirigeantes de 42 des 50 plus grandes entreprises du monde. En fait, 7 des 8 principales banques américaines, 7 des 10 plus grandes compagnies d'assurances, 5 des 7 plus grandes chaînes de magasins de vente au détail, 7 des 8 principales compagnies de transport et 9 des 11 plus grandes sociétés de service font partie de la Business Round Table. Au sein de ce regroupement, le président de General Motors travaille de concert avec ses partenaires de Ford et de Chrysler ; le PDG d'Exxon s'assoit avec ses rivaux de Texaco et de Chevron ; le président de Citicorp travaille avec ses homologues de Chemical Bank, de Chase Manhattan Bank et de First Chicago ; et le président de DuPont collabore avec ses concurrents, Dow, Occidental Petroleum et Monsanto.

Les ressources énormes dont dispose la Business Round Table pour la recherche sur la politique, combinées au lobbying qu'elle effectue auprès du Congrès et à sa propagande politique, lui ont permis d'exercer une influence déterminante au cours des deux dernières décennies : ce regroupement d'entreprises a ainsi façonné la politique des États-Unis, notamment dans les domaines du libre-échange, de l'impôt sur les sociétés et de la déréglementation de l'économie, ainsi que dans ceux de la réforme de l'aide sociale, des soins de la santé et de l'éducation.

L'Europe a vu, elle aussi, l'instauration d'un semblable système d'entreprises qui entendent influer sur les décisions gouvernementales. La Table ronde des industriels européens (TRIE) compte 40 hommes, tous des PDG d'entreprises transnationales importantes dont le siège social est généralement situé dans un pays membre de l'Union européenne. Parmi les membres de la TRIE figurent 11 des 20 plus grandes entreprises européennes, soit British Petroleum, Daimler-Benz, Fiat, Siemens, Unilever, Nestlé, Philips, Hoechst, Total, Thyssen et ICI; elles sont toutes sur la liste des 500 grandes entreprises du monde. Créée en 1983, la TRIE est devenue l'éminence grise pour l'intégration économique des 12 pays qui forment l'Union européenne.

En 1984, la TRIE a lancé une campagne en faveur de la création d'un marché européen unique, recourant pour ce faire à un plan quinquennal qui réclamait l'élimination des barrières commerciales, l'harmonisation des réglementations et l'abolition des restrictions fiscales. Bien placée auprès des hautes sphères du gouvernement, aussi bien celles de la Commission européenne que celles des pays membres, la TRIE a eu une influence énorme sur les changements de politique (quand elle ne les a pas elle-même dirigés) dans des domaines variés, notamment la concurrence, les transports, l'éducation, l'emploi, l'environnement et les réformes sociales.

Au Japon, la principale coalition de grandes entreprises est connue sous le nom de Keidanren. Parmi ses membres, on compte les grands fabricants d'automobiles (Toyota, Nissan, Honda), 6 des grandes banques commerciales du monde (Industrial Bank of Japan, Sanwa Bank, Mitsubishi Bank, Fuji Bank, Dai-Chi Kangyo Bank et Long Term Credit Bank), 6 des 10 grandes sociétés d'équipement électronique du monde (Hitachi, Matsushita Electric, Toshiba, Sony, NEC et Mitsubishi Electric), 5 des 10 principales entreprises de gaz et d'électricité du monde (Tokyo, Kansai, Chubu, Tohoku et Kyushu Electric Power) et 8 des 10 grandes compagnies d'assurance-vie du monde (Nippon Life, Dai-ichi Mutual Life, Sumitomo Life, ainsi que Meiji, Asahi, Mitsui, Yasuda et Taiyo Mutual Life Companies).

En fait, 140 des 500 entreprises du monde en tête de la liste établie par *Fortune* se trouvent au Japon. Le Keidanren, cependant, se distingue de la Business Round Table américaine et de la Table ronde des industriels européens par sa façon de travailler. Au Japon, les entreprises reconnues comme Toyota sont toujours intimement liées à la vie quotidienne et à la culture. L'État lui-même gouverne comme si le pays était une grande entreprise.

En Europe et en Amérique du Nord, les centres d'étude et de recherche des entreprises sont venus prêter main-forte aux coalitions de grandes entreprises dans la préparation de leurs campagnes politiques. Ainsi, le Kiel Economics Institute en Allemagne, les instituts Adam Smith et Economic Affairs en Grande-Bretagne, le Heritage Foundation, l'American Enterprise Institute et l'institut CATO aux États-Unis, de même que les instituts C. D. Howe et Fraser au Canada, sont, pour la plupart, des centres de recherche que financent largement les grandes entreprises dans leurs pays respectifs. La nature des relations que ces centres entretiennent avec les coalitions de grandes entreprises varie, mais toujours ils apportent un appui essentiel à la préparation des campagnes de propagande des entreprises, en leur offrant des faits, des options politiques, des analyses d'expert et toutes sortes d'autres munitions.

En Grande-Bretagne, par exemple, l'institut Adam Smith, créé en 1977 en vue d'assurer la défense d'intérêts politiques, est devenu l'un des centres de recherche les plus influents du pays. On l'a vu notamment sous le gouvernement de Margaret Thatcher, qui l'avait chargé d'organiser la privatisation d'un vaste éventail d'industries nationalisées et de services gouvernementaux (comme le régime national des soins de santé).

En même temps, explique Korten, on a formé des groupes de

citoyens pour présenter les plans d'action des entreprises à un très large public. Des études menées aux États-Unis ont mis au jour les activités de 36 groupes de citoyens derrière lesquels on trouve le milieu des affaires ; ils vont de la National Wetlands Coalition à des groupes comme Consumer Alert. Le premier groupe, qui lutte pour que l'État assouplisse les règles qui régissent la conversion des marais en sites de forage et en centres commerciaux, est soutenu par les sociétés pétrolières et immobilières. Le second s'érige contre les critères de qualité qu'impose l'État pour les produits. Dans tous les cas, il faut à tout prix donner l'impression que les grandes entreprises ont à cœur l'intérêt public.

Par ailleurs, les coalitions et les entreprises qui en sont membres disposent d'une kyrielle de firmes de relations publiques dont la tâche consiste à réaliser de multiples sondages d'opinion publique et à concevoir des campagnes de promotion pour leurs clients. Exxon a ainsi engagé Burston Marsteller, la plus grande firme de relations publiques du monde, afin de manipuler l'opinion publique après la marée noire qui a suivi le naufrage de l'*Exxon Valdez*. Union Carbide a également recruté cette firme dans le même but à la suite de la catastrophe de Bhopâl.

Au cours des dernières années, on a assisté à la naissance du Forum économique mondial, vaste rassemblement annuel de chefs de file du milieu des affaires, de responsables politiques et de dirigeants des médias du monde entier. Environ 1 000 PDG ainsi que les chefs d'État et les hauts fonctionnaires de plus de 70 pays, sans compter les médias et des représentants du monde de la culture triés sur le volet, viennent assister à cette conférence d'une semaine qui se tient à Davos, en Suisse.

La propagande du Forum présente Davos comme le lieu de « rassemblement de premier plan des dirigeants des secteurs privé et public ». La structure de cette organisation présente deux regroupements principaux : 1) « les gouverneurs de l'industrie », des PDG provenant des entreprises les plus dynamiques du secteur industriel mondial ; 2) les « dirigeants politiques et hauts fonctionnaires », soit des chefs d'État, des ministres et des gestionnaires provenant d'organisations internationales choisies.

Le Forum comporte d'autres groupes qu'on pourrait appeler : le « cercle des chefs de file de la presse » (par exemple, les directeurs de publication de premier plan) ; les « figures de proue de la culture » (100 écrivains et artistes reconnus) ; le « forum des membres associés » (environ 400 universitaires) ; et la « nouvelle génération de dirigeants », groupe composé de 600 personnes de moins de 43 ans provenant de différents secteurs.

Pour la militante sociale Maude Barlow, Davos est devenu le lieu de rencontre de « la nouvelle royauté mondiale », des gens qui font partie de l'élite économique, politique et culturelle mondiale et qui ont bien plus de choses en commun les uns avec les autres qu'ils n'en ont avec leurs propres concitoyens.

Selon Madeleine Drohan, du *Globe and Mail,* cet événement prestigieux offre surtout à la « troupe zélée des dirigeants politiques l'occasion rêvée de persuader les grandes entreprises d'investir dans leur pays ». Autrement dit, les dirigeants de la planète entière et leurs hauts fonctionnaires se rendent, chaque année, dans ce pittoresque village suisse dans le but de présenter leur pays respectif comme l'endroit rêvé pour l'investissement transnational.

« C'est cela, la culture de Davos ! » clame Samuel P. Huntington, coauteur du rapport de la Commission trilatérale sur la crise de la démocratie. D'après lui, les gens qui se retrouvent à Davos contrôlent pratiquement toutes les institutions internationales, de nombreux gouvernements ainsi que le gros du potentiel militaire et économique du monde.

Le néolibéralisme

Afin de pouvoir compter sur l'appui du grand public, les trilatéralistes et les grandes coalitions du milieu des affaires ont cependant dû changer la culture politique dominante des pays industrialisés.

C'est là, remarque la sociologue Patricia Marchak, que le mouvement néolibéral a joué un rôle déterminant en proposant une transformation fondamentale des valeurs politiques et culturelles.

Le mouvement néolibéral moderne tire son origine de la Société du Mont-Pèlerin, créée à Genève, en 1947, par Robert Nozick, Friedrich Hayek, Karl Popper, Milton Friedman et Ludwig Erhard (à l'époque ministre des Affaires économiques de l'Allemagne de l'Ouest). Cette société exaltait les idéaux libertariens : le culte de l'individualisme, le libre choix, le droit de propriété, la productivité et la concurrence, et l'État était la cible principale de ses attaques. Comme l'indique Marchak, son message était clair : « Le marché est la solution à tous les maux ; l'État n'est rien. » L'État ne doit plus s'ingérer dans l'économie ni tenter de la réglementer. Sa seule fonction légitime est de protéger le droit de propriété et de maintenir la loi et l'ordre.

Vers 1970, les organisations néolibérales se sont multipliées en Europe et en Amérique du Nord, prenant la forme d'un mouvement social à part entière. En plus de la Société du Mont-Pèlerin, l'Europe a vu naître le Club de l'Horloge en France et d'autres organisations comme le Kiel Economics Institute en Allemagne de l'Ouest ainsi que l'Aims of Industry, l'Adam Smith Institute et l'Institute of Directors en Grande-Bretagne. En Amérique du Nord, le mouvement néolibéral était représenté par l'American Conservative Union, Young Americans for Freedom, la Thomas Jefferson Center Foundation, la Reason Foundation, la Heritage Foundation, le CATO Institute et la Society for Individual Liberty, sans compter l'institut Fraser au Canada.

De prime abord, on a pu croire que ces organisations étaient le fruit d'une génération spontanée, mais on s'est aperçu, par la suite, qu'elles ont reçu, bien souvent, un appui considérable dans leur planification, leur organisation et leur financement.

L'artisan principal du mouvement néolibéral est l'Autrichien Friedrich A. Hayek, philosophe et économiste des années 1930, que ses travaux ont rendu populaire, quoique tardivement, dans les années 1970. Pour Hayek, le progrès est lié à la liberté d'action des individus. Puisque ces derniers ne sont pas dotés de talents égaux, l'inégalité est à la fois inévitable et nécessaire. Selon Hayek, cela pose un problème politique fondamental, car, en démocratie, la majorité fait loi. Cette règle de la majorité contredit, pour lui, les valeurs premières de la liberté individuelle.

Du point de vue moral, rien ne peut justifier, affirme Hayek, qu'une majorité s'accorde des privilèges en édictant des règles qui l'avantagent. Les néolibéraux doivent donc chercher surtout à limiter le pouvoir coercitif de tout gouvernement. En effet, pour Hayek, les gouvernements démocratiques ne sont qu'une tyrannie de la majorité, ce qui conduit inévitablement au déclin économique et à la stagnation. « La *Great Society* », soutient-il, est une société gouvernée en fonction des règles et de la discipline du marché.

Dans les années 1970 et 1980, d'autres économistes plus connus que Hayek ont repris ses idées et les ont fait connaître au grand public. En Grande-Bretagne, Ralph Harris, de l'Institute for Economic Affairs, qui se définissait lui-même comme « l'un des diffuseurs des idées de Hayek », s'était donné comme objectif de « prouver » que les gouvernements coûtent cher, sont inefficaces et immoraux (c'est-à-dire qu'ils rompent l'équilibre naturel des forces du marché). Son collègue, Arthur Seldon, ancien étudiant de Hayek à la London School of Economics, soutenait que ce qui unit le mouvement néolibéral, c'est « son refus de voir dans l'État le garant d'un bon niveau de vie ».

Aux États-Unis, George Gilder, célèbre et ardent défenseur des idées de Hayek, faisait valoir, parmi d'autres, que les États démocratiques n'étaient pas tenus de satisfaire les demandes de la masse, mais bien de servir les intérêts des entrepreneurs créatifs, ceux qui produisent la « vraie » richesse. Alors que la plupart des néolibéraux restaient plutôt muets sur les grandes entreprises, Irving Kristol défendait vigoureusement celles-ci en les présentant comme les producteurs de la grande richesse en Amérique et dans le monde. Quant à Robert Nozick, il n'a pas hésité à affirmer que les impôts étaient une forme de vol, soutenant que le prélèvement d'impôts sur la richesse privée était immoral.

Le message néolibéral, qui, sur bien des points, rejoint celui des trilatéralistes, a commencé à s'insinuer dans la culture politique dominante. Les livres de Hayek et de ses disciples ont été publiés et diffusés dans le monde entier. On a invité les gourous du mouvement à exposer leurs idées dans les forums savants des universités. On a organisé des discours publics et des événements médiatiques, et, ce qui est plus révélateur encore, on a publié des magazines pour propager le message, tels que *Libertarian Review, Plain Truth, Libertarian Forum, Reason, The Individualist, The Freeman, The Objectivist* et *Forum Fraser* (ici au Canada). Alors que, voilà un certain nombre d'années, les magazines populaires de droite soulignaient que le communisme était la principale menace à l'individualisme, les nouvelles publications néolibérales désignaient leur propre gouvernement comme l'ennemi numéro un.

Toutefois, le message néolibéral était truffé de contradictions et présentait un mélange paradoxal d'idées à la fois libertariennes et autoritaires. Hayek place la liberté individuelle au-dessus de tout, reconnaissant cependant que l'individu doit obéir aux diktats du marché. En fait, le marché est à ses yeux un ensemble hiérarchique de règles et de sanctions qui récompensent et punissent l'individu. De même, en soutenant avec ardeur que le rôle de l'État est de protéger la propriété privée et de faire respecter la loi et l'ordre, les néolibéraux se contredisaient puisqu'ils condamnaient fortement, en même temps, l'ingérence de l'État dans l'économie. En réalité, les néolibéraux extrémistes montraient une très forte tendance à l'autoritarisme, dont témoignaient bien leur obéissance aveugle aux lois impersonnelles du marché ainsi que leurs revendications incessantes en faveur d'un État capable de faire régner la loi et l'ordre.

Même si, en règle générale, les néolibéraux souscrivaient en grande partie aux valeurs clés du programme des trilatéralistes, défini par le milieu des affaires, et qu'ils participaient à leur diffusion, cela ne signifie pas, affirme Marchak, que Hayek et ses disciples ne constituaient pas un mouvement indépendant. Des différences notables les séparaient des trilatéralistes. Alors que ces derniers plaidaient en faveur d'un État fort pourvu d'institutions démocratiques plus faibles, les néolibéraux voulaient affaiblir non seulement l'État, mais aussi la démocratie. À l'inverse de bien des néolibéraux, les trilatéralistes ne voulaient pas cantonner l'État dans le seul rôle de protecteur de la propriété et de la personne. Selon eux, un État devait être suffisamment fort pour que son gouvernement puisse restructurer l'économie nationale et créer les conditions nécessaires à la croissance économique.

Toutefois, malgré leurs intérêts divergents, un but commun unissait les trilatéralistes et les néolibéraux : le rejet de l'État-providence keynésien.

Pour Marchak, « l'aile néolibérale cherchait à soustraire les entrepreneurs aux contraintes de l'État, tandis que l'aile des affaires cherchait à libérer l'investissement des contraintes nationales ; mais les deux bénéficiaient de la campagne idéologique menée contre l'État-providence. » Autrement dit, en faisant front commun pour que disparaisse l'État-providence, les deux mouvements ont rendu possible l'alliance au sein du milieu des affaires. C'est cette alliance précaire qui a marqué les étapes politiques de l'élection, en 1979, du gouvernement Thatcher en Grande-Bretagne et, en 1980, celle de Reagan aux États-Unis.

Les régimes transnationaux

Pendant ce temps, les PDG des principales entreprises transnationales du monde se dépêchaient d'asseoir leur pouvoir politique dans la nouvelle économie mondiale. Selon le rapport des Nations unies sur l'investissement mondial, le total des investissements étrangers directs a fait un bond de 40 % pour atteindre 315 milliards de dollars (US) en 1995. Les 100 premières entreprises transnationales (avec en tête Shell Oil, Ford, Exxon, General Motors et IBM) étaient à l'origine du tiers de tous les investissements étrangers. Les grandes sociétés, multipliant les acquisitions et les fusions, ont entrepris de mieux contrôler les secteurs dominants de l'économie mondiale, comme les marchés financiers, les ressources, l'industrie manufacturière, l'agriculture, le commerce de détail, les services, les communications et les transports. Grâce à différentes formes d'intégration verticale ou horizontale, ces mêmes entreprises ont pu renforcer leur domination. Ces manœuvres, au cours des années 1980, n'ont pas eu pour seul résultat d'accroître la concentration du pouvoir entre les mains d'un groupe de plus en plus restreint de grandes entreprises. Elles ont aussi préparé le terrain à l'instauration d'une série de régimes transnationaux grâce auxquels une poignée de grandes entreprises ont réussi à contrôler l'ensemble des aspects de la production, de la commercialisation et de la distribution dans les secteurs clés de la nouvelle économie mondiale.

Dans le secteur des ressources naturelles, par exemple, on assiste à une concentration accrue des activités entre les mains d'un nombre décroissant de grandes entreprises, notamment dans les secteurs des mines métallifères, des produits forestiers et de l'exploitation pétrolière. La production et le raffinage du pétrole sont aujourd'hui largement contrôlés par neuf entreprises, dont quatre ont leur siège social aux États-Unis (Exxon, Texaco, Chevron et Amoco), deux en Grande-Bretagne (Royal Dutch Shell et British Petroleum), deux en France (Elf Aquitaine et Total) et une en Italie (Eni). Toutefois, le projet de fusion annoncé par Exxon et Mobil à la fin de 1998 déboucherait sur la création d'un gigantesque conglomérat pétrolier qui exercerait un monopole analogue à celui que détenait la Standard Oil Company avant d'être obligée, en vertu des lois anti-trust américaines, de séparer ses activités entre plusieurs entités. Alors que, auparavant, le secteur des forêts et de la production de papier était représenté par un grand nombre de sociétés dans le monde, cette industrie se concentre aujourd'hui entre les mains de cinq géants, dont quatre sont établis aux États-Unis (International Paper, Georgia-Pacific, Kimberly-Clark et Weyerhaeuser) et un au Japon (Nippon Paper Industries). On compte, également, parmi les gros joueurs dans le secteur des mines métallifères, quatre grandes entreprises allemandes (Thyssen, Fried-Krupp, Metallgesellschaft et Degussa) et six japonaises (Nippon Steel, KKK, Kobe Steel, Sumitomo Metal, Kawasaki Steel et Mitsubishi Materials).

Dans bien des cas, ces géants de l'industrie des ressources naturelles se sont aussi associés avec des entreprises établies à l'échelle locale et nationale, étendant ainsi leur champ d'action et multipliant les dangers pour l'environnement (marée noire, déforestation, production de déchets toxiques et réchauffement de la planète…).

Dans les années 1980, le secteur manufacturier, notamment l'industrie de l'automobile, l'électronique, le textile et le vêtement, s'est activement restructuré en un système industriel global. La production mondiale d'automobiles et de pièces est demeurée concentrée dans les mains de trois grandes entreprises américaines (General Motors, Ford et Chrysler), des grandes entreprises japonaises (Toyota, Nissan, Honda, Mitsubishi, Mazda et Isuzu), en plus des grands fabricants d'automobiles allemands (Daimler-Benz, Volkswagen et BMW) et français (Renault, Peugeot).

Dans le secteur de l'équipement électronique et électrique, les entreprises japonaises se sont largement imposées puisque 7 d'entre elles se classent parmi les 15 plus grandes (Hitachi, Matsushita Electric, Toshiba, Sony, NEC, Mitsubishi, Sanyo et Sharp); elles sont suivies par deux entreprises américaines (General Electric et Motorola) et deux sud-coréennes (Daewoo, Samsung), et, enfin, par l'industrie allemande, qui compte des géants comme Siemens. Dans les années 1980, les grands fabricants d'automobiles et d'équipement électronique des pays industrialisés, attirés par les bas salaires et les régimes fiscaux avantageux que leur offraient les pays en voie de développement, y ont déménagé une bonne partie de leurs chaînes de montage. Du côté de l'industrie de l'automobile, les constructeurs ont eux aussi conclu des alliances stratégiques, Ford et GM s'entendant avec Mazda et Toyota afin de produire pour les marchés des uns et des autres.

Dans le secteur de la vente au détail, l'heure était à l'établissement du centre commercial mondial. Des géants comme Wal-Mart ont pris d'assaut ce créneau et ouvert des chaînes de supermagasins qui offrent aux consommateurs une immense gamme de biens de consommation (nourriture, vêtements, quincaillerie, meubles, produits pharmaceutiques et autres). À la fin des années 1980, parmi les dix grandes chaînes de magasins du monde figuraient six sociétés américaines (Wal-Mart, Sears-Roebuck, K-Mart, Dayton Hudson, J. C. Penney et Federated Department Stores), deux japonaises (Daiei, Nichi), une allemande (Karstadt) et une française (Pinault-Printemps). Depuis, Wal-Mart s'est largement détachée du peloton de tête pour devenir le géant du commerce de détail le plus dynamique du monde.

Pendant ce temps, d'autres entreprises mondiales de vente au détail comme Coca-Cola, Procter & Gamble, Philip Morris, RJR Nabisco, Kellogg, General Motors, Unilever, Pepsico, Nestlé, Kentucky Fried Chicken et McDonald dépensaient des milliards de dollars dans des campagnes publicitaires et des activités de promotion, chaque année, afin d'agrandir constamment leur marché, caractérisé par la consommation de masse. Elles voulaient créer des produits aux marques mondialement connues pour « vendre de la même façon des articles identiques partout dans le monde ».

Les entreprises transnationales œuvrant dans les secteurs de l'agro-alimentaire et de la transformation alimentaire se préparaient, elles aussi, à envahir le supermarché mondial. Les chefs de file mondiaux de la transformation des aliments ont suivi la tendance à la concentration. Parmi ces grandes firmes figurent Unilever (Grande-Bretagne et Pays-Bas) et Nestlé (Suisse), talonnées par plusieurs sociétés américaines comme Congara, Sara Lee, RJR Nabisco et Archer Daniels Midland. Deux entreprises américaines de services alimentaires (Pepsico et McDonald's) ont fait partie des pionnières dans la mondialisation des marchés. D'autres sociétés alimentaires aux marques de commerce connues comme General Foods, Kraft, Pillsbury, Philip Morris, Del Monte et Procter & Gamble ont fusionné leurs activités et orienté leurs stratégies de mise en marché vers la mondialisation.

La plupart de ces géants de l'alimentation ont exigé l'abolition du système de subventions, de réglementation et de protection qui régissait le secteur agricole et qui avait permis, jusque-là, de maintenir les prix à des niveaux relativement abordables dans les pays industrialisés. Du même souffle, ils faisaient pression sur les pays en voie de développement pour qu'ils consacrent une plus grande part de leurs exploitations agricoles aux cultures commerciales destinées à l'exportation. L'utilisation de la biotechnologie dans la production des aliments (par exemple, la vanille de laboratoire, les tomates qui résistent au gel, les bovins engraissés aux hormones) ainsi que le transport des aliments sur de longues distances ont favorisé l'arrivée de nouvelles sociétés et, du même coup, mis en péril la qualité et la salubrité des produits alimentaires.

Le secteur des services est peut-être celui qui a connu les plus grandes innovations. Les années 1980 ont marqué un tournant vers la privatisation des services publics, et les entreprises transnationales ont commencé à innover et à s'intéresser à des domaines comme les soins de santé et l'éducation. Les géants pharmaceutiques (Johnson & Johnson, Merck, Bristol Myers, American Home Products, Glaxo Wellcome et Pfizer) se sont déjà fermement implantés dans l'industrie des soins de santé. Aux États-Unis, par exemple, les deux plus grands hôpitaux privés du monde, Columbia et Health Trust, ont fusionné pour devenir un géant des soins de santé, dont le chiffre d'affaires dépasse celui d'Eastman Kodak et d'American Express. Des entreprises pharmaceutiques comme Eli Lilly ont amorcé des pourparlers en vue de fusionner avec des compagnies d'assurances comme PCS et, ainsi, d'avoir la mainmise sur des hôpitaux, des pharmacies, des cliniques indépendantes, des centres de soins infirmiers et des cabinets de médecins.

Dans le domaine de l'éducation, AT&T, Ford, Eastman Kodak, Pfizer, General Electric et Heinz ont chapeauté la mise sur pied de la New American Schools Development Corporation, aux États-Unis, dans le but de répartir l'aide financière accordée par ces sociétés à des écoles primaires à but lucratif.

De surcroît, tout en s'appropriant de nouveaux secteurs de l'économie, les entreprises transnationales se sont dotées d'une protection internationale sur les brevets et les droits de propriété sur l'information et la technologie qu'elles détiennent, conformément aux codes de propriété intellectuelle de l'Organisation mondiale du commerce (OMC) et de l'ALENA. Cette protection s'étend maintenant aux produits d'origine génétique, aux banques de semences et aux plantes médicinales. Les entreprises transnationales ont même obtenu des droits exclusifs sur la recherche génétique portant sur des espèces entières d'animaux ou de plantes, ainsi que sur tout autre produit qui en serait dérivé.

La société W. R. Grace, par exemple, a fait breveter aux États-Unis, par l'intermédiaire de sa filiale Agracetus, toutes les variétés de coton mises au point par génie génétique, soit les variétés dites « transgéniques » (1992) ; en Europe, elle a fait breveter toutes les variétés transgéniques de soja (1994) et a déposé des demandes de brevet dans d'autres pays en vue de parvenir à contrôler 60 % de la culture mondiale de coton, de l'Inde à la Chine, sans oublier le Brésil. Dans ces conditions, les fermiers qui traditionnellement gardent les graines d'une récolte pour la moisson suivante risquent d'être accusés de violer la loi sur les brevets internationaux. En fait, les fermiers, où qu'ils soient, n'ont plus le droit de semer leurs propres graines à moins de verser d'abord des redevances aux entreprises transnationales qui détiennent les droits sur ces graines. Vandana Shiva, physicien indien de renommée internationale, a qualifié cette nouvelle pratique de « biopiraterie ».

Pendant cette période, on a assisté à une intense concentration des activités et de la propriété dans d'autres secteurs de l'économie mondiale. Il en est ainsi de l'industrie aérospatiale (Lockheed, United Technologies, Boeing, Alliedsignal et McDonnell Douglas), de l'industrie aéronautique (American Airlines, Japan Airlines, United Airlines, Lufthansa, Delta et British Airways), de l'industrie chimique

(DuPont, Hoechst, BASF, Bayer et Dow Chemical), et de l'industrie du spectacle et des loisirs (Disney, Time Warner, Capital Cities, ABC, CBS, Turner Broadcasting et MTV).

Toutefois, les plus grands bouleversements ont découlé, sans aucun doute, de la mondialisation des marchés financiers.

L'économie de casino

À l'origine de cette effervescence des grandes entreprises, on trouve des capitaux flottants issus d'une association hautement explosive entre des marchés financiers non réglementés et des mouvements de fonds électroniques. Dans les années 1920, John Maynard Keynes avait déjà mis en garde contre les dangers que recelait un système financier non réglementé et caractérisé par une spéculation abusive. Le boom survenu sur le marché des emprunts internationaux de 1924 à 1928 et la crise de 1929 sont venus confirmer les craintes de Keynes. Au plus fort de la crise, celui-ci a exhorté les États-nations à prendre des mesures concertées pour réglementer les marchés financiers internationaux. « Par-dessus tout, a-t-il plaidé, il faut que le secteur financier soit d'abord et avant tout national. »

Bien que l'on n'ait pas tenu compte de nombreuses recommandations de Keynes, diverses mesures ont été prises pour stabiliser les marchés financiers ; citons, par exemple, la réglementation bancaire prévoyant des réserves obligatoires, la garantie par l'État des dépôts à terme, le contrôle exercé sur les taux d'intérêt, les restrictions portant sur le rôle des banques étrangères et la séparation opérée entre les activités bancaires commerciales et celles qui sont liées à l'investissement. Cependant, dans les années 1980, on a assisté au démantèlement rapide du système financier réglementé.

L'après-guerre a marqué la naissance d'un réseau d'institutions bancaires commerciales puissantes. À la fin des années 1980, quelque 25 géants commerciaux se partageaient le monde : 10 banques japonaises (Industrial, Sanwa, Mitsubishi, Fuji, Dai-ichi

Kangyo, Sumitomo, Sakura, Norinchukin, Tokyo et Long Term Credit), 4 banques britanniques (Barclays, National Westminster, Lloyds TSB Group et HSBC Holdings), 3 banques allemandes (Deutsche, West Deutsche Landesbe et Dresdner), 3 françaises (Crédit Agricole, Crédit Lyonnais et Paribas), 2 américaines (Citicorp et Bank America) ainsi qu'ABN Amro Holdings, des Pays-Bas, CS Holdings, de la Suisse, et Banco Do, du Brésil. Les revenus combinés de ces banques commerciales au cours de cette période atteignaient près de 600 milliards de dollars (US) par année. Comme elles avaient saturé leurs marchés nationaux, la plupart d'entre elles ont commencé à réclamer l'ouverture du système financier international.

En fait, bon nombre de ces banques avaient déjà entamé leur propre déréglementation en procédant à divers types de réorganisation. Aux États-Unis, les banques commerciales ont commencé à contourner les contraintes législatives imposées aux institutions financières dans le cadre du New Deal et ont formé leur propre société de portefeuille, ou bien ont fusionné. La Citibank, par exemple, a constitué la Citicorp en société de holding. Par cet intermédiaire, elle a pu émettre des cartes de crédit dans les 50 États américains (au lieu de se cantonner dans les services aux collectivités de l'État de New York en tant que banque à charte) et passer outre aux réglementations relatives aux réserves-encaisses en vendant des prêts à la Citicorp (qui n'était pas une banque au sens juridique du terme et n'était donc pas assujettie à l'obligation juridique d'accorder un volume de prêts n'excédant pas une certaine proportion de ses réserves).

Dans les années 1980, non seulement les principales banques commerciales américaines exerçaient leurs activités dans divers États américains, mais elles offraient aussi les services propres aux compagnies d'assurances et aux firmes de courtage. Les banques n'ont pas attendu que le Congrès assouplisse les mesures de réglementation pour lever la barrière qui séparait les opérations commerciales et les services d'investissement.

Les banques commerciales faisaient aussi campagne pour l'adoption d'une loi sur la déréglementation du secteur financier.

D'après l'analyste Richard Barnet, vieux routier du milieu des affaires, une percée décisive est survenue au moment de ce que l'on a appelé le *big bang*, le 27 octobre 1986, lorsqu'on a soudainement déréglementé la Bourse de Londres en ouvrant ses portes aux banques étrangères et aux maisons de courtage. On a alors installé un système de transactions électroniques et donné le feu vert aux institutions bancaires pour qu'elles agissent en tant qu'opérateurs et courtiers de gros. Le *big bang* de Londres a donc servi de détonateur pour la déréglementation financière dans le monde, alors que les lois qui empêchaient auparavant les banques d'accéder au marché international sont tout simplement devenues caduques. Les sociétés mondiales à la recherche de capitaux pouvaient dès lors magasiner sur les marchés financiers internationaux, procédant à des emprunts de divers types et selon différents termes. Les actions des grandes entreprises étrangères se négociaient sur la scène mondiale, à Londres, à Amsterdam, à Zurich, à Paris ou à Francfort, ce qui permettait aux investisseurs de protéger leur mise dans une économie ou une industrie nationales en achetant des actions étrangères. Comme le *big bang* prenait de l'ampleur, les marchés financiers de New York et de Tokyo se sont ouverts eux aussi.

Parallèlement, l'apparition de mouvements monétaires électroniques (ce qu'on a appelé la cybermonnaie), grâce aux changements révolutionnaires survenus dans la technologie des communications, a entraîné l'accélération de la déréglementation des marchés financiers et marqué le début d'une période de spéculation. Du coup, les spéculateurs œuvrant sur le marché des devises peuvent dorénavant déplacer des sommes énormes, instantanément, partout dans le monde. Grâce aux logiciels utilisés aujourd'hui pour les transactions financières électroniques, toutes sortes de produits monétaires s'échangent nuit et jour. D'immenses fortunes, sous forme de cybermonnaie, changent de main sur les écrans d'ordinateurs grâce à l'informatisation et à la numérisation. Il est possible, pour la modique somme de 18 cents, d'effectuer un transfert de plusieurs millions de dollars n'importe où dans le monde. En raison de ces transferts électroniques instantanés, non seulement l'argent devient un produit à caractère mondial, mais il perd aussi complètement ses anciennes valeurs de référence, telles que les produits fabriqués ou les services offerts dans les collectivités.

On estime qu'il s'échange environ deux mille millards de dollars américains dans le monde chaque jour. Lorsque Keynes a prévenu les États des dangers que représentait pour l'économie réelle la domination des marchés financiers, la valeur des transactions financières était deux fois plus élevée que celle du commerce international des biens et des services. Aujourd'hui, ces transactions sont 60 fois plus importantes. Les systèmes de transferts électroniques du type utilisé par CHIPS, nouvelle chambre de compensation de New York, permettent de réaliser plus de 150 000 transactions monétaires internationales en une seule journée. De l'Indonésie à Tokyo, en passant par Toronto, New York, Miami, les îles Caïmans, les Bahamas et Genève, ces transactions sont effectuées à une vitesse et une fréquence telles qu'il devient pratiquement impossible de les retracer précisément et encore moins de les réglementer.

Selon la Bank for International Settlements, environ 13 000 milliards de dollars (US) peuvent circuler instantanément dans le monde grâce aux systèmes de télécommunications actuels. De plus, le milieu bancaire mondial voit s'accroître sa dépendance à l'égard de quelques systèmes de traitement des données hautement centralisés. En décembre 1997, les négociations relatives à un accord mondial sur les services financiers se sont achevées sous l'égide de l'Organisation mondiale du commerce. Il en est résulté une ouverture des marchés financiers dans presque tous les pays au bénéfice des banques commerciales, des compagnies d'assurances et des firmes de valeurs mobilières étrangères. Pourtant, les grandes banques commerciales ne sont plus les acteurs principaux depuis l'arrivée sur scène des grandes entreprises elles-mêmes, qui se sont arrogé le droit de se transformer rapidement en institutions financières d'importance. General Electric, par exemple, fait maintenant partie des plus grandes institutions financières du monde.

De fait, on est en présence de la nouvelle économie mondiale de casino dans laquelle la plupart des investisseurs sont devenus des spéculateurs, des joueurs. Au lieu d'acheter des actions d'entreprises produisant des biens et services, les investisseurs placent leur argent dans des fonds mutuels afin de spéculer sur les fluctuations à court terme des prix. L'investissement spéculatif, en d'autres mots, a remplacé l'investissement productif. Tout cela a de profondes conséquences politiques. Si l'on en croit John Dillon, analyste économique de Toronto, la valeur des transactions réalisées par les cambistes, que l'on estime à environ 1 300 milliards de dollars (US) par jour, dépasse de très loin les ressources conjuguées des banques centrales des États-nations du monde entier, qui sont estimées à environ 640 milliards de dollars (US).

En 1992, le financier George Soros nous a permis de mesurer, de manière saisissante, l'ampleur du pouvoir que peuvent exercer certains spéculateurs sur les États-nations. Désireux de gagner un pari fait avec le premier ministre John Major, George Soros a vendu pour 10 milliards de dollars de livres sterling sur les marchés financiers internationaux et dégagé ainsi un profit d'un milliard de dollars. Par cette opération, il a, à lui seul, forcé le gouvernement britannique à dévaluer la livre sterling et rendu inopérant le nouveau mécanisme de taux de change que l'Union européenne venait de proposer.

Le pouvoir qu'exerce l'élite financière internationale sur les États-nations l'incite à afficher des prétentions incroyables. Selon certains observateurs des marchés, les gestionnaires de capitaux fébriles agiraient comme une force « disciplinaire » sur les marchés mondiaux, contraignant les gouvernements à instaurer des mesures d'austérité. Après tout, les spéculateurs de devises jouent déjà un rôle important dans la détermination d'un large éventail de politiques nationales, qu'il s'agisse des systèmes de crédit, de la masse monétaire, des taux d'intérêt, de la gestion de la dette ou des politiques d'investissement et d'imposition. Un banquier new-yorkais a d'ailleurs très justement remarqué que les pays ne contrôlent pas leur propre destinée et que, s'ils ne se disciplinent pas, c'est le marché mondial qui s'en chargera.

Walter Wriston, ancien président de Citicorp, première institution financière des États-Unis et sixième banque en importance dans le monde, a même été encore plus direct en parlant des « 200 000 opérateurs sur le parquet des marchés boursiers à travers le monde qui ont le pouvoir de sanctionner en quelque sorte les politiques monétaire et fiscale des États émetteurs de devises ». Il suffit de regarder ce qui est arrivé en France après l'élection de François Mitterrand à la présidence, rappelle Wriston : « Le marché a pris la mesure des politiques mises en œuvre, et la fuite des capitaux orchestrée durant les six mois suivants l'a obligé à abandonner ces politiques. » C'est l'économie mondiale de casino qui a été la principale responsable de l'effondrement financier survenu en 1998 en Asie, avant de se propager ensuite en Russie et au Brésil. Comme l'explique Walden Bello de l'École d'administration publique de l'université des Philippines, la croissance de l'économie en Thaïlande, en Malaisie, en Indonésie et aux Philippines a résulté d'investissements productifs effectués par des entreprises japonaises durant les années 1980, mais, dans les années 1990, les ministères des Finances et les banques centrales de ces pays ont commencé à accorder la priorité à des investissements spéculatifs et ont eu accès à d'énormes prêts et à des investissements de portefeuille. Dès les premiers signes d'instabilité, cependant, les spéculateurs ont retiré leurs investissements et engendré ainsi une fuite massive de capitaux hors de l'Asie du Sud-Est. La crise s'est aggravée davantage lorsque plusieurs des principales banques japonaises se sont retrouvées au bord de la faillite, ce qui a obligé le Japon à réorganiser et à déréglementer son industrie bancaire commerciale. Tant que les gouvernements ne se doteront pas des moyens appropriés pour endiguer les flux accélérés de capitaux spéculatifs, il faut s'attendre à ce que surviennent de nombreux autres effondrements financiers analogues.

Les ajustements structurels

La majorité pauvre du monde qui vit en Afrique, en Asie et en Amérique latine ne connaît que trop bien l'emprise qu'exercent les élites financières sur leur vie quotidienne. Depuis le début des années 1980, la Banque mondiale et le Fonds monétaire international se servent de la renégociation de la dette comme d'une épée de Damoclès suspendue au-dessus des pays en voie de développement afin de les contraindre à entreprendre une vaste restructuration de leur économie. Les nouveaux gestionnaires mondiaux avaient besoin de cette épée pour s'assurer que les pays visés effectuaient les ajustements économiques et sociaux correspondant aux exigences du nouvel ordre mondial.

Chaque fois que la Banque mondiale et le Fonds monétaire international renégocient la dette d'un pays en voie de développement, ils élaborent pour ce pays un programme d'ajustement structurel prévoyant une refonte complète de ses politiques économiques et sociales. Leur objectif est, avant tout, de restructurer les pays du tiers-monde pour y instaurer une économie de marché. Comme l'a noté un observateur, « ces nations endettées qui veulent obtenir du crédit doivent en payer le prix en obligeant leurs gouvernements à ne pas s'ingérer dans l'économie. » Voilà la stratégie de la Banque mondiale et du FMI.

L'ajustement structurel imposé par la Banque et le Fonds, a remarqué Waldon Bello, spécialiste des questions relatives au tiers-monde, comporte les obligations suivantes : a) le retrait de toutes les entraves aux investissements étrangers dans les secteurs industriel, bancaire et des services financiers du pays ; b) la réorientation des économies nationales vers la production destinée à l'exportation plutôt que vers la satisfaction des besoins essentiels de la population du pays, afin d'obtenir les devises étrangères qui permettront au pays de rembourser sa dette ; c) la réduction des salaires afin de fournir un bassin de main-d'œuvre bon marché et de rendre les exportations plus concurrentielles ; d) la réduction massive des dépenses publiques, notamment dans les domaines sociaux comme la santé, l'éducation et l'aide sociale ; e) l'élimination des tarifs douaniers, des quotas et des autres restrictions frappant les importations ; f) la dévaluation de la devise du pays par rapport aux devises mondiales fortes (comme le dollar américain) afin de rendre les exportations encore plus concurrentielles ; g) la liquidation des entreprises d'État au bénéfice du secteur privé, ce qui ouvre la voie aux capitaux étrangers ; h) la déréglementation de l'économie nationale, ce qui affranchit les grandes entreprises des mesures gouvernementales qui protégeaient la main-d'œuvre, l'environnement et les ressources naturelles.

Les grandes banques commerciales facilitent l'application de ce « remède » par la Banque et le Fonds, car elles jouent un rôle privilégié dans le rééchelonnement de la dette et dans les programmes d'ajustement structurel élaborés pour les pays en voie de développement. Par le biais d'un système de crédit renouvelable, les banquiers négocient en secret des ententes de crédit avec des responsables gouvernementaux qui, pour la plupart, n'ont aucun compte à rendre à la population au nom de laquelle ils s'engagent auprès de créanciers étrangers.

Jonathan Cahn, dans un article paru dans le *Harvard Human Rights Journal*, dénonce l'attitude de la Banque mondiale et du FMI qui, dit-il, sont devenus des « institutions de gestion publique, qui imposent leur volonté par des moyens de pression financiers afin de forcer l'adoption législative de régimes juridiques complets et même de modifier la structure constitutionnelle des pays emprunteurs ». Leurs propres consultants ont souvent le pouvoir, explique Cahn, de redéfinir la politique commerciale, la politique fiscale, les normes en vigueur dans la fonction publique, la législation du travail, l'organisation des soins de santé, les réglementations écologiques, la politique énergétique, les normes de relocalisation, la politique d'achat public et la politique budgétaire d'un pays.

En 1986, 12 des 15 nations les plus endettées du Sud ayant fait l'objet d'une intervention de la Banque mondiale et du FMI avaient mis en place des programmes d'ajustement structurel (notamment le Brésil, le Mexique, l'Argentine et les Philippines). Dans chaque cas, ces mesures ont eu pour résultat d'affaiblir la capacité de ces États du tiers-monde à satisfaire les besoins essentiels de leur peuple et, par conséquent, surtout ceux de la majorité pauvre. Entre 1980 et 1990, le nombre de Latino-Américains vivant dans la pauvreté est passé de 130 à 180 millions, tandis qu'en Afrique subsaharienne, environ 200 millions de personnes appartiennent maintenant à la catégorie des pauvres, et l'on s'attend à ce que ce chiffre atteigne les 300 millions en l'an 2000.

Il est vrai qu'un groupe restreint de neuf pays du Sud (ceux que l'on classe parmi les nouveaux marchés émergents, soit le Mexique, la Chine, la Malaisie, l'Argentine, le Brésil, la Thaïlande, l'Indonésie, la Corée du Sud et la Turquie) ont bénéficié d'une hausse importante de l'investissement étranger pendant cette période. Le fait que plus de 70 % des flux d'investissement du Nord vers le Sud ont été dirigés vers ces pays en 1991 et 1992 a eu pour conséquence que les 140 autres pays les plus pauvres du Sud ont vu baisser leur part de l'investissement mondial. En 1995, par exemple, le rapport des Nations unies sur les investissements révélait que seulement 1 % des flux d'investissement Nord-Sud étaient allés aux 100 pays les plus petits, tandis que près de 70 % avaient bénéficié aux neuf « tigres économiques » mentionnés ci-dessus (38 milliards de dollars pour la Chine seulement). Pis encore, les pays en voie de développement du Sud ont versé à leurs créanciers du Nord, au titre du service de la dette, quelque 280 milliards de plus que ce qu'ils ont reçu sous forme de nouveaux prêts de sources privées et d'aide gouvernementale entre 1985 et 1992.

Les ajustements structurels ne sont pas, cependant, l'apanage des pays en voie de développement du Sud. Des pays industrialisés du Nord comme le Canada ont dû, eux aussi, s'y plier afin de s'adapter aux exigences de la nouvelle économie de marché mondiale. Alors que la crise de l'endettement a été l'argument massue invoqué pour obliger un pays comme le Mexique à restructurer son économie en tant que condition nécessaire pour devenir partenaire à part entière dans un régime de libre-échange comme l'ALENA, l'inverse s'est produit dans plusieurs pays industrialisés du Nord. Dans leurs cas, le principal mécanisme d'ajustement structurel a d'abord été le libre-échange, suivi de la réduction de la dette.

Les accords de libre-échange comme l'ALE, l'ALENA et le GATT ont eu pour effet de consolider et d'enchâsser les droits et libertés des grandes sociétés transnationales. Carla Hills, négociatrice en chef des États-Unis pour l'ALE et l'ALENA, l'a d'ailleurs très bien exprimé : « Nous voulions que les entreprises puissent investir outre-mer sans être forcées de s'associer à un partenaire local, d'exporter un pourcentage quelconque de leur production, de recourir à des sous-traitants ou de subir des dizaines d'autres contraintes de ce genre. »

En fait, les nouveaux accords ont été conçus dans le but d'appliquer le même type d'ajustement structurel aux pays partenaires. Dans l'ALE et l'ALENA, par exemple, le code d'investissement stipule que certaines réglementations des pays partenaires ne s'appliqueront plus, notamment celles qui concernent l'investissement étranger, les quotas d'exportation, les achats locaux, les descriptions de tâche et les spécifications technologiques. En vertu des dispositions à vocation nationale, les investisseurs étrangers ont les mêmes droits et libertés que les firmes nationales.

Les nouvelles règles de libre-échange sont assorties de mécanismes intégrés afin d'harmoniser les programmes sociaux et les services publics des pays membres, ce qui signifie, en général, un nivellement par le bas. Si, par exemple, un pays comme le Canada s'est doté d'un régime d'assurance-emploi plus complet, de bureaux de commercialisation des produits agricoles ou d'un système d'assurance-maladie universel financé à même les fonds publics, les autres pays signataires de l'accord de libre-échange en question ou les grandes entreprises qui y sont basées peuvent contester la validité de tels programmes sous prétexte qu'ils constituent des « subventions commerciales inéquitables ». De toute façon, la logique de l'économie de marché entraîne d'elle-même l'harmonisation en raison de la mobilité du capital et de l'inertie de la main-d'œuvre et des gouvernements nationaux. De plus, l'autorité législative du GATT et de l'ALENA se substitue aux législations sociales et économiques de leurs États membres en cas de conflit entre elles.

La crise financière que traversent les États-nations et les mesures visant à juguler le déficit sont venues renforcer ce « remède » libre-échangiste. Grâce à la mise en place de nouveaux régimes de libre-échange comme l'ALENA et le GATT, les PDG des grandes entreprises dominantes ont pu axer leurs efforts pour faire de la lutte contre les déficits publics la priorité publique absolue de presque tous les pays industrialisés d'Europe et d'Amérique du Nord. En faisant pression avec succès pour que les gouvernements réduisent fortement l'impôt sur les sociétés, les grandes entreprises ont créé un grave manque à gagner pour la plupart des pays industrialisés du Nord à la fin des années 1980. Plutôt que de considérer les déficits croissants de l'État comme étant essentiellement la conséquence de recettes insuffisantes, l'élite des grandes entreprises les a traités exclusivement comme un problème découlant de dépenses trop élevées. La seule solution, selon les grandes entreprises, était de sabrer dans les dépenses publiques, notamment les dépenses sociales.

En conséquence, les gouvernements nationaux, poussés par leurs alliés, les grandes entreprises, ont commencé à mettre en place des programmes d'ajustement structurel comme le Contract with America aux États-Unis et le Transfert canadien en matière de santé et de programmes sociaux, qui sont à l'origine d'une forte diminution des fonds publics consacrés à la santé, à l'éducation, à l'aide sociale et à la protection de l'environnement.

Que l'ajustement structurel se fasse au Nord ou au Sud, l'effet est essentiellement le même. Dans le Nord industriel, un tel ajustement sonne le glas de l'État-providence keynésien. Dans le Sud aussi bien que dans le Nord, il fallait avant tout transformer l'État-nation en une économie tournée vers l'exportation et le libre marché, afin de servir les intérêts des entreprises transnationales que gênaient l'intervention et la réglementation étatiques. Ce modèle économique, dont le double objectif était d'augmenter les investissements rentables et la compétitivité internationale, a eu pour résultat final d'entraîner la grande majorité de la population des deux hémisphères dans rien de moins qu'une « course à la pauvreté ». Les vents du changement soufflant dans cette direction, la question qui s'est ensuite posée a été celle-ci : comment gérer efficacement à l'échelle mondiale ce plan d'action des grandes entreprises ?

La gestion des affaires mondiales

Il a fallu les longues négociations du Cycle de l'Uruguay sur le renouvellement du GATT pour que soit enfin trouvé un moyen de régler le problème de la gestion mondiale. En automne 1994, les législateurs de nombreux pays du monde, pratiquement sans aucun débat public, ont voté en faveur de l'établissement d'une nouvelle entité mondiale, l'Organisation mondiale du commerce (OMC). La plupart d'entre eux, sans parler des citoyens qu'ils représentaient, ne savaient pas qu'ils approuvaient ainsi la création d'une sorte de parlement mondial sur lequel les grandes entreprises auraient la mainmise. Ils ignoraient également, comme Lori Wallach, du groupe Public Citizen aux États-Unis, l'a signalé, qu'en cautionnant l'appartenance à l'OMC les États-nations et les assemblées législatives se trouveraient virtuellement pris au piège pour longtemps.

Au premier abord, la mise sur pied de l'OMC semblait une initiative pleine de bon sens et utile, dont le but était de promouvoir le libre-échange mondial grâce à l'élimination de toutes les barrières tarifaires et non tarifaires qui entravaient encore les investissements et les échanges commerciaux internationaux. Pour atteindre ce but, toutefois, l'OMC devait être dotée de pouvoirs législatifs et juridiques. Dans le cadre de l'OMC, un groupe de représentants d'intérêts commerciaux non élus aurait le pouvoir de passer outre aux politiques économique, sociale et écologique adoptées par les États-Nations et les parlements démocratiques. Autrement dit, l'OMC pourrait remettre en question les lois nationales destinées à encourager la justice économique, la participation démocratique, la santé et la sécurité des travailleurs, le salaire minimum, la sécurité sociale et l'utilisation durable des ressources naturelles, sous prétexte qu'elles constituent des entraves au commerce et à l'investissement.

En bref, d'autres pays membres de l'OMC ou de grandes entreprises peuvent, dans le cadre de l'OMC, contester les lois promulguées par des gouvernements nationaux ou régionaux (provinces ou États) en alléguant qu'elles « restreignent le commerce ». Par exemple, si un pays tente de bannir l'exportation de billots dans le but de protéger ses forêts ou d'interdire l'utilisation de pesticides cancérigènes dans le traitement des produits alimentaires ou encore l'emploi d'hormones biotechnologiques dangereuses dans la production de lait et de viande de bœuf, il peut alors être accusé de faire obstruction au commerce et à l'investissement. Un tribunal secret, formé de bureaucrates non élus, décidera ensuite si, selon les règles établies par l'OMC, ces lois « restreignent le commerce » et s'il faut les abroger. La décision du tribunal secret est sans appel. L'uniformité mondiale est exigée. Tout pays est dans l'obligation de rendre ses lois conformes aux règles de l'OMC, faute de quoi il risque de subir des sanctions commerciales perpétuelles.

Ce sont des représentants d'intérêts commerciaux et des lobbyistes des grandes entreprises qui ont créé secrètement l'OMC. Par exemple, une coalition d'affaires américaine dénommée Intellectual Property Committee et composée de sociétés comme DuPont, General Electric, Pfizer et IBM se vantait, dans sa documentation destinée au grand public, d'avoir été l'artisan de la position adoptée par les États-Unis en vue de la création de l'OMC. De manière analogue, le très influent Advisory Committee for Trade Policy and Negotiations des États-Unis regroupait, lui aussi, de multiples entreprises transnationales, notamment des géants comme AT&T, Bethlehem Steel, Time Warner, Corning, Bank of America, American Express, Scott Paper, Dow Chemical, Boeing, Eastman Kodak, Mobil Oil, Hewlett Packard, Weyerhaeuser et General Motors, qui siègent également tous à la Business Round Table américaine. De concert avec leurs partenaires européens et japonais, ces conseils consultatifs, dominés par les entreprises, ont joué un rôle déterminant dans la mise en place de l'OMC en tant qu'instrument de gestion mondiale et de promotion de la concurrence et des investissements transnationaux.

Dans la plupart des pays, y compris le Canada, la création de l'OMC a passé de façon expéditive toutes les étapes du processus législatif au cours des derniers mois de 1994, en l'absence partielle ou total du moindre débat public. Cependant, l'opposition publique s'est mobilisée dans certains pays. La question de l'OMC a suscité une très vive opposition au Congrès américain, où sa création a été adoptée de justesse par 235 voix contre 200 à la Chambre des représentants et par 68 contre 32 au Sénat.

Ailleurs, l'opposition a été plus prononcée. Aux Philippines, des émeutes contre le GATT ont éclaté dans les rues et retardé le vote final, sans pour autant avoir pu empêcher le Sénat de voter ultérieurement en faveur de l'adhésion. En Espagne, l'opposition publique a réussi à empêcher le vote sur l'OMC, mais une séance fantôme du Parlement s'est tenue la veille de Noël et l'accord a été adopté à la sauvette. En Belgique, les citoyens qui protestaient ont dû être expulsés du Parlement avant que la loi sur l'OMC soit approuvée. En Inde, enfin, la résistance publique a forcé le Parlement à éliminer des articles importants de la loi sur l'adhésion à l'OMC, si bien qu'il n'y a eu aucun vote pour déterminer si l'Inde devait devenir membre de l'OMC ou en respecter les règles. Plus tard, le premier ministre de l'Inde a tenté d'imposer par décret sa vision des choses, mais le Parlement lui a opposé son veto.

L'OMC venait à peine d'être établie que déjà les dirigeants des grandes entreprises se mobilisaient pour recueillir des appuis en vue de la mise au point d'un traité sur l'investissement mondial. Tout comme le code d'investissement préside à l'organisation de systèmes de libre-échange tels que l'ALENA, il était essentiel qu'un traité sur l'investissement constitue l'axe du fonctionnement de l'OMC. Deux propositions majeures, allant dans des directions différentes, ont été avancées. D'abord, la Communauté économique européenne (mise au point avec l'appui ferme du Canada et du Japon) a commencé à promouvoir l'adoption d'un Accord multilatéral sur l'investissement (AMI) relevant de l'OMC. Un processus de négociation devait être instauré au cours des premières rencontres ministérielles de l'OMC, qui ont eu lieu à Singapour en décembre 1996, mais plusieurs pays en voie de développement se sont opposés de plus en plus vigoureusement à une telle adoption.

Selon Martin Khor, du Third World Network, des pays aussi politiquement différents que la Tanzanie, la Malaisie, l'Inde, l'Égypte, le Pakistan, le Ghana, Haïti et Cuba, et 11 des pays qui forment la Communauté de développement de l'Afrique australe se sont rendu compte que l'intégration du projet de l'AMI au cœur de l'OMC priverait les nations en voie de développement de tout pouvoir et des outils qu'ils possèdent encore pour contrôler et réglementer les investissements étrangers des entreprises transnationales. Ces pays s'apercevaient que non seulement ce traité sur l'investissement menaçait directement leur souveraineté, mais aussi qu'il représentait une nouvelle forme possible de colonialisme. L'OMC a alors décidé de mettre sur pied un groupe de travail sur le commerce et l'investissement et de lui donner deux ans pour formuler des recommandations.

Pendant ce temps, les États-Unis s'évertuaient à proposer une stratégie différente dont l'objectif avoué était « d'arriver à un accord de haut niveau sur l'investissement multilatéral qui protégerait les investisseurs américains à l'étranger ». Craignant qu'un traité sur l'investissement qui serait conclu par l'intermédiaire de l'OMC ne soit vidé de sa substance, les États-Unis ont choisi de faire valoir leur Accord multilatéral sur l'investissement (AMI) par l'entremise de l'Organisation de coopération et de développement économiques (OCDE), qui regroupe les riches nations industrialisées. Après tout, 477 des 500 plus grandes entreprises transnationales recensées par la revue *Fortune* sont situées dans les 29 pays membres de l'OCDE. Au cours des deux dernières années, le siège de l'OCDE à Paris a été le théâtre de négociations secrètes visant à faire de l'AMI un traité de haut niveau sur l'investissement mondial.

La proposition américaine garantissait : la liberté d'action à toutes les entreprises étrangères désireuses de s'installer dans un pays et d'y faire des investissements ; « un traitement de type national » accordé à tous les investisseurs étrangers (soit un traitement identique à celui qui est réservé aux entreprises du pays) ; l'octroi de la clause de la nation la plus favorisée à tous les investisseurs étrangers ; la libre circulation des principaux responsables des grandes entreprises ; le retrait des exigences de rendement imposées aux grandes entreprises ; des règles de conduite plus strictes pour les entreprises d'État ; la possibilité pour les entreprises étrangères de participer aux projets de privatisation des entreprises d'État ou publiques ; la protection des droits des investisseurs étrangers (notamment les droits de propriété intellectuelle, des garanties contre l'expropriation, la protection contre les conflits, les transferts de fonds et l'imposition) ; enfin, l'instauration d'un mécanisme de règlement des litiges (non seulement entre les États mais aussi entre les investisseurs et les États) qui serait juridiquement contraignant et assorti de sanctions imposées aux contrevenants. En outre, les entreprises auraient le droit de porter plainte contre le gouvernement auprès des tribunaux du pays.

L'AMI, en fait, correspond à un traité sur la primauté des entreprises (voir l'annexe V). Il vise à conférer un caractère constitutionnel à un nouvel ensemble de règles mondiales sur l'investissement qui donnera aux grandes entreprises transnationales le droit et la liberté absolus d'acheter, de vendre et de transférer leurs activités à leur gré et à tout endroit dans le monde, sans ingérence de l'État. Si l'AMI est adopté, les États-nations verront leur marge de manœuvre strictement délimitée lorsqu'il s'agira d'intervenir dans l'activité économique. Il leur sera formellement interdit, par exemple, d'appliquer une politique en matière d'investissement dans le but de promouvoir des objectifs sociaux, économiques ou environnementaux. Qui plus est, après avoir signé le traité, un pays restera virtuellement soumis pendant vingt ans à la discipline de marché établie par ce même traité.

Il était initialement prévu que l'AMI serait adopté en 1997 par les pays membres de l'OCDE. Mais cette année-là, des organismes populaires canadiens ont mis la main sur le texte confidentiel, l'ont rendu public et l'ont diffusé sur Internet. Dès lors, des mouvements de protestation contre l'AMI se sont organisés en Amérique du Nord et en Europe et ont amené les gouvernements à exprimer des réserves et à demander que de multiples lois, politiques et programmes en vigueur dans leurs pays échappent à l'application des règles d'investissement mondial proposées. En avril 1998, il était clair que le consensus entre les pays membres de l'OCDE commençait à s'effriter, et une suspension des négociations d'une durée de six mois a été décrétée. Lors de la reprise des négociations en octobre 1998, la France a annoncé qu'elle se retirait des pourparlers, tandis que d'autres pays, dont le Canada, ont recommandé que les négociations ultérieurcs au sujet de l'AMI se déroulent à nouveau dans le cadre de l'OMC plutôt que de l'OCDE. En fait, l'opposition populaire exprimée contre l'AMI, s'ajoutant à la crise de gestion mondiale déclenchée par l'effondrement financier survenu en Asie, était parvenue à interrompre les négociations au sein de l'OCDE. Mais cela ne signifiait pas la fin de l'AMI. Au contraire, les gestionnaires mondiaux répètent à l'envi qu'un régime d'investissement mondial de ce type occupe une place vitale dans leurs projets globaux. C'est pour cette raison qu'il faut s'attendre à ce que les négociations reprennent dans le cadre de l'OMC et que des règles analogues à celles que comportait l'AMI soient adoptées par des organismes comme le FMI et insérées dans le code d'investissement du nouvel Accord de libre-échange des Amériques.

Dans son discours d'adieu à la Banque mondiale, prononcé en janvier 1994, l'économiste Herman Daly a fait cette mise en garde : en empêchant l'État-nation de réglementer le commerce, on porte un coup mortel à la principale collectivité capable de mettre en œuvre des politiques propices au bien commun. C'est précisément ce que visent l'OMC et l'AMI. Déjà, dans des régions du monde comme l'Afrique, que la plupart des investisseurs mondiaux ont pratiquement rayée du paysage, des signes inquiétants laissent présager un effondrement de l'État et une prise de contrôle de la situation par des entreprises. Dans la région subsaharienne, par exemple, des pays comme la Sierra Leone font appel à l'heure actuelle à des entreprises à composantes militaires afin d'assurer la sécurité sur le terrain et d'ouvrir la voie aux investissements étrangers. Des sociétés comme Executive Outcomes, disposant de troupes et de matériel militaire, ont offert de rétablir la primauté du droit en Sierra Leone, en échange d'une rémunération en argent comptant et en actions des sociétés d'exploitation des riches gisements de diamants du pays.

3
QUAND LES NATIONS CAPITULENT...

— Tu crois vraiment que tous ces géants mondiaux ont fait main basse sur le Canada ?

— En tout cas, ça en a l'air. Tu te souviens du discours que Chrétien a prononcé à Vancouver ? Il participait à une rencontre avec les dirigeants de différents pays et il a dit : « On n'arrête pas la mondialisation, on s'y adapte. »

— Ça explique peut-être pourquoi ils ont mis toutes leurs ressources dans la réduction du déficit au lieu de s'en tenir aux promesses de leur fameux livre rouge : ils devaient créer des emplois, maintenir les programmes sociaux, protéger l'environnement…

— Mais, tu crois vraiment que c'est à cause de l'économie mondiale qu'ils ont renoncé à leurs promesses électorales ? Et les grosses entreprises de Bay Street dans tout ça ? Tu ne crois pas que c'est en partie leur faute si le gouvernement a changé ses priorités ?

— Ouais, si on pense seulement aux six milliards de profits que les banques ont amassés l'année dernière, il me semble qu'elles avaient tout intérêt à ce que le gouvernement Chrétien fasse du déficit sa priorité absolue au lieu de créer des emplois. Elles ont sûrement trouvé un moyen de s'en mettre plein les poches.

— Tu sais, il n'y a pas que les banques qui font des profits énormes ; la plupart des grandes entreprises aussi. Si chacune payait sa juste part d'impôts, le gouvernement n'aurait plus aucune raison de continuer à couper dans la santé, l'éducation et les autres programmes sociaux.

— Ce serait intéressant de savoir ce qui s'est vraiment passé quand les libéraux ont gagné les élections de 1993. J'ai l'impression que c'est à ce moment-là que les Canadiens se sont fait avoir.

— C'est bien vrai ! S'ils doivent encore gouverner pour un bon bout de temps, il vaudrait mieux qu'on sache le fin mot de l'histoire.

L'aile droite libérale

Que le Canada capitule devant les forces économiques de la mondialisation n'a rien d'étonnant, loin de là. La mise sous tutelle de l'État canadien par les grandes entreprises est un processus qui dure depuis au moins 20 ans. La nouveauté, c'est que les libéraux de Chrétien reprennent à leur compte et accélèrent le processus que les conservateurs de Mulroney avaient amorcé, tout en consolidant une relation organique entre le Canada et les grandes entreprises. Bien avant de prendre les rênes du pouvoir, les libéraux de Jean Chrétien savaient que le patronat canadien s'était incrusté à Ottawa. Après les élections de 1993, il est devenu évident, en l'espace de quelques semaines, que bon nombre de promesses économiques et sociales que contenait le livre rouge seraient fortement atténuées ou carrément jetées aux oubliettes. Bientôt, Paul Martin allait remplacer le livre rouge par le livre mauve. Selon Maude Barlow et Bruce Campbell, cette complète volte-face serait due, en grande partie, au fait que l'aile droite des libéraux avait repris le plein contrôle du parti sous la direction de Jean Chrétien.

Le Parti libéral a longtemps été un milieu hybride où se côtoyaient deux factions : l'une associée au monde des affaires (l'aile droite) et l'autre plus socialisante (l'aile gauche), chacune ayant sa propre vision du Canada et du rôle de l'État. Même si tous les libéraux croyaient qu'il fallait défendre les droits individuels, la libre entreprise et la concurrence et souscrivaient au principe selon lequel la croissance économique est cruciale pour le développement national, l'aile gauche et l'aile droite ne s'entendaient pas sur l'importance à donner à cette vision, pas plus que sur le rôle de l'État dans sa matérialisation. Pour l'aile droite du parti, la création d'une économie de marché est essentielle à la bonne santé de la nation ; moins l'État intervient et mieux le pays se porte. Dans une économie de marché, l'État doit, selon cette optique, offrir les conditions propices à la prospérité des entreprises, c'est-à-dire réduire les impôts et les normes sociales et assouplir les règles de la concurrence.

Pour l'aile gauche du parti, en revanche, l'État a la responsabilité morale d'atténuer les conséquences négatives et injustes que peut engendrer l'économie de marché et d'offrir une protection sociale aux pauvres, aux chômeurs, aux jeunes, aux personnes âgées et aux personnes handicapées. Bien que, pour la plupart, les libéraux de l'aile gauche rejettent toute conception de la société fondée sur les classes sociales, ils soutiennent que les droits collectifs doivent relativiser ceux des individus.

Même si ces deux tendances ont parfois été à l'origine de querelles intestines, il est de tradition, chez les libéraux, de tout mettre en œuvre pour régler les conflits internes et de rechercher un compromis afin de préserver l'unité du parti. Pourtant, comme le souligne le spécialiste d'économie politique Duncan Cameron, alors que le Parti libéral a exercé le pouvoir à Ottawa pendant un peu plus des deux tiers de ce siècle, il a été dominé tantôt par son aile droite et tantôt par son aile gauche. Ainsi, les périodes Pearson et Trudeau des années 1960 et 1970 ont été marquées par la prédominance de l'aile gauche sur le plan d'action du gouvernement. Seule exception, l'envoyé de Bay Street, John Turner, a su maintenir un certain équilibre, quoique précaire, entre les deux camps, principalement en raison de son opposition inébranlable au libre-échange. Cependant, lorsque les libéraux sont revenus au pouvoir dans les années 1990, après le passage des conservateurs de Mulroney, l'aile droite avait resserré son emprise sur le parti et son plan d'action.

Le patronat canadien voyait en Jean Chrétien le candidat idéal pour prendre la relève de Brian Mulroney. Le « p'tit gars de Shawinigan » projetait l'image d'un politicien issu du peuple, mais ses intérêts premiers et sa vision du pays étaient enracinés à Bay Street. En fait, Chrétien avait de solides références dans le milieu des affaires. Il avait fait ses débuts au Parlement sous l'aile protectrice de Mitchell Sharp, lui-même trilatéraliste. Pendant des décennies, Sharp avait été l'un des plus ardents défenseurs du libéralisme économique à Ottawa. En tant que président du Conseil du Trésor, ministre des Finances et ministre de l'Énergie, des Mines et des Ressources, Chrétien a eu l'occasion de nouer des liens étroits avec des dirigeants du milieu des affaires. Défait à la direction du parti par John Turner, au milieu des années 1980, et abandonnant pour quelque temps la politique, il entre dans le très puissant cabinet d'avocats de Lang Michener, de Bay Street, puis à la société de placement Gordon Capital, à titre de conseiller spécial. Pendant cette période, il siège aussi aux conseils d'administration de la Toronto-Dominion, de la Stone Consolidated et de Viceroy Resources.

Lorsqu'il a tenté une deuxième fois sa chance à la direction du parti, en 1989, Chrétien s'est tourné vers son très bon ami, Paul Desmarais, le très riche et très influent PDG de Power Corporation, pour lui demander de prendre en main le financement de sa campagne. Une fois élu chef du parti, il s'est entouré de conseillers politiques issus de l'aile droite, tels Eddie Goldenberg, Peter Donolo et Jean Pelletier.

Selon Barlow et Campbell, Chrétien a défini la direction que prendrait le parti au congrès d'orientation d'Aylmer, à l'automne de 1991. Tout comme le congrès de Kingston, que Pearson avait convoqué 30 ans plus tôt et au cours duquel les libéraux de l'aile gauche avaient mis au point un plan d'action pour moderniser l'État-providence, le congrès d'Aylmer avait pour but de donner l'occasion à l'aile droite d'élaborer une stratégie et des programmes en vue de préparer l'économie de marché à l'ère de la mondialisation. La grande majorité des participants provenaient de l'aile droite du parti, tandis que les libéraux de l'aile gauche brillaient par leur absence.

Dans l'une des allocutions qu'il a prononcées au congrès, le gourou de la politique libérale, Peter Nicholson, a mis en lumière cinq principes directeurs pour le gouvernement Chrétien : une politique fiscale fondée sur des compressions draconiennes des dépenses publiques ; un remaniement des programmes sociaux (inspiré largement par les recommandations de la Commission Macdonald tombées dans l'oubli) ; un programme d'adaptation qui assurerait un équilibre entre la protection sociale et les exigences de réorientation professionnelle ; une union économique entre les provinces ; enfin, un libre-échange qui s'étendrait à l'ensemble des pays d'Amérique latine et d'Asie. En fin de compte, ces cinq principes directeurs ont présidé à la formation du Cabinet et à la préparation d'un plan d'action stratégique.

Comme on pouvait s'y attendre, en confiant à Paul Martin le portefeuille des Finances, Jean Chrétien s'est attiré les louanges de Bay Street. Fils d'un ancien ministre libéral ayant servi sous pas moins de quatre premiers ministres, Paul Martin a commencé sa carrière dans le milieu des affaires chez Power Corporation à Montréal, sous la férule de Paul Desmarais. En 1973, Desmarais a délégué à Paul Martin la responsabilité de Canada Steamship Lines (CSL), une imposante filiale de transport de Power Corporation. En 1981, Martin et un partenaire ont acheté CSL et l'ont transformée en une entreprise maritime multinationale, la plus grande au Canada, qui possédait des chantiers navals, une agence immobilière ainsi que Voyageur, la troisième société de transport par autobus du continent. En 1989, afin d'échapper à l'impôt canadien sur certains de ses avoirs et de réduire ses coûts de fonctionnement, CSL a fait battre pavillon étranger à plusieurs de ses bateaux (aujourd'hui, ils représentent environ un tiers de sa flotte) et a annoncé que les nouveaux bateaux destinés à la navigation hauturière seraient construits sur des chantiers étrangers.

Tous les actifs de la société de Martin ont été placés dans un fonds fiduciaire sans droit de regard lorsqu'il est devenu ministre des Finances. Les fonctionnaires chargés de vérifier s'il n'était pas en conflit d'intérêts ont décrit sa situation comme le « cas le plus complexe [qu'ils aient] eu à étudier en raison de la grande diversité des compagnies concernées, de leur taille et des liens entre elles ». S'il est arrivé que, comme critique de l'opposition, Martin épouse les idéaux libéraux de l'aile gauche en se portant à la défense des programmes sociaux, de l'environnement et du nationalisme économique, il a toujours eu, sans l'ombre d'un doute, les pieds bien ancrés dans le camp de l'aile droite du parti.

En choisissant Roy MacLaren comme ministre du Commerce international, Chrétien faisait clairement comprendre au patronat canadien qu'il donnait la priorité absolue au libre-échange et à la mondialisation de l'économie. MacLaren, après des études à Harvard dans le domaine des rapports entre l'État et le secteur privé, a fait partie du corps diplomatique canadien pendant 12 ans ; il a occupé un poste de directeur chez Massey Ferguson et Leigh Instruments, puis, celui de président de l'agence de publicité Olgilvy & Maher, accumulant ainsi des références impressionnantes à titre de libéral ouvert au monde des affaires. En 1977, il est devenu copropriétaire du magazine favorable à la libre entreprise, *Canadian Business*, il a noué de nombreux contacts à Bay Street et a présidé le groupe de travail que Trudeau avait mis sur pied et qui a permis l'établissement de liens avec le tout nouveau Conseil canadien des chefs d'entreprises.

Président de sa propre agence de publicité, MacLaren siégeait à de nombreux conseils d'administration, notamment ceux de la Deutsche Bank, de la London Insurance et de Royal LePage. À la grande satisfaction de l'Association des banquiers canadiens, Mac Laren a joué un rôle très influent comme secrétaire parlementaire du ministre des Finances, Marc Lalonde, en facilitant l'entrée des banques dans le milieu du courtage d'escompte et de l'investissement, au début des années 1980. Plus tard, à titre de critique de l'opposition en matière de commerce, sous la direction de Jean Chrétien, MacLaren a travaillé en étroite collaboration avec son bon ami Tom d'Aquino, du CCCE, pour élaborer une position concernant l'ALENA. Celle-ci devait, d'une part, apaiser l'aile gauche des libéraux, qui avait fortement critiqué le nouvel accord commercial conclu avec le Mexique, et, d'autre part, assurer aux entreprises qu'on ne toucherait pas aux éléments de base de l'accord en gestation.

Entre-temps, le gouvernement comblait d'autres postes clés du Cabinet en les offrant à des libéraux dévoués de l'aile droite, tels John Manley (le protégé de Martin), nommé à l'Industrie, Doug Young, aux Transports, Art Eggleton, au Conseil du Trésor, et Anne McLellan, aux Ressources naturelles. Le seul libéral de l'aile gauche qui se soit vu confier un poste de choix est Lloyd Axworthy qui, à titre de ministre du Développement des ressources humaines, a été chargé de remanier les programmes sociaux du Canada sous l'influence omniprésente du ministère des Finances. Les autres libéraux de l'aile gauche du parti n'ont accédé qu'à des ministères exerçant peu d'influence sur le programme économique du gouvernement Chrétien, comme Sheila Copps à l'Environnement, Brian Tobin aux Pêches et Océans, Sergio Marchi à l'Immigration, Allan Rock à la Justice et Herb Gray qui, comme leader parlementaire, était chargé de maintenir la paix entre les deux camps.

Il était clair, dès le début, que les libéraux de l'aile droite étaient aux commandes. Le gouvernement Chrétien avait la ferme intention de démanteler ce qui restait de l'État-providence au Canada, et le Parlement ne s'y opposerait pas vraiment. Après tout, le Parti réformiste, véritable pivot de l'idéologie de droite, avait préparé un plan d'action du même type. Quant aux néo-démocrates, ils étaient en fait réduits au silence, leur groupe décimé ayant perdu le statut officiel de parti après les élections de 1993. L'opposition officielle, formée par le Bloc québécois, a remis en question, à l'occasion, le plan d'action des libéraux de Jean Chrétien en faveur des grandes entreprises, mais seulement lorsque cela convenait à ses propres visées nationalistes. Les seules autres objections qui se sont élevées au Parlement provenaient de quelques libéraux dissidents, comme Warren Allmand, que le parti a rapidement et sévèrement rappelés à l'ordre.

Le réseau des grandes entreprises

Au cours d'un bref passage aux Finances au début des années 1980, Jean Chrétien a lui-même déclaré qu'il « n'avait jamais préparé un budget sans obtenir au préalable l'opinion du Conseil canadien des chefs d'entreprises ». Dix ans plus tard, le CCCE fixait les grandes orientations du plan d'action économique et sociale d'Ottawa. En 1994, le CCCE a présenté à l'intention du gouvernement Chrétien un plan d'action en 10 points, qui prévoyait : l'élimination du déficit fédéral en 1998-1999 par le biais de coupes sombres dans les dépenses publiques plutôt que par une augmentation des impôts, qui aurait « découragé l'investissement et éliminé des emplois » ; un appui sans réserve à la Banque du Canada dans sa bataille contre l'inflation et au maintien d'une « croissance non inflationniste [...] comme principe central de la politique économique nationale » ; la promotion d'une « stratégie dynamique de développement et de diversification du commerce international », dont l'ALENA serait la pièce maîtresse, « puisqu'il offrirait de meilleures perspectives de création d'emplois » ; une réforme des programmes sociaux du Canada, afin de « faire plus avec moins », d'aider « ceux qui en ont le plus besoin » et d'encourager l'autonomie individuelle ; des changements à l'assurance-emploi (un système « très imparfait »), par la réduction des cotisations des employeurs (considérées comme une « taxe sur l'emploi »), tout en s'assurant que les prestations d'assurance-emploi « ne constituent pas un facteur de dissuasion pour le retour au travail » ; la création d'une fédération et d'une union économique plus décentralisées, par l'élimination des barrières tarifaires entre les provinces ; enfin, la « réduction du poids de l'État dans la vie quotidienne en veillant à ce que les services publics soient dispensés par le palier de gouvernement le plus près des citoyens, tout en accentuant « le rôle du gouvernement central dans des secteurs clés de compétences nationale et internationale ».

Le programme du CCCE, qui se reflétait déjà dans les principes directeurs mis en lumière par Nicholson au congrès d'Aylmer, déterminait l'orientation générale de la stratégie du nouveau gouvernement Chrétien. De son côté, l'institut C. D. Howe publiait en 1994 une série de documents qui avaient pour but d'enrichir la plate-forme du CCCE, et qui, comme le souligne l'auteur Linda McQuaig, ont permis de conférer un caractère plus sérieux et plus objectif à la défense des intérêts des grandes entreprises. Dans cette série de publications du C. D. Howe figuraient *The Courage to Act*, qui appelait le gouvernement à accélérer la réduction du déficit durant les trois années suivantes, et *Social Canada in the Millennium*, qui démontrait que le pays n'avait plus les moyens de maintenir son système de sécurité sociale et que les marchés financiers internationaux effectueraient les changements radicaux immédiats jugés nécessaires si le pays n'agissait pas en ce sens.

Alors que les publications de l'institut C. D. Howe avaient pour cible l'opinion publique et les décideurs, celles de l'institut Fraser continuaient à faire connaître le point de vue des entreprises en publiant des dépliants qui dénonçaient le déficit, l'assurance-emploi, les programmes sociaux, le système universel de soins de santé, les impôts et d'autres aspects de l'État-providence keynésien. Pour faire avancer leurs idées, ils organisaient des conférences, le *Forum Fraser*, et aussi des activités portant sur divers thèmes, par exemple : le jour de l'année où on cesse de payer des impôts, l'horloge de la dette, l'indice de liberté économique et les listes d'attente des hôpitaux. Seulement 10 ans plus tôt, le point de vue que défendait l'institut Fraser était qualifié d'« extrémiste » ; en 1994, il représentait le courant principal dans les médias nationaux.

Le financement des campagnes et du parti a permis au milieu des affaires de raffermir son emprise sur l'élaboration des politiques libérales à Ottawa. Les 13 donateurs importants de la campagne de 1993 étaient les cinq premières banques commerciales du pays (la Banque de Montréal, la Banque Royale du Canada, la Toronto-Dominion, la CIBC et la Banque de Nouvelle-Écosse) ainsi que huit maisons de courtage et de placement (Scotia McLeod, Cooper and Lybrand, Wood Gundy, Richardson Greenshields, Nesbitt Thomson,

Midland Walwyn, RBC Dominion Securities et Toronto-Dominion Securities). Lorsque des entreprises financières aussi importantes contribuent fortement à une campagne, elles s'attendent à ce que cet investissement leur soit bénéfique. Dans ce cas, l'élite financière était unanime à exiger que la réduction du déficit devienne la priorité absolue du gouvernement et qu'elle passe par une diminution draconienne des dépenses publiques.

Plus encore, toutes les principales banques et leurs firmes de placement ont continué, l'année suivante, à financer le parti. La Banque de Nouvelle-Écosse, par exemple, a donné aux libéraux de Chrétien 44 512 $ en 1994, tandis que sa maison de courtage, Scotia McLeod, a versé 66 310 $. La contribution de la CIBC s'est montée à 49 340 $, tandis que 65 897 $ supplémentaires provenaient de sa maison de courtage, Wood Gundy. La Toronto-Dominion et la Toronto-Dominion Securities ont, quant à elles, réuni les sommes de 42 180 $ et 40 000 $ respectivement, tandis que la Banque Royale et RBC Dominion Securities ont chacune versé plus de 44 000 $.

En bref, les contributions conjuguées des banques, des sociétés de fiducie, des maisons de courtage et des compagnies d'assurances s'élevaient à plus de 700 000 $ sur les quelque six millions de dollars versés aux libéraux par les entreprises en 1994. Les autres grandes sociétés qui ont contribué à la caisse du parti cette année-là exerçaient leurs activités dans tous les secteurs clés de l'économie, notamment dans l'industrie minière (Inco, Barrick, Brascan), l'industrie pétrolière (la Compagnie pétrolière Impériale, Husky Oil), les entreprises de pipelines (Trans-Canada Pipelines, Interprovincial Pipelines), l'industrie des télécommunications (BCE, Rogers, Northern Telecom), les sociétés de transport (le Canadien Pacifique, Bombardier, Canada Steamship Lines), les manufacturiers de tabac (Imasco, Rothmans), les compagnies aériennes (Air Canada, Canadien) et les sociétés d'experts-conseils (Price Waterhouse, Poissant Thibault/Peat Marwick Thorne, WGM Management). De plus, des empires familiaux, comme le groupe Desmarais, par le truchement de Power Corporation et de la Great West Life, ainsi que le groupe

Bronfman, par le biais de Seagrams et de la London Life, ont aussi versé des contributions. Comme leurs cousins du milieu financier, ces empires et d'autres grandes entreprises espéraient bien que cet investissement allait leur apporter quelque chose en retour.

L'une des armes les plus efficaces dans l'arsenal du patronat est sa manipulation de la fiscalité. À la suite des réformes fiscales de Mulroney dans les années 1980, les impôts des entreprises sont passés d'environ 15 % à seulement 5 % des recettes fédérales, soit le taux le plus bas de tous les pays membres du G7. Plus de 80 000 entreprises qui ont réalisé des profits au Canada ont réussi à ne payer aucun impôt en raison de nombreuses échappatoires et déductions fiscales.

C'est pourtant le gouvernement Trudeau qui, à l'origine, a mis sur pied le mécanisme des « impôts reportés ». Selon Neil Brooks, fiscaliste à Osgoode Hall, cette mesure avait pour but de soulager le fardeau fiscal des entreprises en échange de leur appui. Elle permettait aux sociétés de déprécier certains de leurs actifs plus rapidement qu'avec la méthode comptable généralement utilisée dans la préparation des rapports annuels des entreprises. En 1994, les impôts reportés que les entreprises devaient à l'État équivalaient à plus de 40 milliards de dollars. Cette année-là, les trois grandes entreprises qui ont beaucoup profité de ce système — BCE, le Canadien Pacifique et la Compagnie pétrolière Impériale — devaient, à elles trois, plus de cinq milliards de dollars à Ottawa. En d'autres mots, le gouvernement fédéral offrait volontiers aux entreprises ce qu'il refusait d'accorder aux contribuables : des prêts faramineux sans intérêt.

En fait, le patronat canadien a utilisé le régime fiscal pour étrangler financièrement Ottawa. Même si les libéraux de Chrétien avaient eu la volonté politique d'augmenter les dépenses publiques pour créer des emplois et pour améliorer les programmes sociaux en 1994, ils n'en auraient pas eu la capacité financière. En réformant l'impôt sur les sociétés, Ottawa s'était privé d'une source de revenus essentielle. C'est en grande partie pour cette raison que l'État fédéral s'est endetté et que le déficit a crû si rapidement. Jusqu'à maintenant, cette pression financière a donné d'excellents résultats pour le milieu des affaires en acculant au mur le gouvernement canadien et en le forçant à entreprendre les changements structurels exigés par ce même milieu des affaires.

Grâce à cette réduction importante des recettes publiques, le patronat canadien se trouvait en excellente position pour redessiner le rôle de l'État. Pis encore, la proportion d'obligations et de bons du Trésor du Canada que détenaient les investisseurs étrangers avait monté en flèche, passant de 8 % à 28 %, ce qui donnait aux banques et aux agences d'obligations étrangères une influence accrue sur l'élaboration des politiques du gouvernement canadien. Cependant, pour que cette tactique d'étranglement ait le résultat escompté, le patronat devait consolider ses assises et continuer sur sa lancée. Le ministère fédéral des Finances et les marchés financiers internationaux n'ont été que trop heureux de lui prêter main-forte.

Les diktats du ministère des Finances

Paul Martin n'a pas tardé à consolider les assises de son pouvoir au ministère des Finances et a veillé à ce qu'elles soient solidement arrimées au plan d'action du nouveau gouvernement. Des fonctionnaires occupant des postes clés du ministère, comme David Dodge, sous-ministre des Finances sous Michael Wilson, lui ont prêté leur concours. Dans les dernières années du gouvernement Mulroney, Dodge avait entamé un processus de restructuration interne, à Ottawa, pour amener le gouvernement à se montrer plus réceptif aux demandes des « grandes entreprises qui exerçaient leurs activités sur les marchés internationaux » et pour renforcer le rôle central du ministère des Finances. À la demande de Martin, Dodge est resté pour finir son travail.

Plusieurs mois avant que l'équipe de Chrétien n'entre en fonction, Dodge avait déjà identifié les premiers programmes sociaux qui devaient subir des compressions majeures, quel que soit le parti qui sortirait vainqueur des élections de 1993. Sa liste comprenait : les pensions, l'assurance-emploi, les transferts aux provinces, l'aide sociale de même que les subventions à l'agriculture et à certaines entreprises. Partant de l'hypothèse que le ministère des Finances piloterait, à l'avenir, toutes les réformes sociales, Dodge a annoncé que la pension de sécurité de la vieillesse, le régime de pensions du Canada et le régime de l'assurance-maladie feraient l'objet d'une réforme générale.

Afin de l'aider à formuler les grandes lignes d'une politique globale au ministère des Finances, Martin s'est attaché les services de Peter Nicholson, l'orateur qui a prononcé le discours d'ouverture du congrès d'Aylmer, alors en congé de son poste de premier vice-président de la Banque de Nouvelle-Écosse afin de mettre au point une stratégie en matière de relations avec l'État pour le compte de BCE. Nicholson était précisément chargé d'ébaucher, pour le ministère des Finances, un important document de principes politiques et stratégiques intitulé *Un nouveau cadre de la politique économique*, que le Ministère a publié en novembre 1994. Le but de ce document, que l'on a appelé le livre mauve, était de faire de la réduction du déficit la priorité absolue du gouvernement Chrétien. Avant de s'attaquer à toute autre priorité économique ou sociale, il fallait que le pays retrouve une bonne « santé financière ».

Pour cela, le ministère ne voyait qu'une seule solution : l'élimination du déficit au moyen de compressions massives dans les dépenses publiques, notamment les dépenses sociales. Ainsi, Nicholson et ses collègues des Finances avaient pris le contre-pied de la thèse défendue dans le livre rouge. Celui-ci soutenait, en effet, que le meilleur moyen de venir à bout du déficit était de favoriser la reprise économique et la création d'emplois.

En prévision de ce changement de stratégie, Martin et ses fonctionnaires ont d'abord convoqué un « groupe de réflexion » au Centre des congrès d'Ottawa, en décembre 1993, dont les discussions, qui portaient sur la préparation du budget, ont été télévisées à l'échelle nationale. Des 40 participants invités, seule une poignée appuyait les grandes lignes de la politique économique présentée dans le livre rouge. Les autres, dont beaucoup d'universitaires néolibéraux ou d'économistes provenant de banques, de firmes de placement ainsi que de groupes de recherche et de firmes de lobbying subventionnés par le milieu des affaires, défendaient avec vigueur l'idée qu'il fallait résorber le déficit en priorité, en réduisant les budgets des programmes sociaux et en redéfinissant le rôle de l'État afin qu'il s'adapte à la mondialisation de l'économie. Plus tard, Martin a engagé Earnscliffe Research and Communications, société de conseil dont il était proche (par l'intermédiaire de son directeur de campagne, Mike Robinson), pour conduire ce qui est devenu la consultation prébudgétaire la plus minutieuse de toute l'histoire du ministère. À la suite de nombreux sondages et de rencontres avec des groupes de discussion, cette firme a préparé un plan de communications précis à l'intention de Martin et de Dodge.

Les groupes de discussion ont révélé que, du fait que la population percevait la dette et le déficit comme un problème national grave, une bonne partie de cette dernière était mûre (même si c'était à contrecœur) pour accepter un programme de compression des dépenses. En revanche, cette même population n'était pas d'humeur à subir une hausse d'impôts. Ce constat a donc guidé la stratégie de communication de Martin, qui s'en est servi devant le comité des Finances, à la mi-octobre 1994. Brandissant le spectre de la crise financière qui se pointait à l'horizon, il a présenté une panoplie de tableaux et de statistiques en déclarant : « Nous sommes endettés jusqu'au cou. Si nous ne prenons pas de mesures décisives maintenant, le pays court à sa ruine. »

Dans les mois qui ont suivi, Martin a martelé ce message au cours d'une tournée pancanadienne, préparant les citoyens à une possible hausse d'impôts afin de faire face à la crise financière qui se profilait à l'horizon. Selon Barlow et Campbell, en soulevant l'éventualité d'une hausse d'impôts, le ministère cherchait à instaurer un climat de peur essentiel à l'atteinte de son objectif. Il espérait ainsi que la population avalerait plus facilement l'amère pilule des pires compressions budgétaires de l'histoire du Canada.

Il était clair aux yeux des observateurs de la scène politique à Ottawa que le ministère des Finances avait consolidé son pouvoir au sein même du gouvernement Chrétien. L'autorité du ministère s'est même vue renforcée lorsque le cabinet du premier ministre a aboli la plupart de ses comités, éliminant du même coup toute source d'opposition potentielle. Le premier ministre avait clairement annoncé, lors de la réunion du Cabinet du mois de juin, qu'il appuyait sans réserve son ministre des Finances. Comme l'ont dit Edward Greenspon et Anthony Wilson-Smith, observateurs politiques à Ottawa, Martin a fait équipe avec Marcel Massé (ancien fonctionnaire nommé ministre chargé de la réforme de la fonction publique) pour mener à bien un « projet de réduction des dépenses et de redéfinition du rôle du gouvernement du Canada ».

Martin et Massé ont donc constitué un puissant comité du Cabinet responsable de la révision des programmes, dont faisaient partie Eggleton, Copps, Tobin, Ouellet, Marchi, Gray et une nouvelle venue, Anne McLellan. Martin et Massé voulaient avant tout que ces ministres adhèrent fortement à leur ambitieux projet de réforme de l'État. Trois jours sur sept, reclus pendant quatre heures, tous ces ministres écoutaient Martin et Dodge leur brosser un tableau de la situation. À la suite de ces séances d'information intensives sur l'état des finances du pays (dont on a rarement entendu parler à l'extérieur du ministère des Finances), Massé a présenté ses plans de compression de 20 % à effectuer, sur trois ans, dans les budgets des programmes publics, annonçant notamment l'élimination de 45 000 emplois au sein de la fonction publique. L'État fédéral allait, en d'autres mots, retrouver sa taille d'après-guerre.

En bref, le plan Massé s'avérait pour Martin le principal engin de sa bataille contre le déficit. Il était crucial pour le succès de leur stratégie de rallier à leur cause le Comité de révision des programmes afin de gagner le soutien du Cabinet. Martin, de concert avec Massé et Dodge, a alors rencontré chaque ministre séparément pour lui présenter, chiffres à l'appui, les compressions à effectuer, sur trois ans, dans les budgets des programmes publics. Cette tâche accomplie (non sans quelques luttes intestines), toutes les conditions étaient réunies pour qu'en 1995 Martin dépose son budget de réduction du déficit et dévoile sa stratégie de restructuration de l'État. Young était chargé de superviser la vente de 75 % de la participation de l'État dans les chemins de fer et les services de transport nationaux. Goodale avait pour tâche de faire avaler aux communautés rurales la perte de leurs subventions pour le transport du grain et pour d'autres programmes d'aide à l'agriculture. Eggleton devait suspendre la mise en œuvre du programme d'infrastructure publique tant vanté par le gouvernement. Copps devait réduire d'un tiers le budget du ministère de l'Environnement, alors que McLellan devait superviser les importantes compressions de personnel au sein du ministère des Ressources naturelles. Le seul ministère qui n'avait pas encore été mis au pas des compressions avant le budget de 1995 était celui de Lloyd Axworthy, au Développement des ressources humaines.

Axworthy avait pour mandat d'entreprendre l'examen et la réforme des programmes sociaux du pays en collaboration avec le ministère des Finances. Il était convenu que le Développement des ressources humaines amorcerait le processus en faisant connaître les préoccupations du gouvernement à l'égard des programmes sociaux et en donnant une dimension humaine à la question. Puis, les Finances devaient enchaîner avec des compressions dans les paiements de transfert, qui, à leur tour, entraîneraient la restructuration attendue du système de sécurité sociale du pays. La stratégie s'est effondrée en octobre 1994, après la publication du livre vert d'Axworthy, qui a outrepassé la consigne en expliquant en détail les propositions de refonte des différents programmes. Il désignait les programmes visés et précisait les montants ainsi épargnés qui devaient servir à la mise sur pied de nouveaux programmes destinés, par exemple, à réduire la pauvreté chez les enfants.

Pour Martin, la seule manière, sur le plan politique, de modifier les programmes sociaux était de réduire les paiements de transfert aux provinces ; il n'était pas question d'identifier précisément les programmes susceptibles d'être touchés par les compressions. Le ministère des Finances n'avait pas, non plus, donné son accord pour que les sommes dégagées à la suite des compressions soient consacrées à de nouvelles initiatives sociales.

Les projets d'Axworthy étaient voués à l'échec dès le début. Lui et ses hauts fonctionnaires n'avaient pas bien compris qui était responsable de la réforme des programmes sociaux. Au moment où l'on publiait le livre vert, des fuites indiquaient à la presse que les compressions dans les programmes sociaux, pour le prochain budget, pourraient atteindre 7,5 milliards de dollars. Les groupes de défense des programmes sociaux, qui étaient essentiels à Axworthy pour obtenir l'appui du public à l'égard de ses réformes, se sont sentis trahis. Le Comité parlementaire sur la politique sociale, qui parcourait le pays à la fin de 1994 pour entendre le point de vue de la population sur les réformes d'Axworthy, s'est donc attiré les foudres et l'hostilité du public. Avant même que le Comité puisse déposer son rapport à la Chambre, Axworthy avait baissé les bras, annonçant aux journalistes qu'il remisait ses plans et que, dorénavant, Martin serait l'instigateur de la réforme des programmes sociaux. Le désaccord qui régnait depuis des mois entre Martin et Axworthy avait éclaté au grand jour. Non seulement les initiatives d'Axworthy, qui était condamnées d'avance à l'échec, lui avaient coûté l'appui de Chrétien et du Bureau du premier ministre, mais elles avaient aussi servi à renforcer la mainmise politique de Martin sur le Cabinet.

Au début de 1995, de toute évidence, Martin et le ministère des Finances maîtrisaient totalement la mise en œuvre du plan d'action économique et sociale du gouvernement. Le livre mauve, qui avait pratiquement remplacé le livre rouge, exposait les grands principes directeurs du plan d'action du gouvernement Chrétien. Martin aurait d'ailleurs déclaré avec ironie : « Rien n'est plus stimulant pour l'esprit que de sentir le souffle du ministère des Finances sur sa nuque. » Cependant, afin que Martin ne dévie pas de son objectif, qui consistait à présenter le budget le plus dur de toute l'histoire canadienne, certains ont attisé une peur obsessionnelle de la dette.

La dette ou la vie

L'automne 1994 a vu la mise sur pied d'une campagne plus ou moins orchestrée qui consistait à distiller la peur du déficit en vue du dépôt du budget pour 1995. Discours sur discours, Martin prévenait la population que, si le Canada ne prenait pas de mesures radicales pour rétablir sa situation financière, les marchés financiers internationaux tout comme le FMI ne se gêneraient pas pour intervenir directement dans les affaires économiques du pays. Entre-temps, le chef du Parti réformiste, Preston Manning, clamait dans tout le pays que les marchés financiers mondiaux puniraient le Canada s'il n'effaçait pas son déficit au cours des trois prochaines années.

Ne voulant pas être en reste, l'institut Fraser a posé publiquement le problème de la dette canadienne au cours d'une conférence publique, à Toronto, parrainée par la Banque Toronto-Dominion, MacMillan Bloedel et Sun Life. De son côté, l'institut C. D. Howe publiait son rapport *The Courage to Act*, qui réclamait des compressions d'environ 17 milliards de dollars dans les paiements de transfert aux provinces destinés à la santé, à l'éducation et à l'aide sociale. Dans l'ensemble, ces activités ont contribué à créer un climat de panique, qu'une série d'événements importants sur le plan international sont venus aggraver.

L'effondrement soudain du peso mexicain, le 20 décembre 1994, a jeté de l'huile sur le feu de la dette qui embrasait déjà tout le pays. Les spéculateurs, dans leur précipitation à abandonner le Mexique, ont déstabilisé les marchés financiers du monde entier. Le 12 janvier 1995, l'éditorial du *Wall Street Journal* affirmait que le Canada « était devenu un membre honoraire du tiers-monde » à cause de son incapacité à régler le problème de sa dette croissante. Si rien de sérieux n'est entrepris, déclarait l'éditorialiste, « le pays risquait de s'écraser sous le poids de la dette et il serait alors forcé de demander l'aide du Fonds monétaire international ». Le *Globe and Mail* a repris cet éditorial le lendemain sous le titre « Le Canada en faillite ».

Dans un discours à ses actionnaires qui a été largement diffusé, le

PDG de la Banque Toronto-Dominion a déclaré que le Canada était à deux doigts d'un krach analogue à celui du Mexique, si l'on ne prenait pas des mesures urgentes pour régler le problème de la dette. Albert Friedberg, spéculateur sur le marché des devises, a renchéri en annonçant que la devise canadienne était sur le point de s'effondrer, comme celle du Mexique, ce qui a provoqué une pression à la baisse sur le dollar canadien dans les marchés internationaux. Pour ramener le calme sur les marchés monétaires, ont expliqué les banques et les sociétés de placement, Ottawa devait réduire considérablement ses dépenses dès le prochain budget de Paul Martin.

Moins de deux semaines avant que Martin ne présente son budget pour 1995, Moody's, l'agence de cotation des titres de New York, a annoncé publiquement qu'elle plaçait la cote du Canada sous surveillance, envoyant une onde de choc sur les marchés. Martin a d'abord semblé surpris de cette annonce soudaine, s'exclamant que « Moody's aurait certainement pu attendre que le gouvernement fédéral ait déposé son budget ». Toutefois, comme Linda McQuaig l'a révélé plus tard, l'agence Moody's n'avait pas pris sa décision seule. Dans les faits, les investisseurs canadiens de Bay Street avaient littéralement pourchassé l'analyste principal pour les questions canadiennes de Moody's afin qu'il révise à la baisse la cote de crédit du Canada pour faire pression sur le gouvernement et l'amener à réduire rapidement son déficit.

« C'est le seul pays dont je m'occupe, a expliqué l'analyste de Moody's, où les citoyens veulent voir régulièrement la cote baisser ». Pourtant, l'annonce de Moody's n'aurait pas dû surprendre Martin, puisqu'il ne se passait pas une semaine sans que les fonctionnaires des Finances communiquent directement avec l'agence de cotation des titres. On peut affirmer, sans craindre de se tromper, que les deux parties voyaient très bien que Martin aurait du mal à faire accepter son budget à la population et que Moody's lui faciliterait la tâche en faisant son annonce avant plutôt qu'après le dépôt du budget.

« Des voix respectées » issues de diverses provenances, depuis le premier ministre jusqu'aux PDG de Bay Street, se sont empressées de souligner que le Canada avait « les mains liées » et devait satisfaire aux exigences des marchés financiers. Le président de l'institut C. D. Howe, Tom Kierans, a avancé que : « Nous perdons notre souveraineté. Nous vivons au bord d'un précipice... [Nous sommes] prisonniers des marchés internationaux. »

Cependant, Kierans avait omis de préciser qu'Ottawa, aidé et encouragé en cela par les grandes entreprises, avait abandonné bon nombre des pouvoirs et des moyens dont il disposait autrefois pour agir efficacement sur les marchés internationaux. Prenons, par exemple, la Banque du Canada. En tant qu'institution financière centrale du pays, elle avait traditionnellement toute autorité pour planifier la conduite de la politique monétaire nationale. En 1994, cependant, la banque centrale avait, à peu de chose près, renoncé à sa capacité d'influer sur le marché des obligations. Elle n'intervenait plus régulièrement sur le marché pour acheter ou vendre des obligations à long terme. Elle avait aussi beaucoup ralenti ses ventes et ses achats de bons du Trésor à trois mois. Elle avait également laissé le champ libre, sur le marché des obligations, aux cinq grandes banques commerciales qui, depuis les amendements apportés à la *Loi sur les banques* de 1991, n'étaient plus tenus de maintenir dans ses coffres des réserves obligatoires.

Comme l'a constaté Duncan Cameron, de l'université d'Ottawa, alors qu'il témoignait devant un comité parlementaire en 1995 : « De serviteur du Parlement, la Banque du Canada est devenue son maître. »

En même temps, ces « voix respectées » n'ont pas voulu envisager d'autres solutions ou stratégies financières pour réduire le déficit. Elles ont rejeté l'idée que la stratégie de lutte contre le déficit serait plus efficace si elle se concentrait sur les deux causes principales de la croissance de la dette entre 1973 et 1989, soit les échappatoires accordées aux riches et aux sociétés à but lucratif (qui représentaient 50 % de cette croissance) et les taux d'intérêt excessivement élevés (responsables de 44 % de cette croissance). Elles ont tourné en ridicule cette proposition fondée sur une étude réalisée en 1990 par Hideo

Mimoto, de Statistique Canada. Les gouvernements de Mulroney et de Chrétien ont préféré s'attaquer uniquement aux dépenses (qui ne représentaient pourtant que 6 % de la croissance de la dette).

En d'autres mots, Ottawa, sur l'ordre des grandes entreprises, a fait fi des deux causes principales de l'endettement du Canada (c'est-à-dire les échappatoires fiscales accordées aux grandes entreprises, d'une part, et les taux d'intérêt élevés, d'autre part), qui correspondent précisément aux mesures politiques en faveur desquelles le CCCE avait fait une campagne de premier plan au nom des investisseurs canadiens et internationaux.

Que d'autres études soient venues renforcer les conclusions du rapport de Mimoto, notamment celle du Dominion Bond Rating Service, n'a rien changé. L'étude de Mimoto ne retenait que le rôle des taux d'intérêt (pas celui des échappatoires), mais Dominion en a conclu que l'augmentation de la dette du Canada entre 1984 et 1994 était due à 84 % à la montée en flèche des taux d'intérêt. Pourtant, le ministère des Finances et la Banque du Canada ont maintenu cette politique de taux d'intérêt élevés dans un effort constant pour garder l'inflation à un bas niveau. Pourquoi ? Pour la simple et bonne raison que les détenteurs d'obligations et le marché financier leur ont dit d'agir ainsi. Ils ne voulaient surtout pas que la Banque du Canada entreprenne de réduire les taux d'intérêt élevés, qui constituaient, pour eux, une source de profits énormes.

Le même raisonnement s'applique à la décision d'Ottawa de maintenir un taux d'imposition relativement faible sur les sociétés. Soucieux de ne pas heurter le milieu des affaires, le ministère des Finances ne tenait pas à montrer du doigt le régime d'imposition des sociétés comme la cause principale de l'endettement croissant du pays. Pour les grandes entreprises, les taux d'intérêt élevés et le faible taux d'imposition des sociétés sont de véritables vaches sacrées. La croisade contre le déficit ne devait surtout pas y toucher.

Voilà donc le chantage à la dette auquel s'est livré le gouvernement auprès de la population dans les mois qui ont précédé le dépôt du budget pour 1995, le plus dur de toute l'histoire du pays. Non seulement Martin et ses collègues du ministère des Finances, Dodge et Nicholson, ont inversé le plan d'action du gouvernement Chrétien en faisant de l'élimination du déficit leur priorité absolue, mais ils répétaient inlassablement que la seule façon de régler le problème était de réduire considérablement les dépenses de l'État, notamment dans les programmes sociaux et les services publics.

Quelle importance si l'allégement du fardeau fiscal des sociétés et les taux d'intérêt élevés jouaient un rôle prédominant dans la croissance de la dette? Inutile également de demander à la Banque du Canada de racheter une partie importante de la dette extérieure ou de faire baisser les taux d'intérêt. Ottawa voulait plutôt distiller une peur panique de la dette au sein de la population, espérant ainsi que les compressions des dépenses publiques seraient perçues comme la seule solution possible. En bref, c'est cette solution qu'exigeaient les grandes sociétés canadiennes et les détenteurs d'obligations sur les marchés financiers canadiens.

Pourtant, ni les détenteurs d'obligations ni les marchés financiers ne sont finalement parvenus à donner corps à leurs menaces. En dépit de ce que martelait la propagande, le Canada était loin de la « faillite ». Comme l'a démontré Linda McQuaig à partir de ses entretiens avec des analystes chevronnés de Wall Street, on a « grossièrement exagéré » le problème de la dette au Canada. L'analyste principal de Moody's affirmait : « Plusieurs rapports publiés récemment ont grossièrement exagéré l'endettement du Canada. Certains d'entre eux ont comptabilisé deux fois les mêmes données, tandis que d'autres ont fait de mauvaises comparaisons avec différents pays. Ces évaluations biaisées ont pu contribuer à conférer une ampleur exagérée au phénomène de l'endettement au Canada. »

En d'autres mots, la menace que le Canada s'effondre sous le poids de la dette n'était pas sérieuse et la situation financière d'Ottawa n'était pas « hors de contrôle ». Le FMI et les marchés internationaux n'étaient pas, non plus, sur le point de venir à la rescousse du Canada. Néanmoins, c'était ce que voulaient faire croire les grandes entreprises et le ministère des Finances. Ce sont ces mêmes

entreprises et intérêts financiers qui ont appuyé, sans réserve, les libéraux de Chrétien aux élections de 1993 et qui les soutiennent encore
aujourd'hui. Pour les en remercier, le gouvernement Chrétien a soumis le pays tout entier à ce terrorisme de la dette dans le cadre de son
budget pour 1995.

Les artisans du chômage

La volte-face que le ministre des Finances a effectuée dans le livre
mauve a aussi mis au rancart la principale promesse électorale des
libéraux de Chrétien de créer de l'emploi. Puisque le déficit était
devenu la priorité absolue du ministère des Finances et un principe
incontournable dans l'orientation de toutes les politiques, Ottawa
n'avait plus qu'un rôle indirect dans la création d'emplois. Non seulement le budget de 1995 de Martin a mis un frein au programme
d'infrastructure publique, mais le gouvernement Chrétien battait
tous les records dans la suppression d'emplois au pays, en annonçant
l'élimination de 45 000 postes dans la fonction publique d'ici à la fin
de 1998.

Selon le nouveau plan d'action de l'aile droite libérale, traduit
par le livre mauve, Ottawa n'avait pas d'obligations dans le domaine
de l'emploi, sinon celle de créer les conditions permettant au secteur
privé de créer des emplois. Pourtant, de toute évidence, non seulement les grandes entreprises du pays ne créaient pas d'emplois, mais
la plupart d'entre elles licenciaient leurs effectifs à tour de bras.

L'année 1995 a été évaluée comme la plus profitable jamais enregistrée par le patronat canadien : les grandes sociétés canadiennes
ont amassé des profits de 66 milliards de dollars, et, pourtant, elles
ont mis à pied des milliers de travailleurs. Bell Canada, par exemple,
a réalisé un profit de 502 millions de dollars et a réduit ses effectifs de
3 100 personnes. Inco a vu ses profits grimper de 3 281 % tandis
qu'elle a éliminé 1 963 emplois. La CIBC a augmenté ses bénéfices de
plus d'un milliard de dollars, et a pourtant mis à pied 1 290 em-

ployés. Les profits du Canadien Pacifique ont grimpé de 75 %, mais la compagnie a mis au chômage 1 500 travailleurs. Petro-Canada a éliminé 564 emplois et a enregistré des profits de 194 millions de dollars. La Banque de Montréal a fait tomber le couperet sur 1 428 emplois tout en augmentant sa marge de profit de 20 %. General Motors a battu son propre record avec un profit de 1,39 milliard de dollars, et l'abolition de 2 500 postes.

Les marchés boursiers, comme pour envenimer la situation, se sont mis à considérer ces réductions massives d'effectifs comme de « bonnes nouvelles ». Lorsque AT&T, par exemple, a annoncé, le premier jour ouvrable de l'année 1996, qu'elle allait supprimer 40 000 emplois en trois ans, le cours de ses actions a monté en flèche par rapport à l'indice Dow Jones des valeurs industrielles. Par la suite, les États-Unis ont affiché des chiffres de croissance de l'emploi que les investisseurs de Wall Street ont, à l'inverse, qualifiés de « mauvaises nouvelles » faisant dégringoler le marché. De même, ici au Canada, le marché boursier accueillait fréquemment toutes les annonces de compressions d'emplois des grandes sociétés comme de « bonnes nouvelles », ce qui entraînait aussitôt une hausse du prix des actions.

Autrefois véritable cauchemar pour les entreprises puisqu'ils ternissaient leur image, les licenciements massifs se voyaient désormais récompensés aussitôt par le marché boursier. La plupart des PDG ne voyaient plus la nécessité de maximiser les bénéfices des actionnaires *tout en* ayant à cœur le bien-être des travailleurs et de la communauté où leur entreprise était établie. Un PDG canadien l'a d'ailleurs exprimé ainsi : « Les entreprises ne sont pas là pour créer de l'emploi. Elles ont pour but premier de créer de la richesse pour les actionnaires. »

Pendant ce temps, le nombre des personnes sans emploi se multipliait. Le gouvernement Chrétien avait beau revendiquer la création de 600 000 emplois trois années après son entrée en fonctions, il omettait volontairement de préciser que presque tous ces emplois n'étaient que des postes à temps partiel, mal rémunérés et précaires qui offraient peu ou pas d'avantages sociaux. Le taux de chômage officiel stagnait à 10 %, ce qui représentait plus de 1,5 million de sans-emploi (sans compter que plus d'un demi-million de travailleurs découragés ne cherchaient même plus de travail et que le tiers, environ, des travailleurs à temps partiel désiraient un travail à plein temps mais n'en trouvaient pas).

Les sondages montraient pourtant que la population canadienne n'aimait pas ces compressions pratiquées sur une grande échelle. Un sondage Angus Reid, effectué au début de 1996, montrait que plus des trois quarts des Canadiens (77 %) désapprouvaient les mises à pied de travailleurs par les grandes entreprises rentables, alors que 54 % estimaient qu'il fallait sanctionner ces grandes entreprises créatrices de chômeurs, par des mesures fiscales ou autres.

Le gouvernement Chrétien a alors concocté une stratégie afin de limiter les dégâts. En mars 1996, le discours du Trône invitait les grandes entreprises à collaborer avec le gouvernement afin de faire « les investissements collectifs nécessaires à la reprise de l'espoir, de la croissance et de l'emploi ». Le premier ministre a ensuite exhorté, en Chambre, le milieu des affaires à prêter son concours à la recherche d'une solution au « déficit humain créé par le chômage ». Faisant indirectement allusion à la bonne volonté que le gouvernement libéral avait manifestée à l'égard des grandes entreprises en se conformant à leurs priorités (réduction du déficit, compression des dépenses sociales, libre-échange, privatisation et déréglementation), Chrétien a déclaré que c'était maintenant au tour du secteur privé de faire sa part. Deux jours plus tard, le ministre de l'Industrie, John Manley, devant une assemblée de dirigeants du milieu des affaires tenue à l'Empire Club de Toronto, a timidement répété la question qui tourmentait le gouvernement Chrétien : « Que faire de ces grandes entreprises qui enregistrent des profits records et qui se vident de leurs travailleurs ? »

Les libéraux de Chrétien ont tout doucement amené les grandes entreprises à prendre une part active dans leur « Initiative premiers emplois », un programme gouvernemental modeste s'adressant aux jeunes chômeurs. Mis sur pied par une société de conseil de Boston, ce programme devait au départ offrir à 50 000 jeunes diplômés la possibilité de faire un stage d'un an dans des entreprises, en recevant une rétribution voisine du salaire minimum. À la suite d'une réunion organisée avec un petit groupe de dirigeants du milieu des affaires, Martin, Manley et Young (au cours de son bref passage au Développement des ressources humaines) ont commencé à faire valoir que ce programme était le moyen de donner aux entreprises une part de la responsabilité dans la création d'emplois. Les grandes entreprises, clamait Martin, « sont sensibilisées au problème et sont prêtes à contribuer à sa solution ». Cependant, le patronat canadien n'a pas montré un grand enthousiasme. Seules un peu plus de 30 entreprises se sont engagées à participer au programme, et le nombre de stages prévus a dû être ramené à 10 000, soit un nombre infime par rapport aux 600 000 jeunes sans-emploi ou sous-employés.

Le président du CCCE, Tom d'Aquino, s'est justifié en ces termes : « Beaucoup de gens du secteur privé sont cyniques, car c'est le gouvernement qui avait promis de créer des emplois, et tout ce qu'il trouve à dire aujourd'hui c'est : "Ce n'est pas notre faute. Ce sont les entreprises qui n'ont pas créé d'emplois." Les grandes entreprises n'ont pas envie de satisfaire une demande simplement parce que c'est dans l'air du temps. »

La liste des 500 plus grandes entreprises publiée dans le *Financial Post* permet d'expliquer cette réaction. Au cours des dernières années, de nombreuses grandes sociétés canadiennes étaient en tête des entreprises qui éliminaient des emplois. Entre 1988 et 1994, les 15 entreprises responsables du plus grand nombre de licenciements provenaient de plusieurs grands secteurs de l'économie : les entreprises de transport telles que le Canadien Pacifique (49 000 licenciements) ; les constructeurs d'automobiles tels que Ford (13 200) et General Motors (7 230) ; les chaînes de commerce au détail telles que K-Mart (20 553) et Sears (10 690) ; les sociétés minières telles que Noranda (13 000) et Alcan (6 500) ; les grandes entreprises forestières telles qu'Abitibi-Price (9 919) et Stone Container, anciennement la Consolidated Bathurst (9 061).

Le *Financial Post* classait la plupart de ces grandes sociétés créatrices de chômage, en 1995, parmi les plus prospères. Cinq des 15 entreprises passées maîtres dans l'art de licencier entre 1988 et 1994 (General Motors, Ford Motor, Alcan Aluminium, Hydro-Ontario et Imasco) figuraient parmi les 10 premières entreprises du Canada au chapitre du chiffre d'affaires en 1994. De ces 15 grandes entreprises, 8 étaient dans le peloton des 20 entreprises ayant réalisé les plus gros volumes des ventes en 1994. En dépit de compressions majeures de leurs effectifs, au moins six d'entre elles ont connu une croissance importante de leurs ventes et de leurs recettes au cours de cette période (General Motor, Ford, Imasco, Alcan, Domtar et Dofasco).

Le régime fiscal d'Ottawa récompense souvent les entreprises qui réduisent leurs effectifs. En 1993, par exemple, l'entreprise qui a éliminé le plus grand nombre d'emplois au Canada, le Canadien Pacifique, non seulement n'a pas payé d'impôt sur un bénéfice de 442 100 000 $, mais a en fait reçu un crédit d'impôt de 5 700 000 $. Un an plus tard, le Canadien Pacifique était imposé au faible taux de 4,2 % sur ses profits de 720 200 000 $. De nombreuses entreprises canadiennes qui ont éliminé des emplois ont aussi pu se prévaloir de l'impôt sur le revenu reporté, notamment les trois entreprises qui ont demandé les reports d'impôt les plus élevés en 1994, soit BCE, le Canadien Pacifique et la Compagnie pétrolière Impériale.

On constate, de surcroît, que les grandes entreprises canadiennes profitent de plus en plus des paradis fiscaux à l'extérieur du pays. En 1996, Revenu Canada a mené une étude qui a conclu, par exemple, que les grandes entreprises avaient caché environ 20 % de leurs transactions internationales à ses fonctionnaires en 1991, en transférant 17 milliards de dollars dans des paradis fiscaux outremer et en soustrayant à l'impôt 60 autres milliards au moyen du système « de la fixation de prix de cession interne ». De même, comparativement à l'année précédente, les transactions effectuées dans les paradis fiscaux, de la Suisse aux îles Caïmans, ont augmenté de 46 %.

En fait, le patronat canadien a progressivement dépouillé Ottawa non seulement de ses recettes fiscales, mais aussi des outils politiques nécessaires au lancement d'une vaste stratégie de création d'emplois. Selon les modalités de l'ALENA, comme nous l'avons vu, le gouvernement fédéral n'a plus de latitude pour appliquer des normes concernant les investissements étrangers, comme les spécifications d'un emploi ou des exigences relatives au transfert de technologie, lorsque les entreprises transnationales cherchent à avoir accès à nos ressources ou à nos marchés.

Le libre-échange, combiné à une économie déréglementée, n'a pas non plus entraîné davantage d'investissements américains créateurs d'emplois au Canada. Au contraire, dès la mise en place du nouveau régime de libre-échange en 1988, et jusqu'en 1994, les Canadiens ont investi aux États-Unis 10,6 milliards de dollars de plus que les investisseurs américains au Canada. Environ 93 % de tous les investissements étrangers au Canada, entre 1989 et 1991, ont servi à acquérir des entreprises canadiennes plutôt qu'à en créer de nouvelles. Non seulement les nouvelles acquisitions ne sont pas synonymes de création d'emplois, mais souvent elles entraînent d'autres mises à pied, puisque les nouveaux propriétaires rationalisent leurs activités. De plus, le type des investissements américains s'est passablement transformé, passant d'un type productif, créateur d'emplois, à un type spéculatif, qui ne crée pas d'emplois, en conformité avec la nouvelle économie de casino.

À l'assaut des programmes sociaux

Bien avant que l'infortuné livre vert d'Axworthy ne fasse son entrée dans le programme du gouvernement, l'institut C. D. Howe avait déjà établi les modalités du débat sur la réforme de la politique sociale en publiant son rapport *Social Canada in the Millennium*. En tant que principal groupe de recherche du milieu des affaires œuvrant dans les cercles des décideurs, le C. D. Howe avait demandé à Tom Courchene, de l'université Queen, de préparer ce rapport en 1994, en guise d'actualisation du rapport *Social Policy in the 1990's*, que l'institut avait publié en 1989. En fait, Courchene a tout simplement élaboré une plate-forme reprenant les changements que les grandes entreprises voulaient effectuer dans le système de protection sociale du Canada.

Cette plate-forme prévoyait : la fin du régime d'assistance publique du Canada, ainsi que le transfert de toute la responsabilité de l'aide sociale aux provinces et la réintroduction du programme de travail obligatoire pour les assistés sociaux ; l'élimination des transferts aux provinces pour les soins de santé, jumelée à de nouveaux pouvoirs d'imposition au niveau provincial ; le retrait des paiements de transfert aux provinces pour l'éducation postsecondaire, que l'on remplacerait par des « bons pour études » alloués directement aux individus ; une admissibilité réduite aux prestations d'assurance-emploi en doublant ou en triplant les périodes de travail et d'attente ; enfin, le remplacement du salaire minimum par un système de subventions publiques comme complément de salaire, le cas échéant.

Le livre vert d'Axworthy se conformait remarquablement au plan d'action du patronat en matière de réforme des programmes sociaux, tel que l'avait ébauché l'institut C. D. Howe. On y proposait de modifier le financement de l'aide sociale pour que, d'un programme à coût partagé, il prenne la forme d'un transfert global et plus souple aux provinces. Ainsi, les provinces pouvaient utiliser ces fonds à d'autres fins, ce qui, concrètement, signifiait l'abandon de normes nationales et permettait aux provinces d'instaurer un programme de travail obligatoire. Du côté de l'éducation postsecondaire, on proposait d'éliminer la plupart des transferts aux provinces et de les remplacer par un programme de prêts étudiants établi de concert avec les banques commerciales.

Le livre vert recommandait également la création d'un nouveau programme pour combattre la pauvreté chez les enfants, en proposant un crédit fiscal pour enfants mieux ciblé et la création de places supplémentaires dans les garderies. Il a fallu cependant abandonner très vite cette initiative lorsque le ministère des Finances a clairement fait savoir qu'il prévoyait des compressions de 7,5 milliards de dollars dans les programmes sociaux. La plupart des propositions d'Axworthy touchaient les changements à l'assurance-emploi. S'inspirant d'une récente étude de l'OCDE sur l'emploi, le livre vert concluait que le programme d'assurance-emploi du Canada était « trop généreux » et qu'il « était loin d'inciter au travail ». Il fallait, comme l'étude de l'OCDE le préconisait, que les chômeurs « entrent à tout prix sur le marché du travail » et qu'ils soient prêts à accepter des salaires plus bas. Cela impliquait l'abandon de certaines « rigidités » du marché du travail comme les « généreuses prestations de l'assurance-emploi » et les lois en faveur d'un « salaire minimum élevé ».

Tom d'Aquino, du CCCE, a aussitôt fait l'éloge du livre vert parce qu'il présentait des « réformes radicales qui embrassaient l'essentiel des principes défendus » par le Conseil. Cependant, c'est le Transfert canadien en matière de santé et de programmes sociaux (TCSPS) du budget, présenté dans le budget Martin pour 1995, qui a véritablement enclenché des « réformes radicales ». Conformément à ce nouveau programme, les transferts d'argent aux provinces pour la santé, l'éducation et l'aide sociale étaient regroupés en un seul versement restreint de subventions. De 1995 à 1997, ces transferts devaient passer de 17,3 milliards de dollars à 10,3 milliards, une réduction de 40 % en deux ans à peine.

Alors que, d'une part, on donnait aux provinces des points d'impôt pour prélever des revenus supplémentaires, de l'autre, avec le TCSPS, on éliminait en fait toute possibilité, pour le gouvernement fédéral, de maintenir des normes nationales, particulièrement dans les domaines des soins de santé et de l'aide sociale. En cessant d'être le principal bailleur de fonds de ces programmes, Ottawa renonçait à l'autorité et aux outils qui lui étaient nécessaires pour garantir des normes uniformes dans toutes les provinces du Canada. En orientant les réformes vers les plus démunis de la société (comme le conseillait le livre vert), Ottawa renonçait à son engagement de maintenir des programmes sociaux *universels,* c'est-à-dire accessibles à *tous* les citoyens.

Du point de vue du milieu des affaires, les réformes sociales du budget pour 1995 ont permis de débarrasser le marché de certaines « rigidités » et de certaines « mesures dissuasives » et ont ainsi ouvert la voie à une politique de main-d'œuvre bon marché au Canada. En passant d'un programme de partage des coûts à parts égales à un programme de subvention globale, le TCSPS a tué le régime d'assistance publique du Canada, fondé à l'origine sur le principe selon lequel l'aide aux pauvres est apportée en fonction des besoins. Du même coup, l'élimination de normes nationales régissant l'aide sociale a laissé le champ libre aux provinces pour mettre sur pied des programmes de travail obligatoire qui forcent les démunis à accepter des emplois même s'ils sont rémunérés au-dessous du salaire minimum.

En fait, le travail obligatoire place les gens pauvres en concurrence avec les autres travailleurs sur le marché du travail, ce qui accentue la pression à la baisse sur les salaires et crée ainsi les conditions propices à l'instauration d'une main-d'œuvre bon marché. Sur ce point, les grandes entreprises ont reçu l'appui des petites et moyennes entreprises qui, à leur tour, non seulement ont fait pression sur les gouvernements provinciaux pour adopter des programmes de travail obligatoire pour les assistés sociaux, mais ont demandé de surcroît l'abolition du salaire minimum.

De fortes compressions dans le régime d'assurance-emploi ont renforcé cette tendance. En 1989, à la suite des pressions croissantes que multipliait un consortium d'entreprises américaines, qui considérait le régime canadien d'assurance-emploi comme une forme de « subvention commerciale injuste » aux termes du nouvel accord de libre-échange, le gouvernement Mulroney a retiré sa participation financière au programme et amorcé une réforme radicale du système. Lorsque les libéraux de Chrétien ont pris les rênes du pouvoir, le régime d'assurance-emploi avait été réduit au niveau de celui des Américains. Cependant, le CCCE et ses alliés n'étaient pas encore pleinement satisfaits. Mettant à profit leur rhétorique, Martin a décrit les prestations d'assurance-emploi comme « une charge sociale des employeurs » qui « gangrenait la création d'emplois ». La réduction des montants et de la durée des prestations, jumelée à l'introduction de moyens permettant d'exclure les gens qui démissionnent, a permis d'évacuer du régime les soi-disant « facteurs de dissuasion pour le retour au travail ».

La mesure satisfait aux exigences des grandes entreprises, mais les coûts sociaux sont stupéfiants. La proportion des sans-emploi qui recevaient des prestations d'assurance-emploi s'est effondrée, passant de 87 % en 1990 à environ 40 % en 1997. Pis encore, Ottawa a affecté l'argent ainsi économisé (l'assurance-emploi est maintenant directement financée au moyen des cotisations des travailleurs et des employeurs) au remboursement du déficit, plutôt que d'accorder aux chômeurs l'aide qui leur revient de plein droit puisqu'ils ont contribué en grande partie au programme.

De même, la réduction considérable des paiements de transfert d'Ottawa pour les soins de santé, effectuée dans le cadre du TCSPS, a ouvert d'autres portes aux entreprises privées faisant des affaires dans le domaine de la santé (la plupart étant basées aux États-Unis), qui se sont approprié des parts du système de santé canadien. Pour l'industrie privée des soins de santé, le Canada représente un marché très lucratif de 72 milliards de dollars, dont 72 % proviennent chaque année des gouvernements. Les importantes compressions dans les paiements de transfert ont contraint de nombreux hôpitaux, d'un bout à l'autre du pays, à fermer leurs portes. D'autre part, des services de santé et des médicaments autrefois couverts par l'assurance-maladie ne sont plus assurés, ce qui a entraîné la privatisation de grands secteurs de notre régime public de soins de santé.

Lorsque l'on raye des listes du régime des soins de santé certains services médicaux et certains médicaments, on ouvre des débouchés à des compagnies d'assurances privées comme Liberty Mutual, Blue Cross/Blue Shield et Metropolitan Life. Lorsque l'on ferme des hôpitaux, on crée un marché potentiel pour des sociétés comme

Columbia/HCA, la plus importante chaîne hospitalière à but lucratif des États-Unis, leur offrant la possibilité d'ouvrir au Canada des établissements hospitaliers privés où les patients seront traités non pas en fonction de leurs besoins, mais de leur capacité de payer.

Entre-temps, les grandes entreprises pharmaceutiques comme Eli Lilly, Merck, Pfizer et Bristol-Myers profitaient déjà de la hausse du prix des médicaments au Canada. À la suite d'une forte campagne de lobbying en 1993, ces entreprises et d'autres géants de l'industrie pharmaceutique ont réussi à obtenir la protection exclusive de leurs brevets sur leurs médicaments dans ce pays, un monopole qui s'est vu inscrit plus tard au chapitre des droits de la propriété intellectuelle de l'ALENA. En conséquence, les prix des médicaments ont atteint des sommets sans précédent, touchant durement l'industrie des médicaments génériques, qui avait l'habitude de fabriquer les produits brevetés de l'industrie pharmaceutique à un prix abordable.

Seul élément important des dépenses en matière de santé qui a continué de grimper régulièrement, le coût des médicaments délivrés sur ordonnance est maintenant considéré comme le facteur principal de déstabilisation du régime de santé canadien. À l'heure actuelle, ces mêmes géants pharmaceutiques, de concert avec des sociétés de gestion de médicaments nouvellement acquises, font des offres globales aux hôpitaux à court d'argent et aux régimes d'assurance-médicaments provinciaux.

Pour couronner le tout, ajoute l'analyste en matière de soins de santé Colleen Fuller, une compagnie canadienne, MDS, s'est soudainement détachée du peloton de l'industrie privée des soins de santé pour fournir des services à 17 000 médecins et établissements dans 380 villes de sept provinces du pays. En 1996, MDS a annoncé la création d'une coentreprise avec HCA/Columbia (la chaîne internationale géante d'hôpitaux privés) et Bristol-Myers Squibb (l'une des plus grosses entreprises pharmaceutiques du monde). Soutenue par la firme de relations publiques très influente Hill & Knowlton, MDS a aussi joué un rôle clé dans le lobbying auprès des gouvernements du Nouveau-Brunswick et de la Colombie-Britannique pour protéger et faire avancer les intérêts du secteur privé dans les soins de santé.

En bref, les grandes entreprises s'apprêtaient à s'emparer des principaux éléments du régime de protection sociale du Canada. Ce qui avait été autrefois un régime de protection sociale bien rodé, universel et financé à même les fonds publics était soumis à un étranglement financier. Le patronat canadien s'est arrangé pour que cette stratégie de sous-financement réussisse en faisant diminuer les revenus de l'État au moyen d'une série de mesures. Parmi celles-ci, mentionnons les déductions fiscales pour les sociétés, qui permettent chaque année à plus de 80 000 entreprises à but lucratif de ne payer aucun impôt, ainsi que l'impôt sur le revenu reporté, qui entraîne un manque à gagner, pour le gouvernement fédéral seulement, de plus de 40 milliards de dollars, sans compter les 11 milliards de dollars qu'Ottawa verse, chaque année, au milieu des affaires sous forme de subventions.

La stratégie d'étranglement ayant réussi, le processus de privatisation frappe à son tour, livrant de nouveaux marchés du secteur public aux grandes entreprises. Cette privatisation de la sécurité sociale est déjà en cours non seulement dans le cadre du régime d'assurance-maladie et d'autres programmes sociaux, mais aussi dans celui du Régime de pensions du Canada, qui bientôt verra ses fonds investis dans le secteur privé.

La machine verte

Non, nous ne parlons pas ici du service de guichet automatique de la banque Toronto-Dominion. Pendant des années, Ottawa a eu sa propre « machine verte », mieux connue sous le nom de ministère de l'Environnement. Cette machine est en train de se fissurer de partout. Ottawa a dépouillé le ministère de l'Environnement de ses pouvoirs et des outils dont il avait besoin pour accomplir son travail, suivant en cela le même programme fiscal que celui échafaudé par la banque Toronto-Dominion (l'autre machine verte) et ses alliés à titre de fondement de la politique d'Ottawa. Les premiers bénéficiaires de l'effondrement de la machine verte d'Ottawa ont été les industries d'exploitation des ressources naturelles les plus importantes — les mines, le pétrole, la foresterie —, qui ont si bien manœuvré qu'elles fixent aujourd'hui, dans une large mesure, les modalités de la gestion écologique du pays.

Environnement Canada, dans le cadre du programme fiscal de Paul Martin, s'est retrouvé coincé sous le rouleau compresseur des « trois D » : diminuer, décentraliser et déréglementer. La déréglementation a eu pour effet de réduire les normes environnementales canadiennes à un ensemble disparate que des mesures timides ne parviennent pas à faire respecter. La rationalisation a entraîné la perte de 1 400 emplois au ministère de l'Environnement, ce qui a affaibli encore ses pouvoirs de surveillance et sa capacité à faire respecter les normes, notamment dans le secteur des industries d'exploitation des ressources naturelles. En raison de la décentralisation, le mandat et les responsabilités du gouvernement fédéral à l'égard de la protection de l'environnement passent progressivement aux mains des provinces et du secteur privé.

Même le rapport annuel d'Ottawa sur *L'État de l'environnement au Canada,* qui a fourni un tableau exhaustif de la faune et la flore, de l'air, des sols, des forêts et des cours d'eau, a été relégué aux oubliettes. Ni Sheila Copps, la première à détenir le portefeuille de l'Environnement dans ce gouvernement, ni son successeur, Sergio Marchi, n'ont, semble-t-il, fait grand-chose pour résister à cette tendance, encore moins pour la renverser. En fait, tout ce qui relève des questions environnementales à Ottawa est passé aux mains du ministère des Ressources naturelles et des grandes entreprises qu'il représente.

À titre de ministre des Ressources naturelles du gouvernement Chrétien, Anne McLellan est devenue l'enfant chérie de l'industrie des ressources naturelles, qu'il s'agisse des secteurs minier, forestier ou pétrolier. Quand elle a accédé à ce nouveau poste en 1993, l'ancien professeur de droit de l'université de l'Alberta ne connaissait pas grand-chose aux ressources naturelles. Elle s'est vite rattrapée. David Manning, ancien sous-ministre albertain de l'Énergie et aujourd'hui président de l'Association canadienne des producteurs pétroliers, a dit d'elle : « Elle a appris à un rythme effarant, dans un milieu où l'apprentissage est, par définition, très exigeant. »

Cela signifie, bien sûr, qu'elle est devenue un vigoureux défenseur des grandes priorités de l'industrie des ressources, notamment l'élimination de l'intervention et de la réglementation d'État. D'ailleurs, elle est la première à dire : « Je pense que je fais du bon travail en aidant le gouvernement à prendre ses distances par rapport au milieu des affaires. » Elle a orchestré la vente de Petro-Canada et de la participation du gouvernement dans Hibernia, l'instauration d'un système volontaire de réglementation environnementale au sein de l'industrie des ressources ainsi qu'une exemption du respect des normes environnementales nationales accordée à l'industrie du gaz et du pétrole.

Du point de vue de l'industrie pétrolière, l'une des grandes « réussites » de McLellan a été d'empêcher Ottawa de taxer les hydrocarbures. Parmi les premières nations à signer la *Convention sur les changements climatiques,* au Sommet de la Terre en 1992, le Canada s'était engagé à contribuer à stabiliser les émissions de gaz à effet de serre aux niveaux de 1990, d'ici à l'an 2000. Dans le livre rouge, les libéraux de Chrétien avaient promis de donner suite à cet engagement. Ottawa a commencé à considérer sérieusement la proposition d'un impôt sur les combustibles fossiles afin de forcer l'industrie du pétrole et du gaz à réduire les émissions de gaz à effet de serre. Les sociétés propriétaires des champs pétrolifères de l'Alberta, siège de la Compagnie pétrolière Impériale et de la TransCanada Pipelines, et terre d'accueil d'une foule d'autres sociétés qui donnaient leur appui financier aux libéraux, ont réagi avec colère. Craignant par-dessus tout qu'un impôt sur les hydrocarbures ne vienne accabler leur industrie encore plus lourdement que le Programme énergétique national une décennie plus tôt, des représentants de ces sociétés, en accord avec le Parti réformiste, s'en sont pris à la ministre de l'Environnement, Sheila Copps, en la tenant pour responsable de ce projet d'impôt. Finalement, Anne McLellan a gagné sa bataille au sein du Cabinet, et la proposition d'un impôt sur les hydrocarbures a disparu tranquillement des plans budgétaires de Martin.

La rationalisation et la décentralisation d'Environnement Canada ont renforcé l'emprise de McLellan et les intérêts des grandes entreprises forestières et minières. L'élimination de quelque 1 400 emplois ainsi que la fermeture de 16 centres forestiers et de 20 bureaux régionaux ont grandement diminué la capacité du ministère à réglementer à l'échelle du pays. En n'injectant plus de fonds dans les projets de reforestation, Ottawa laisse dorénavant aux provinces et à l'industrie la responsabilité de s'assurer que les forêts canadiennes sont traitées comme une ressource renouvelable pour les générations à venir.

Les ministres fédéraux comme McLellan avaient pleins pouvoirs pour conclure, avec des entreprises, des ententes qui dispensaient ces dernières, dans certaines circonstances, de se conformer à des réglementations environnementales précises. De même, le fait d'avoir délégué les responsabilités aux provinces en matière de protection environnementale dans l'industrie minière a donné aux sociétés minières une plus grande liberté d'action, grâce au caractère très vague des lois sur l'élimination des déchets toxiques en vigueur dans la plupart des provinces. L'Ontario de Mike Harris, par exemple, a radicalement assoupli les restrictions provinciales sur la gestion des déchets, laissant les sociétés minières organiser leurs propres méthodes d'élimination des déchets pour les résidus miniers plutôt que de les faire inspecter et approuver par les autorités provinciales.

De toute façon, Environnement Canada avait déjà un piètre dossier en ce qui a trait à la surveillance et au renforcement des normes en matière de pollution. En 1994, il a épinglé 169 entreprises et organismes gouvernementaux qui ne respectaient pas les normes édictées dans la loi canadienne sur la protection de l'environnement. Toutefois, seulement 15 d'entre eux ont fait l'objet de poursuites ; et les 154 autres pollueurs s'en sont sortis comme si de rien n'était. Étant donné que les lois antipollution canadiennes semblent beaucoup moins sévères que celles des États-Unis, il est logique de croire que les entreprises pollueuses qui font librement des affaires au pays sont plus nombreuses que chez nos voisins. Personne n'a été surpris d'apprendre que, concernant l'action environnementale des pays du monde industrialisé, une agence de Washington a placé le Canada au deuxième rang de la liste des pays ayant les pires bilans en la matière. Même si Ottawa adoptait des normes environnementales plus strictes, des ministres comme McLellan et Manley trouveraient toujours moyen de permettre aux entreprises de s'y soustraire.

Il existe un cas où le gouvernement Chrétien a remarquablement agi, et c'est dans l'industrie de la pêche. Le ministre Brian Tobin, à Pêches et Océans, a lancé en 1995 une vaste campagne contre les chalutiers espagnols qui pratiquaient une surpêche menaçant le stock de turbots, déjà bien décimé, juste à l'extérieur de la zone de 200 milles des Grands Bancs de Terre-Neuve. Bien que les écologistes du monde entier aient louangé Tobin pour avoir pris des mesures concrètes et qu'on soit finalement parvenu à un compromis avec la Communauté européenne, il reste que des flottes étrangères continuent impunément de draguer et d'araser les fonds marins au large des côtes canadiennes.

Certes, le gouvernement Chrétien, devancé en cela par celui de Mulroney, a finalement décidé d'agir et d'interdire la pêche à la morue en invoquant la protection de l'environnement. Toutefois, presque rien n'a été entrepris pour évaluer le rôle qu'avaient joué les grandes industries de la pêche et le gouvernement fédéral dans la création et le maintien des conditions ayant abouti à l'énorme diminution des stocks de poissons. Rien ne garantit non plus que des sociétés comme la Compagnie nationale des produits de la mer ne reprendront pas, à nouveau, le contrôle de l'industrie quand les stocks seront reconstitués.

Les guerriers du commerce international

Le zèle missionnaire que déploie le gouvernement Chrétien à promouvoir le commerce international illustre bien la mainmise du milieu des affaires sur le Canada. Lorsque Roy MacLaren, champion libéral du libre-échange et promoteur de la mondialisation dans le programme fiscal de Martin, a fait son apparition, il s'est aussitôt entendu avec Tom d'Aquino, du CCCE, sur la façon dont les libéraux devaient aborder la question de l'ALENA. Depuis les élections de 1988, que les libéraux de John Turner ont perdues alors qu'ils faisaient campagne contre le libre-échange, l'aile droite libérale essayait de trouver un moyen d'affaiblir et ensuite d'inverser la position officielle du parti. Au lieu de réclamer l'abolition de l'ALE, à l'instar d'Axworthy et d'autres libéraux de l'aile gauche quand ils étaient dans l'opposition, Martin et MacLaren ont proposé que le parti ébauche les conditions propices à la négociation d'améliorations à apporter à l'ALENA. Ils ont élaboré une liste de cinq améliorations, qui coïncidaient largement avec les propositions présentées par le CCCE au comité parlementaire au printemps de 1993. Néanmoins, comme l'expliquent Greenspon et Wilson-Smith, alors que les libéraux, dans leur livre rouge, favorisaient la renégociation de l'ALENA, celle-ci ne figurait pas parmi leurs grandes priorités pendant la campagne électorale.

La victoire des libéraux a rendu soudain le gouvernement Clinton un peu nerveux à Washington, d'autant plus que le vote crucial sur l'ALENA allait avoir lieu au Congrès. Cependant, le nouveau gouvernement à Ottawa n'avait pas la volonté politique d'exiger la réouverture de l'ALENA. Chrétien et MacLaren ont simplement tenté de trouver des solutions permettant de sauver la face vis-à-vis de Washington dans les domaines de la protection de la culture, de la sécurité énergétique et des règlements sur les subventions et le dumping. Au bout du compte, rien n'a changé dans les 2 000 pages de l'accord. Tout ce qu'ont obtenu Chrétien et MacLaren représentait trois pages d'accords parallèles sans envergure.

C'est aussi MacLaren qui, avec certains des PDG importants de Bay Street, a travaillé à organiser les missions commerciales d'Équipe Canada que conduisent le premier ministre fédéral et les premiers ministres provinciaux, en compagnie de centaines d'hommes d'affaires, à la recherche de nouveaux débouchés en Asie et en Amérique latine. En novembre 1994, la première mission commerciale d'Équipe Canada s'est concentrée sur la Chine. À Pékin, Chrétien a présidé à la signature de contrats commerciaux qui engageaient plus de 50 entreprises canadiennes, pour une valeur de 5,1 milliards de dollars. Parmi les entreprises qui ont signé ces contrats et accords, on dénombrait Power Corporation, Barrick Gold, Northern Telecom, Dominion Bridge, Mitel, SNC-Lavalin, Pacific Entertainment et Spar Aérospatiale. De plus, Énergie atomique du Canada s'est engagée, par un accord d'une valeur de 3,5 milliards de dollars, à fournir deux réacteurs nucléaires CANDU à la société chinoise d'exploitation de l'énergie nucléaire.

La mission en Chine avait pour unique but de faire des affaires. Les hauts dirigeants politiques du Canada étaient enchantés d'inviter à leur table des dirigeants chinois, ceux-là mêmes qui avaient ordonné le massacre des étudiants de la place Tiananmen, instauré les camps de travail forcé et mené le plus atroce des trafics d'organes humains prélevés sur des prisonniers politiques ayant été exécutés. Pourtant, aucune question sur les droits de la personne ne figurait à l'ordre du jour. Un fonctionnaire des Affaires étrangères a remarqué : « Auparavant, on arrivait avec une liste de prisonniers politiques à libérer, aujourd'hui, on arrive avec une liste des entreprises qui veulent brasser des affaires. »

Moins de trois mois plus tard, Chrétien et MacLaren ont conduit une autre mission d'Équipe Canada, composée de premiers ministres provinciaux et de gens d'affaires, vers l'Amérique latine, où ils ont signé des accords commerciaux pour une valeur potentielle de 2,7 milliards de dollars. Plus de 250 dirigeants d'entreprise faisaient partie du voyage au Brésil, au Chili et en Argentine. Au Brésil, Brascan, Hydro-Québec, la Commission canadienne du blé, Newbridge

Networks et 29 autres entreprises ont conclu des accords. Au Chili, Barrick Gold, Inco, Noranda, SNC-Lavalin, Methanex, Bema Gold et 27 autres entreprises canadiennes ont signé des contrats d'une valeur de 1,7 milliard de dollars. De plus, 33 entreprises canadiennes ont aussi signé des contrats d'affaires avec l'Argentine.

Chrétien et les premiers ministres provinciaux sont restés muets sur la politique économique du général Augusto Pinochet, au Chili, qui a engendré la misère et infligé des privations à la majorité de la population, sans parler des fréquentes atteintes aux droits de la personne commises sous son régime. En fait, Peter Munk, PDG de Barrick Gold, qui a énormément investi au Chili, s'est empressé de défendre et même de louanger le modèle économique de Pinochet au Chili, allant même jusqu'à dire : « Le Canada et les États-Unis feraient peut-être bien de s'inspirer de ce qui se fait de bien chez les Chiliens. »

Un an plus tard, Équipe Canada retournait en Asie pour signer des contrats commerciaux avec l'Inde, le Pakistan, la Malaisie et l'Indonésie. En Inde, plus de 70 entreprises canadiennes ont signé des contrats et des accords commerciaux d'une valeur de 3,44 milliards de dollars. Parmi celles-ci, on dénombrait Bell Canada, Dominion Textile, Mitel, SNC-Lavalin et Hydro-Ontario. Alcan Aluminium, SNC-Lavalin, Sunora Foods, Téléglobe Canada, World Tel et 15 autres entreprises canadiennes ont décroché d'autres contrats pour une valeur de deux milliards de dollars. Quarante-quatre autres accords ont été conclus en Malaisie pour une valeur de près d'un demi-milliard de dollars. En Indonésie, des entreprises canadiennes, dont Énergie atomique du Canada, Northern Telecom, SNC-Lavalin, la Sun Life du Canada, LanSer Technologies, Interprovincial Pipeline et Sydney Steel Corporation, ont signé 54 contrats et accords commerciaux d'une valeur totale de 2,76 milliards de dollars. Alors que Chrétien a bel et bien signé un accord par lequel il s'est engagé à fournir un appui technique et financier à la Commission des droits de la personne d'Indonésie, le gouvernement canadien n'hésite pas à préparer le terrain pour la signature de contrats avec le régime de Suharto, responsable du génocide de 200 000 personnes au Timor oriental.

La troisième mission d'Équipe Canada, qui s'est rendue en Corée du Sud, aux Philippines et en Thaïlande en janvier 1997, a mis en évidence les contradictions commerciales dans la politique étrangère du Canada. Annoncée comme la plus grosse délégation commerciale de l'histoire canadienne, l'équipe, composée du premier ministre et des premiers ministres provinciaux ainsi que de 500 PDG, politiciens et éducateurs, a atterri à l'aéroport militaire de Séoul au moment même où des émeutes éclataient dans les rues. Les émeutiers protestaient contre la nouvelle législation du travail très sévère de la Corée du Sud. Alors que l'on dirigeait les Canadiens vers des camions décorés de feuilles d'érable rouges et qu'on les conduisait en ville entre deux rangées de policiers armés et équipés de casques protecteurs et de boucliers, postés tout le long du trajet, d'autres escouades de policiers militaires réprimaient au gaz lacrymogène une manifestation de 3 000 travailleurs coréens. Lorsqu'on lui a demandé ce qu'il avait à dire, les seuls mots que Chrétien a pu murmurer, semble-t-il, ont été : « C'est un problème interne. » Il voulait avant tout que cette première journée de la mission se termine par la signature de 73 contrats commerciaux d'une valeur de 600 millions de dollars.

Plus que tout, les missions commerciales d'Équipe Canada démontrent à quel point le gouvernement canadien est devenu, aux mains des grandes entreprises, un instrument pour promouvoir l'investissement rentable dans la nouvelle économie mondiale. Bien sûr, on annonçait une manne de plusieurs milliards de dollars sous forme de contrats fermes, mais de très nombreuses ententes n'étaient en fait que des déclarations d'intention. Une chose est sûre, la croissance des exportations vers l'Asie et l'Amérique latine se traduirait par une recrudescence de l'emploi au Canada. Toutefois, des institutions gouvernementales comme la Société pour l'expansion des exportations ont été mises sur pied, à l'origine, pour fournir de l'aide aux entreprises canadiennes désireuses de créer des marchés pour leurs exportations. Maintenant, les PDG peuvent convoquer les plus hauts dirigeants politiques du Canada afin qu'ils fassent pour eux la prospection de nouveaux marchés.

Parallèlement, le CCCE s'est arrangé pour jouer un rôle très voisin de celui d'ambassadeur en signant un « accord d'association stratégique » avec des coalitions de grandes entreprises analogues dans plusieurs de ces régions, notamment avec la Confederación de la Producción y del Comercio du Chili, qui a activement appuyé le régime de Pinochet et ses mesures économiques répressives. Pis encore, Ottawa a aussi fermé les yeux lorsque Peter Munk, de Barrick Gold, à Toronto, aidé en cela par Brian Mulroney (ainsi que par l'ancien président américain George Bush), a tenté de conclure un marché avec le régime répressif de Suharto, en Indonésie, afin de développer ce qui était alors présenté comme le gisement aurifère inexploité le plus riche du monde.

Pendant ce temps, MacLaren avait aussi ouvert la voie à une nouvelle série de négociations sur le libre-échange au nom des entreprises canadiennes, en commençant par ouvrir l'ALENA afin d'y inclure le Chili. Quand le Congrès américain à majorité républicaine a bloqué l'accord que le gouvernement Clinton avait signé au Sommet des Amériques, en décembre 1994, en vue d'étendre l'ALENA aux pays d'Amérique latine, le Canada a donné son aval à la négociation d'un traité bilatéral avec le Chili. Toutefois, lorsque le Congrès du travail du Canada a fait pression sur Art Eggleton, successeur de MacLaren au portefeuille du Commerce, au printemps 1996, afin qu'il profite des négociations sur l'entrée du Chili dans l'accord pour rouvrir l'ALENA et renforcer les normes sur le travail et l'environnement, le ministre a répondu qu'il n'essaierait pas de changer ou d'améliorer les règles et normes existantes de l'accord. La raison invoquée? Les États-Unis ne seraient pas, selon lui, en faveur de tels changements. Pourtant, en signant un accord bilatéral avec le Chili en novembre 1996, le Canada s'est conformé aux propres lois du Chili qui autorisent la violation flagrante des droits des travailleurs et l'utilisation de pesticides et de produits chimiques interdits au Canada.

De même, le Canada devient de jour en jour plus actif dans la promotion du forum sur la Coopération économique en Asie et dans le Pacifique (APEC), en s'inspirant du modèle de l'ALENA. Depuis que l'Asie a été désignée comme le centre de croissance de l'économie mondiale au XXIe siècle, les entreprises japonaises et américaines se démènent pour prendre le contrôle de cette région. Les entreprises canadiennes veulent aussi avoir leur part du gâteau. Pourtant, comme la sous-secrétaire d'État, Joan Speers, l'a déclaré devant un comité du Congrès : « L'APEC, c'est les affaires. Grâce à ce forum, nous pouvons chasser les gouvernements et ouvrir la voie aux entreprises pour qu'elles fassent des affaires. »

C'est aussi la position qu'a adoptée Ottawa lors d'un sommet des dirigeants de l'APEC tenu aux Philippines, en novembre 1996. À un sommet parallèle de PDG tenu à Manille, le premier ministre Chrétien a préconisé une participation encore plus directe des dirigeants d'affaires dans l'expansion de l'APEC. Le ministre du Commerce, Art Eggleton, a alors soumis un plan d'action prévoyant une accélération du processus de privatisation et de déréglementation dans la région afin de créer des conditions plus propices au flux des investissements étrangers. Un an plus tard, le gouvernement Chrétien est allé encore plus loin, lors du sommet de l'APEC tenu à Vancouver, et a tout fait pour inciter le dictateur Suharto, de l'Indonésie, à participer au sommet, dans l'espoir d'assurer aux entreprises canadiennes un accès à l'énorme marché indonésien pour y vendre leurs produits et services. Il semble même que le gouvernement Chrétien, pour mener à bien sa mission commerciale, était disposé à risquer d'enfreindre les droits de l'homme reconnus au Canadiens lorsqu'il a ordonné aux forces policières de réprimer les manifestations d'étudiants à Vancouver.

En fait, le gouvernement Chrétien est devenu l'un des plus ardents défenseurs du libre-échange dans l'intérêt des grandes entreprises. Récemment, il a mis le Canada au premier plan d'une campagne menée par les Européens pour conclure un traité sur l'investissement qui serait la pièce maîtresse de l'Organisation mondiale du commerce (OMC). En 1996, le Canada s'est distingué comme acteur clé, travaillant en étroite collaboration avec la Communauté européenne et les États-Unis pour faire la promotion du projet de l'AMI auprès des autres nations, notamment les pays en voie de développement du Sud. Le gouvernement Chrétien ne semble pas se soucier du fait que les normes d'investissement inscrites dans l'ALE et l'ALENA ont peu favorisé la création d'emplois au Canada. Il ne s'inquiète pas, non plus, de voir que les exportations canadiennes ne sont pas les seules à avoir connu une forte remontée à la suite de l'instauration du libre-échange, et que les importations ont augmenté elles aussi. Cette tendance a eu un effet négatif sur l'industrie manufacturière qui produit d'abord pour le marché canadien. Selon l'alliance qui regroupe les fabricants et les exportateurs du Canada, les biens manufacturés provenant de producteurs canadiens et vendus au Canada sont passés de 73 % en 1980 à 40 % en 1996. Les importations ont représenté les 60 % restants. Rien d'étonnant à ce que le libre-échange soit devenu un véritable cauchemar pour la plupart des Canadiens.

Ottawa est clairement devenu un instrument aux mains des intérêts des grandes entreprises transnationales américaines et canadiennes sur le front des échanges commerciaux et financiers mondiaux. Ce n'était pas assez d'abandonner notre souveraineté nationale, il fallait aussi que le gouvernement Chrétien s'emploie à d'aider les autres pays à faire de même.

4

QUAND LES GRANDES ENTREPRISES MÈNENT LE BAL…

— Est-ce que tu essaies de me dire qu'ici, au Canada, on aurait subi un coup d'État sans le savoir ?

— Ça m'en a tout l'air. Bon, on ne parle pas d'un coup d'État comme les autres. Ici, on n'a quand même pas eu affaire à l'armée ni à des révolutionnaires.

— Non. Et on n'est pas non plus envahis par un autre pays. C'est un coup d'État que les grandes entreprises ont joliment bien monté avec l'aide de leurs gentils politiciens d'Ottawa et des provinces et celle de leurs complices des universités, des médias et des transnationales de toute la planète.

— Tiens, ça me rappelle ce que Brian Mulroney avait promis, il y a quelques années : « Donnez-moi 20 ans et je rendrai ce pays méconnaissable ! » Eh bien ! Il était loin de se douter qu'avec l'aide de Chrétien, ça irait encore plus vite !

— Qu'est-ce qu'ils savent donc qu'on ne sait pas ? Ah ! j'y suis ! Peu importe le parti au pouvoir de nos jours, rien ne change. C'est tellement vrai qu'on n'arrive même plus à faire la différence entre ce que veulent les grandes entreprises et ce que dit et fait le gouvernement. C'est dans les coulisses que les transnationales mijotent leur action politique.

— C'est exactement comme si on avait revu et corrigé notre système politique en se disant que ce qui est bon pour General Motors l'est forcément pour tout le monde.

— Hypothèse discutable, c'est le moins qu'on puisse dire. Dans le temps, les politiciens qu'on élisait devaient nous rendre des comptes. Si on n'était pas contents des positions politiques et des priorités mises de l'avant, on avait le pouvoir d'élire un autre gouvernement. Mais que peut-on faire quand des multinationales qui, en fin de compte, se fichent de nous prennent tout l'appareil politique en otage ?

La contre-révolution

En 1996, l'auteur Peter C. Newman, en tournée dans le pays pour la promotion de son récent ouvrage sur les années Mulroney, a donné aux Canadiens une idée légèrement trompeuse des réalisations du gouvernement conservateur. Celui-ci n'avait pas, comme il l'affirmait, accompli « une révolution canadienne ». Mulroney et plus tard Chrétien ont plutôt participé à la mise en place d'une « contre-révolution ». On peut dire la même chose de Mike Harris et de sa « révolution du bon sens » en Ontario, et de la révolution Klein en Alberta. Ces deux leaders politiques et bien d'autres se sont engagés dans rien de moins que le démantèlement systématique et la restructuration du système socioéconomique que le Canada avait mis 60 ans à bâtir. Le patronat canadien a, à peu de chose près, éradiqué l'État-providence keynésien de ce pays.

Le but poursuivi est de redonner au Canada une économie de marché sans contraintes. La déstabilisation du secteur public et le triomphe du secteur privé comme moteur du développement économique et social sont au cœur de cette contre-révolution. On nous prépare un Canada où le libre marché régnera en maître absolu, sans entrave et sans intervention de l'État. Pour paraphraser Maude Barlow : « On démantèle, au Canada, *l'État-nation social* pour lui substituer *l'État-nation des entreprises*. »

Comme la plupart des contre-révolutions, celle-ci a commencé par un coup d'État, mais pas un coup d'État ordinaire. Il n'y a pas eu de bataille sur la colline parlementaire à Ottawa. Très bien organisée par une bande de PDG de Bay Street en costume trois-pièces, la mainmise se voulait hostile mais non violente. On n'a pas chassé le premier ministre ou le ministre des Finances et les autres membres du Cabinet. Au contraire, le CCCE et ses alliés voyaient dans ces politiciens de serviles collaborateurs utiles à leur projet contre-révolutionnaire.

Comme nous l'avons vu, la stratégie des grandes entreprises consistait à s'emparer des leviers de commande des politiques publiques sur les plans national et provincial. Les PDG des entreprises dominantes du pays, en coordination avec le CCCE, ont rassemblé, à Ottawa, un puissant cabinet fantôme chargé de surveiller et de diriger la nouvelle orientation des politiques financière, économique, sociale et environnementale du Canada. Ce coup d'État politique s'est lui aussi accompli sans éclat. Il est l'aboutissement d'une suite d'actions graduelles que le CCCE et ses alliés ont entreprises sur des fronts politiques multiples, depuis au moins 20 ans.

C'est exactement le propos de John Saul, l'un des chefs de file de la pensée politique contemporaine au Canada, qui considère que nous sommes pris aujourd'hui dans l'engrenage d'un coup d'État tranquille. Dans sa série de conférences Massey en 1995, Saul se plaint du pouvoir grandissant des grandes entreprises dans notre société, pouvoir qui, affirme-t-il, dénature l'idéal du bien public, transformant les citoyens en consommateurs et minant la structure même de la démocratie. Saul déplore que cette contre-révolution ne découle pas du choix libre et conscient des citoyens, mais qu'elle ait été planifiée et organisée par l'élite politique et économique. Même aux États-Unis, remarque-t-il, un président peut se faire élire avec la promesse de mettre en place un système national de soins de santé et voir ses plans contrecarrés, pas tant par le Congrès lui-même que par la mobilisation de ce qu'il appelle les « forces de la grande entreprise ».

Le message que véhicule le système de la grande entreprise, déclare Saul, est que la démocratie n'est plus de mise. Exactement ce que disaient les trilatéralistes, il y a presque 20 ans, quand ils s'en sont pris à l'État-providence de Keynes parce qu'il créait, selon eux, « une démocratie excessive ».

La question qui se pose alors est celle-ci : cette contre-révolution est-elle le fruit d'une conspiration ? Car, nous l'avons bien vu, l'État-providence, dans tous les pays occidentaux, a dû subir les assauts de ceux qui s'inspiraient de la vision stratégique des trilatéralistes et des néolibéraux, en commençant par Margaret Thatcher en Angleterre et Ronald Reagan aux États-Unis. Nous savons aussi comment on a appliqué cette même vision pour mettre au pas les pays pauvres du Sud par le biais des changements structurels que la Banque mondiale et le FMI leur ont imposés.

Alors, le coup d'État du CCCE et de ses alliés est-il le résultat d'une conspiration ? Pour la sociologue Patricia Marchak, tout dépend de ce que l'on entend par « conspiration ». Si l'on veut parler d'un rassemblement des intérêts des grandes entreprises pour influencer de manière efficace, sinon directe, les politiques du gouvernement, alors on peut répondre par l'affirmative. Par contre, si l'on veut dire que les grandes entreprises ont comploté secrètement et dans la clandestinité pour s'emparer des rênes du gouvernement d'Ottawa, alors la réponse est « non ». En général, le CCCE et ses alliés ne se cachaient pas.

De toute façon, ce qu'il faut retenir, c'est que les Canadiens sont maintenant sous le joug du pouvoir bien réel des entreprises sur leur vie sociale et politique. À l'aube du XXIe siècle, les multinationales se distinguent comme la plus puissante institution de notre temps. Plus que n'importe quelle autre institution, l'entreprise transnationale a en main les deux principaux outils du pouvoir dans la nouvelle économie mondiale : le capital et la technologie.

Les technologies de pointe utilisées pour les communications et la production, combinées à un accès direct aux bassins mondiaux de capital financier, permettent à ces grandes entreprises de transférer instantanément leur production et leurs services partout dans le monde afin de profiter d'occasions d'investissement toujours plus avantageuses. Les intérêts des travailleurs et des collectivités, aussi bien que ceux des États-nations, sont relégués à l'arrière-plan, et ce, que l'entreprise transnationale ait son siège social dans le pays même ou à l'étranger. Ces mêmes entreprises ont établi leur domination sur presque toute notre vie politique, pas uniquement dans notre pays, mais partout ailleurs dans le monde. En effet, les entreprises transnationales se sont insérées au cœur de notre histoire comme une force sociale dynamique qui remodèle la destinée des nations et des peuples.

En réalité, l'approche du troisième millénaire marque le début d'une nouvelle ère politique, celle de la domination des grandes entreprises. Le leitmotiv du patronat canadien, dans ses stratégies comme dans toutes ses démarches (de la privatisation et la déréglementation jusqu'au libre-échange, de la réforme de l'impôt sur les sociétés à la réduction draconienne du déficit et au démantèlement des services publics et des programmes sociaux), est la redéfinition du rôle et des pouvoirs de l'État.

Même si le CCCE qualifie cette nouvelle tendance de « retour à une forme minimale de gouvernement », on assiste plutôt à une réorganisation et à une restructuration complètes de l'État canadien en vue de mieux servir les intérêts de la concurrence transnationale et de l'investissement dans la nouvelle économie mondiale. Les fondements de notre vie politique — l'État-nation, la citoyenneté et la démocratie même — subissent une transformation radicale à l'image des grandes entreprises et de l'économie de marché. La contre-révolution suit cette trajectoire et nous entraîne dans son sillage.

Pourtant, les Canadiens semblent traverser cette étape critique de leur histoire comme des somnambules. Selon Saul, ils se sont engagés dans un processus inconscient qui prend la forme d'un suicide lent et masochiste. Le suicide, poursuit-il, est habituellement le résultat d'une incapacité à se situer soi-même dans le contexte de sa propre réalité.

À partir des éléments que nous avons pu glaner à propos du plan d'action politique des grandes entreprises, au Canada et dans le monde, notre tâche, aujourd'hui, consiste à tenter de composer avec la réalité émergente de la domination des entreprises qui est en train de remodeler notre destinée en tant que nation.

La citoyenneté de l'entreprise

Fondement de cette nouvelle ère politique, les entreprises possèdent aujourd'hui le statut de « personne » et de « citoyen » ainsi que les droits politiques que leur confèrent les lois nationales et internationales. Tout au long du XXe siècle, les gouvernements ont petit à petit institué un vaste ensemble de lois sur les entreprises et de doctrines juridiques qui servent aujourd'hui à reconnaître et à protéger les droits politiques des grandes entreprises en tant que citoyens, au chapitre de la propriété, des investissements, des marchés et de tous les aspects de leurs activités.

Même si la loi qualifie ces entreprises de « citoyens fictifs » ou de « personnes fictives », non seulement ce statut juridique leur accorde des droits dans le domaine des opérations commerciales, comme l'achat et la vente de propriétés, mais il leur permet aussi d'exprimer librements leurs idées par le truchement de la publicité à caractère politique et d'intenter des poursuites judiciaires pour préjudice subi et diffamation. En conséquence, les droits et libertés des grandes entreprises « citoyennes » sont garantis par la loi à une époque où les individus, eux, sont progressivement dépouillés de leurs droits et libertés, en tant que citoyens d'une société démocratique.

À l'origine, ce sont les gouvernements qui, en délivrant des chartes aux grandes sociétés, les ont habilitées à faire des affaires. Au Canada, de grandes entreprises comme la Compagnie de la Baie d'Hudson et la Banque de Montréal ont reçu du roi d'Angleterre, par le biais du Parlement de Westminster, une charte qui leur donnait le droit d'exercer leurs activités dans ce qui était alors l'Amérique du Nord britannique. Cette pratique a continué après la Confédération, mais, par la suite, Ottawa et les provinces ont pris la relève. Aux États-

Unis, les assemblées législatives des États ont reçu le pouvoir d'accorder des chartes ou des autorisations en bonne et due forme aux grandes entreprises établies sur leur territoire.

En l'absence de telles chartes, aucune entreprise n'avait l'autorisation légale de posséder une propriété, d'emprunter de l'argent, de signer des contrats, d'embaucher ou de licencier du personnel, d'accumuler des actifs ou des dettes. Richard Grossman et Frank Adams expliquent que les entreprises fonctionnaient selon le bon vouloir des assemblées législatives des États en vue de servir le bien public. Les chartes accordées par l'État spécifiaient bien souvent les obligations sociales auxquelles devait se soumettre l'entreprise en échange du droit d'exercer ses activités sur le territoire. Il arrivait souvent que l'assemblée législative d'État révoque la charte d'une entreprise ayant manqué à ses devoirs. Ce processus permettait aux citoyens d'exercer effectivement leur souveraineté sur les entreprises.

Le recours aux tribunaux, cependant, a permis aux grandes entreprises de renverser peu à peu la vapeur et d'acquérir une souveraineté juridique supérieure à celle des simples citoyens. Chaque fois qu'elles en avaient l'occasion, les grandes compagnies engageaient des cabinets d'avocats pour contester la législation relative aux chartes devant les tribunaux. Lorsque la Cour suprême des États-Unis a statué que les entreprises devaient être reconnues comme des « personnes physiques » en vertu de la Constitution du pays, celles-ci ont brandi la Déclaration des droits et le 14e Amendement pour faire invalider des centaines de lois du gouvernement fédéral, des États et des municipalités qui plaçaient les droits des citoyens au-dessus de ceux des entreprises. Donnant aux entreprises une meilleure protection concernant les droits de propriété, les tribunaux ont statué que les contrats des entreprises et les taux de rendement sur l'investissement étaient des acquis sur lesquels les citoyens ou leurs représentants élus n'avaient pas droit de regard.

La loi a aussi octroyé aux grandes sociétés des pouvoirs de compétence exclusive, ce qui a éliminé du même coup les procès avec jury qui permettaient de déterminer si les pratiques des entreprises causaient du tort ou des préjudices et, dans l'affirmative, de fixer le montant à accorder pour les dommages causés. Les tribunaux des États-Unis ont aussi établi que les travailleurs étaient responsables des accidents dont ils pouvaient être victimes sur le lieu de travail et que les organismes de réglementation qui surveillaient les prix et les taux de rendement relevaient de la compétence des tribunaux et non du Congrès.

Même si le processus s'est déroulé différemment au Canada, les résultats obtenus sont les mêmes. Initialement, la loi britannique n'avait pas accordé aux citoyens canadiens, face au pouvoir des entreprises, autant de protection constitutionnelle que celle accordée aux citoyens américains. Malgré tout, les grandes entreprises ont réussi à se doter d'un statut et d'une protection juridiques en constituant un système de lois relatives aux entreprises dans le droit canadien. Comme aux États-Unis, il s'est créé, entre le milieu des affaires et les facultés de droit des universités, des liens étroits qui, à leur tour, ont alimenté l'élaboration et le développement du droit des entreprises.

Bien qu'artificielle, la reconnaissance juridique des entreprises comme « personnes » et « citoyens » leur a permis d'utiliser ce statut pour renforcer les droits et privilèges que leur accordait la loi. En raison de la mise en place de cet ensemble de lois relatives aux entreprises, les citoyens et, de ce fait, la démocratie n'avaient plus aucune prise sur les décisions touchant la propriété, le travail et l'argent. Parallèlement, les tribunaux ont redéfini le « bien commun » de façon à maximiser toujours un peu plus les activités et les profits des entreprises.

Tout récemment, les grandes entreprises canadiennes ont invoqué avec succès la Charte des droits et libertés pour renforcer leur statut juridique artificiel de personnes et de citoyens ayant des droits politiques. Michael Mandel, professeur de droit de Toronto, l'a bien démontré : la Charte est devenue un « symbole puissant » en « transformant les droits des grandes entreprises en droits moraux ». Dans la cause Irwin Toy Ltd. contre Québec (A. G.) de 1987, explique Mandel, la Cour suprême du Canada a jugé que « la publicité des grandes entreprises est une liberté fondamentale en vertu de la Charte ». Quelques années plus tard, dans l'affaire Rothmans, la grande entreprise s'est appuyée sur la clause relative à « la liberté d'expression » enchâssée dans la Charte pour faire invalider les lois fédérales qui limitaient la publicité sur le tabac. Les grandes chaînes de vente au détail ont elles aussi invoqué la Charte dans leur lutte contre les lois qui les obligeaient à fermer leurs portes le dimanche, tout comme les associations médicales qui se battaient contre les règlements provinciaux sur la pratique médicale.

L'avocat David Boyd, spécialisé en environnement, a en outre constaté que les entreprises peuvent, d'une part, s'appuyer sur les articles de la Charte touchant la « liberté d'association » et la « liberté d'expression » pour se soustraire aux lois et aux règlements qui limitent leur droit de s'engager dans des activités commerciales. Elles peuvent, d'autre part, se servir des articles de la Charte qui traitent « de la vie, de la liberté et de la sécurité ». En 1991, par exemple, dans la cause R. contre Wholesale Travel Group Inc., les tribunaux ont soutenu que les grandes entreprises pouvaient explicitement invoquer ces dispositions (art. 7) de la Charte comme fondement de leurs droits et libertés.

Par ailleurs, comme l'a fait remarquer l'analyste politique William Grieder, les entreprises auxquelles la loi confère le statut juridique de « personne » et de « citoyen » sont dotées de pouvoirs que n'ont pas les simples citoyens : elles peuvent, contrairement à ces derniers, exister perpétuellement ; elles peuvent exercer leurs activités dans différents endroits en même temps ; elles peuvent modifier leur identité et devenir différentes « personnes » ; elles peuvent être achetées par de nouveaux propriétaires ; et, surtout, elles possèdent des ressources économiques et politiques que les citoyens, pour la plupart, ne pourront jamais espérer accumuler. Les grandes entreprises ont tout mis en œuvre pour que les tribunaux ferment les yeux sur ces inégalités et ces différences. Conformément à la loi, les grandes sociétés sont sur un pied d'égalité avec les petites entreprises et les citoyens. En réalité, la loi accorde aux grandes entreprises le statut de citoyen de premier ordre tandis qu'elle relègue, dans le meilleur des cas, les individus au rang de citoyen de seconde zone.

Grâce à ce statut, les grandes entreprises marquent des points importants, tant du côté des tribunaux que des gouvernements. Si une grande entreprise, par exemple, est accusée d'avoir déversé des déchets toxiques ou de ne pas avoir appliqué les normes environnementales en vigueur, son PDG s'assure tout de suite que les tribunaux la traitent comme une « entité juridique artificielle », évitant, ainsi, d'être tenu personnellement responsable de ses actes.

De même, en vertu de ce statut spécial, les entreprises rentables du Canada ont fréquemment donné pour mot d'ordre à leurs avocats et comptables de tirer parti de toutes les failles du régime fiscal, afin de ne pas payer leur juste part d'impôt. Ou encore, elles se servent de cet extraordinaire outil qu'est le report d'impôt, privilège réservé aux grandes entreprises. Ainsi, elles diminuent d'autant les revenus publics et affaiblissent du même coup la capacité du gouvernement à réglementer leurs activités. Comme le fait remarquer Grieder, les grandes entreprises sont des « citoyens » qui, régulièrement, enfreignent impunément la loi, que ce soit sur le plan criminel ou sur le plan civil.

Au cours des dernières années, ce statut juridique de « citoyen » de premier ordre ayant des droits politiques s'est étendu mondialement aux entreprises, non seulement par le truchement des lois internationales, mais surtout grâce à la conclusion de nouveaux accords de libre-échange. Comme nous l'avons vu, l'ALENA et l'OMC sont conçus pour protéger les droits et libertés des grandes entreprises transnationales. On s'attend à ce que les clauses d'égalité de traitement qui figurent dans l'ALENA et qui garantissent aux investisseurs étrangers les mêmes droits et libertés qu'aux entreprises nationales soient non seulement enchâssées dans les nouvelles ententes conclues aux termes de l'OMC, mais également élargies.

Les grandes entreprises transnationales sont sur le point de devenir les seules entités à posséder un statut de « citoyen du monde » qui leur accorde des droits politiques garantis dans le monde entier. Où qu'ils aillent, le citoyen Exxon ou la citoyenne Ford, la citoyenne IBM ou la citoyenne GE, le citoyen Mitsubishi ou le citoyen Shell, le citoyen Pepsi ou le citoyen McDonald's verront leurs droits politiques d'investisseurs être formellement garantis dans la mise au point des nouveaux régimes de libre-échange.

En fait, l'ALENA et l'OMC sont destinés à devenir les fondements économiques du nouvel ordre mondial. Ici, au Canada, si un article particulier de la législation fédérale ou provinciale entrait en conflit avec les droits d'investissement d'une entreprise transnationale étrangère, ce sont les règles de l'ALENA ou de l'OMC qui primeraient notre propre législation.

Cette situation a un caractère paradoxal dramatique : les grandes entreprises se font accorder des droits de citoyens de premier ordre alors que, dans ce pays et ailleurs dans le monde, les droits fondamentaux des citoyens fondent comme neige au soleil. Qu'il s'agisse de plein emploi, de soins de santé, d'aide sociale, de protection de l'environnement, de logements décents, de garderies, de pensions de vieillesse, de services publics de radiodiffusion, de protection des consommateurs ou d'une kyrielle de questions d'intérêt public, la population canadienne se voit gravement amputée de ses droits fondamentaux, lorsqu'elle n'en est pas carrément privée. Le drame n'est pas seulement que les droits des grandes entreprises priment ceux des citoyens dans bien des domaines ni que le clivage entre citoyens de première et de seconde classes se creuse, il réside surtout dans le fait que les grandes entreprises sont devenues des « citoyens » aux dépens de la population, qui se voit dépouillée de sa citoyenneté et reléguée au rang de « consommatrice ».

La machine politique

En consolidant leur statut de citoyenneté, les grandes entreprises ont instauré le fondement juridique qui leur permet de jouer un rôle grandissant dans l'orientation des affaires de l'État. Évidemment, cette influence des entreprises sur le politique n'est pas nouvelle au Canada. De la Compagnie de la Baie d'Hudson et de la Banque de Montréal, avant et après la Confédération, aux empires familiaux des Bronfman, Irving, Weston, Thomson et Black qui font partie du paysage politique contemporain, les grandes entreprises ont joué un rôle capital et souvent décisif, à différentes époques, dans la détermination des politiques économique et sociale de ce pays.

Ce qui a changé, aujourd'hui, c'est que les entreprises sont devenues de véritables stratèges et qu'elles accentuent leur présence sur la scène politique. Comme nous l'avons vu, le CCCE donne aux grandes entreprises la possibilité d'influer sur la conduite des affaires publiques grâce à une formidable organisation. En mettant en commun leurs moyens financiers et leurs talents professionnels, explique Grieder, les grandes entreprises ont commencé à penser et à agir, à la fois sur les plans individuel et collectif, comme une « machine politique ».

Premièrement, les grandes entreprises ont appris à conférer à leur immense actif un poids politique. De toute évidence, les ministres d'Ottawa et des capitales provinciales ne peuvent facilement se permettre de dédaigner les propositions et les exigences des PDG des grandes entreprises à la tête de secteurs importants de l'économie canadienne. Au nombre de ces entreprises, on compte les grands fabricants d'automobiles (General Motors, Ford et Chrysler), qui, à eux trois, combinaient, en 1995, un chiffre d'affaires de 62,7 milliards de dollars, les cinq grandes banques nationales (Banque Royale, CIBC, Banque de Montréal, Banque de Nouvelle-Écosse et Toronto-Dominion) qui totalisaient en 1995 des recettes de 61,4 milliards de dollars, et les sociétés de télécommunication ou d'informatique (BCE, Northern Telecom, IBM Canada, Bell Canada) dont les revenus atteignaient, la même année, 54,2 milliards de dollars, pour n'en nommer que quelques-unes. Lorsque le CCCE (qui est composé de 160 membres dont les actifs combinés s'élèvent à 1 500 milliards de dollars) met tout son poids derrière certaines exigences politiques, il est difficile d'y résister.

Depuis quelque temps, cependant, les PDG prétendent représenter une grande partie des citoyens, en plus de détenir un grand pouvoir économique. En mettant de l'avant leurs exigences politiques, ils affirment de plus en plus qu'ils représentent les intérêts de centaines de milliers de travailleurs, d'actionnaires, de clients et de fournisseurs dont les moyens d'existence dépendent, selon leurs dires, de « leur » grande entreprise respective. Or, étant donné que, dans l'économie mondiale actuelle, les grandes entreprises ont le champ libre pour déménager leurs activités là où la main-d'œuvre est la moins chère et les impôts sont les moins élevés, cette prétention est parfaitement injustifiée, mais elle donne ainsi à ces sociétés l'occasion d'étendre leur influence politique.

Deuxièmement, les grandes entreprises ont imaginé plusieurs façons d'élaborer et de promouvoir une plate-forme politique réclamant des changements énormes dans la politique de l'État. Quel meilleur exemple, pour illustrer cette pratique, que celui du programme en 10 points que le CCCE avait élaboré en 1994 et qui prônait une réforme des politiques fiscale, économique, sociale et commerciale du Canada, et auquel le gouvernement Chrétien s'est conformé en tout point. Toutefois, Tom d'Aquino, tête dirigeante du CCCE, jugeant que les entreprises pourraient être facilement accusées de défendre des intérêts très particuliers, s'est montré prudent en planifiant une stratégie diversifiée pour faire la promotion de cette plate-forme politique.

Comme nous l'avons vu, c'est à ce moment-là que les centres de recherche comme l'institut C. D. Howe et l'institut Fraser sont entrés en jeu. Financé en grande partie par des sociétés membres du CCCE, l'institut C. D. Howe a néanmoins la réputation d'être un organisme de recherche indépendant qui publie des études fouillées sur des questions politiques particulières. Que ces études concordent avec la plate-forme du CCCE et qu'elles la renforcent tient, bien entendu, de la pure coïncidence. En l'absence de centres de recherche parrainés par le gouvernement comme l'ont été le Conseil économique du Canada et le Conseil des sciences du Canada (tous deux abolis par

Mulroney), l'institut C. D. Howe a augmenté sa marge de manœuvre pour influencer la politique fédérale.

L'institut Fraser a joué, quant à lui, un rôle plus idéologique. Il a amené peu à peu la population à modifier ses attitudes et ses valeurs en attaquant et en discréditant les vaches sacrées du gouvernement (les programmes sociaux) et en appliquant des tactiques de choc (le chantage à la dette). En bref, ce qu'il faut retenir, à l'heure du grand déploiement de stratégies et de moyens divers, c'est que les élites chantent au diapason des grandes entreprises.

Troisièmement, les grandes entreprises ont appris à mettre à profit leurs dons politiques afin que non seulement les grands partis adoptent leur plate-forme, mais que le parti qui forme le gouvernement l'applique. Le patronat canadien avait coutume de répartir équitablement ses dons aux deux principaux partis du pays, le Parti libéral et le Parti conservateur. Toutefois, en 1994, les grandes entreprises ont remis aux libéraux 3 fois plus d'argent qu'aux conservateurs et 12 fois plus qu'au Parti réformiste. En 1993, les grandes entreprises ont versé pas moins de 56 % de l'ensemble des dons pour la campagne électorale des libéraux. Il est généralement admis, aujourd'hui, que tout candidat à la direction du Parti libéral n'a aucune chance de parvenir à ses fins s'il ne reçoit pas un appui financier important des grandes entreprises. Par ailleurs, les dons croissants des grandes entreprises aux caisses électorales des politiciens et des ministres clés ont donné lieu à des accusations de corruption.

Quoi qu'il en soit, cette politique des grandes sociétés s'est certainement avérée bénéfique, notamment lorsque Paul Martin a fait marche arrière sur les questions de la réduction de la dette et de la création d'emplois. Le seul cas où les dons des grandes entreprises n'ont pas eu le résultat escompté concerne l'industrie du tabac. En 1994, les entreprises de tabac comme Imasco et Rothmans figuraient parmi les plus gros bailleurs de fonds du Parti libéral. Bien que ces entreprises aient bénéficié d'une importante réduction de taxes en vue de contrer la contrebande de cigarettes, la législation sur le tabac qu'a proposée, à la fin de 1996, le ministre de la Santé d'alors, David

Dingwall, et qui prévoyait des mesures de restriction concernant la publicité sur le tabac, a constitué pour elles un cuisant revers. (Cependant, cette législation pourrait, par la suite, s'avérer être une mesure de diversion destinée à « prouver » que les libéraux ne sont pas totalement à la solde des grandes entreprises.)

Quatrièmement, les grandes entreprises ont renforcé leur plate-forme politique en raffinant leurs moyens de pression. En plus d'avoir déjà, grâce au CCCE, leurs entrées directes dans les cabinets de ministres et de hauts fonctionnaires, elles ont engagé leurs propres firmes de lobbying, telles Hill & Knowlton et Government Policy Consultants. On compte maintenant plus de 450 firmes de lobbying au service des grandes entreprises, à Ottawa, alors qu'on en comptait à peine quelques dizaines au début des années 1980. Ayant pour mission de choyer les politiciens et les hauts fonctionnaires pour le compte des grandes entreprises, ces firmes sont devenues un outil stratégique dans l'orientation des politiques gouvernementales, que ce soit pour l'ébauche des lois ou pour l'affectation des fonds publics.

Qui plus est, ce sont les contribuables qui financent ces firmes, puisque les grandes entreprises peuvent déduire leurs frais de lob-bying de leur revenu imposable. En même temps, celles-ci ont orga-nisé des activités de lobbying très poussées dans les grandes capitales à l'étranger, comme Washington. Vers la fin des années 1980, par exemple, les grandes entreprises japonaises consacraient environ 100 millions de dollars par année à des activités de lobbying aux États-Unis, afin de modifier et, dans certains cas, de récrire les textes de loi américains. Les grandes entreprises et les organismes gouver-nementaux canadiens font appel à quelque 55 firmes de relations publiques, juridiques ou de lobbying à Washington pour promou-voir leurs intérêts aux États-Unis.

Cinquièmement, les grandes entreprises comptent énormément sur la publicité politique et s'appuient sur des groupes de citoyens afin de se gagner la faveur de l'opinion publique. Nous l'avons déjà vu, la publicité est une de leurs armes les plus puissantes pour trans-mettre leur message politique. Une part grandissante des quelque

150 milliards de dollars que les grandes entreprises dépensent annuellement en publicité dans le monde est destinée à la publicité politique. Pourtant, il y a peu ou pas de règlements efficaces régissant cette forme de publicité. Au lieu d'offrir de l'information sur des questions politiques particulières et des propositions en faveur d'un débat public, cette forme de publicité relève plutôt d'une propagande visant à promouvoir les intérêts particuliers des grandes entreprises.

Même si une bonne partie de cette propagande du monde des affaires provient des États-Unis par la voie des ondes, il en existe de nombreux exemples au Canada. L'un des plus récents est celui de la série d'annonces de la Banque de Montréal, qui, en noir et blanc, montre des sans-emploi et des manifestants affamés de l'époque de la Grande Dépression, et où la Banque de Montréal est elle-même dépeinte comme la banque « qui a les gens à cœur ».

En même temps, les grandes entreprises s'affairent à former ou à financer leurs propres groupes de citoyens afin d'obtenir l'appui dont elles ont besoin pour présenter leurs exigences. Même si le CCCE garde une certaine distance par rapport à des groupes financés par les entreprises tels que la National Citizens' Coalition et la Fédération canadienne des contribuables, il n'en demeure pas moins que les activités de ces groupes mettent de l'avant certains des points principaux de la plate-forme politique du CCCE. En outre, on sait très bien que les grandes entreprises, dans des secteurs allant de la foresterie au tabac en passant par les produits pharmaceutiques, le pétrole, l'énergie nucléaire et les télécommunications, soutiennent ou financent leurs propres groupes de citoyens afin de court-circuiter les groupes communautaires de défense de l'intérêt public qui s'opposent à leurs projets.

L'État au service de la grande entreprise

Comme nous l'avons vu, les grandes entreprises se servent de tous ces éléments pour bâtir leur propre machine politique dans ce pays. Étape par étape, le patronat canadien utilise cette machine de façon stratégique afin d'accomplir son « coup d'État tranquille » et de mener à bien sa mission qui consiste à démanteler l'État-providence keynésien. Cependant, cela ne signifie certes pas que l'État n'aura plus aucun rôle à jouer une fois la contre-révolution réussie. Dans les économies capitalistes avancées comme celle du Canada, les grandes entreprises ont toujours amené les gouvernements à créer les conditions nécessaires à l'accumulation du capital et à la maximisation des profits.

Au XIXᵉ siècle et au début du XXᵉ siècle, le pays vivait sous un régime de laisser-faire dans lequel l'État jouait un rôle économique très minime, si bien que les grandes entreprises et le milieu des affaires en général exerçaient leurs activités pratiquement sans entraves. À la suite de la Grande Dépression, un compromis s'est instauré entre le capital et les travailleurs, ce qui a donné naissance à un nouveau modèle de gouvernement : l'État-providence. Celui-ci, fondé sur les théories de Keynes, intervenait directement dans la gestion de l'économie du pays.

Même si, à cette époque, les grandes entreprises se servaient de l'État-providence pour accumuler profits et capital, la structure de l'État permettait aussi à d'autres forces, tels les syndicats, les groupes de défense des consommateurs et les organisations sociales, de contrebalancer leur influence. C'est donc au cours des 50 dernières années que l'État a resserré son étreinte sur la réglementation des activités du milieu des affaires et des grandes entreprises. De nos jours, l'État-providence est en voie de disparaître pour céder la place à une restructuration radicale de l'État.

Au premier abord, il semble que l'expansion rapide du pouvoir des entreprises transnationales ait éclipsé la puissance des États-nations. Après tout, il y a eu un immense transfert des pouvoirs du secteur public (les gouvernements) au secteur privé (les entreprises transnationales). Richard Barnet, qui observe les tendances socioéconomiques des grandes entreprises depuis fort longtemps, explique que les entreprises transnationales sont aujourd'hui les « seigneurs de l'économie mondiale ». Pis encore, ajoute le politologue Robert Cox, non seulement les entreprises transnationales « court-circuitent les État-nations », mais l'État lui-même est maintenant confiné au rôle de « courroie de transmission entre l'économie mondiale et l'économie nationale ».

Alors qu'auparavant l'État keynésien jouait un rôle tampon et protégeait sa population des effets négatifs du capital étranger et d'autres forces extérieures, Cox affirme que le pouvoir étatique se trouve aujourd'hui de plus en plus concentré dans les organismes qui touchent de très près à l'économie mondiale. Par contre, les organismes gouvernementaux qui répondent aux besoins de la population sont de plus en plus relégués au second plan dans cette nouvelle répartition des pouvoirs. En servant essentiellement de « courroie de transmission », les gouvernements des États-nations deviennent pratiquement impuissants et inutiles, selon Cox, dans la nouvelle économie mondiale dominée par les entreprises transnationales.

Le politologue canadien Leo Panitch émet une opinion légèrement différente. Il reconnaît que le pouvoir se concentre de plus en plus entre les mains des entreprises transnationales au sein de la nouvelle économie mondiale, mais il pense qu'on a surestimé la capacité des gouvernements nationaux, dans le passé, à contrôler les grandes entreprises et le capital. Selon lui, on a tendance à oublier que les gouvernements ont coopéré avec les grandes entreprises pour mener à bien les stratégies de privatisation, de déréglementation et de libre-échange. La mondialisation de l'économie, fait-il remarquer, « est aussi un processus qui s'effectue au sein des États, par l'intermédiaire des États et sous leur égide ; les États la codifient et, dans une grande mesure, la conçoivent eux-mêmes ». En d'autres mots, l'État est loin de rester neutre. Selon Panitch, le capital transnational « ne court-circuite » pas tant que cela les États, il les « réorganise » pour servir ses propres intérêts. D'accord avec Cox pour dire que cela donne lieu à un transfert de pouvoirs à l'intérieur des structures de l'État, Panitch affirme, en revanche, que la concentration, la centralisation en cours des pouvoirs de l'État est « une condition nécessaire de même qu'un complément à la discipline des marchés mondiaux ». Les ministères sociaux comme ceux dont relèvent la santé, l'éducation, le bien-être social et le travail « ne sont pas tant affaiblis que restructurés ».

En bref, les États-nations sont revus et corrigés afin de mieux servir les intérêts du capital transnational. Cependant, pour Panitch, le degré de restructuration et de réorganisation des États visant à satisfaire aux exigences de l'économie mondiale dépend encore en grande partie du combat que se livrent les forces sociales au sein de chaque nation. Au moment de préparer leur budget, par exemple, Ottawa et les provinces considèrent-ils qu'ils doivent d'abord rendre des comptes aux marchés financiers internationaux? « Ou, comme s'interroge Panitch, doivent-ils rendre des comptes aux marchés financiers internationaux parce qu'ils doivent rendre des comptes à Bay Street? » La question est bien choisie, particulièrement à la lumière des pressions que les maisons de courtage de Bay Street ont exercées sur les agences d'évaluation de crédit comme Moody's, à Wall Street, pour qu'elles baissent la cote de crédit d'Ottawa, et si l'on pense à la manière dont Paul Martin et le ministère des Finances ont tiré profit de ce geste pour obtenir l'appui de la population à son budget draconien de réduction du déficit, en 1995.

Cependant, si l'on réorganise le rôle et les pouvoirs du gouvernement en fonction des intérêts des entreprises transnationales, quelle sorte d'État va-t-on créer pour remplacer le modèle d'État-providence keynésien?

Pour l'instant, la tendance semble favoriser un État qui soit au service des entreprises dans le but, en premier lieu, de créer les conditions propices aux investissements des multinationales et à la concurrence. Cela exige un modèle de gouvernement plus autoritaire, car la tâche centrale de ce nouvel État est de faciliter les investissements rentables et la concurrence, en réorganisant les grands secteurs de l'économie nationale et de la société : la fiscalité, la politique monétaire, l'industrie, les ressources, les services, la politique sociale, la culture, l'agriculture, le commerce, les transports, l'environnement, les loisirs et les communications.

Si le pouvoir du capital national et transnational est la force motrice qui se cache derrière une telle réorganisation, les entreprises sont bien forcées de convenir que seuls les gouvernements ont l'autorité et la légitimité pour restructurer l'économie du pays et la société. L'État, par conséquent, a un rôle stratégique à jouer, non seulement pour réorganiser les principaux secteurs, mais aussi pour préparer la population afin qu'elle s'adapte à ce nouveau système de primauté des entreprises. Pour y parvenir, il faut concentrer et centraliser certains pouvoirs dans les mains du gouvernement central, tandis que d'autres doivent incomber aux gouvernements et aux organismes provinciaux.

Tout comme *la sécurité sociale* figurait au centre de l'État-providence keynésien, on peut dire que le nouvel « État-entreprise » s'organise autour de ce thème : *la sécurité des investisseurs*. Ce qui importe avant tout, c'est la sécurité des investissements rentables. L'État doit fournir un lieu sécuritaire et instaurer un climat de confiance pour attirer les investissements des entreprises transnationales et favoriser la concurrence. En d'autres mots, la sécurité des investisseurs passe avant celle des citoyens.

Comme nous l'avons vu, Ottawa et les provinces n'ont plus à veiller à la satisfaction des besoins sociaux et économiques fondamentaux de la population. Ils doivent plutôt veiller à ce que les grandes entreprises prospèrent dans un climat propice à la maximisation de leurs profits et de leur compétitivité. C'est ce que l'on entend par la sécurité des investisseurs, en tant que principe d'organisation pour les gouvernements d'aujourd'hui. Il faut avant tout rassurer les investisseurs plutôt que les citoyens, dont le sort est de vivre dans une insécurité grandissante (sauf, bien sûr, si on parle des entreprises « citoyennes »). Si les travailleurs ou la collectivité venaient à représenter un danger sérieux pour l'avoir et l'investissement des grandes entreprises, l'État serait probablement dans l'obligation d'appeler la police ou l'armée pour défendre par la force les droits des investisseurs.

Pour que cette sécurité soit effective, il faut non seulement réduire la taille de l'appareil gouvernemental, mais aussi le redessiner afin qu'il soit en mesure d'assumer ces nouvelles priorités. À Ottawa et dans les provinces, ainsi que dans la plupart des pays industrialisés, le livre de Ted Gaebler et David Osborne intitulé *Reinventing Government* est devenu la bible de ceux qui veulent redessiner la fonction publique. Gaebler et Osborne y indiquent en gros la façon de réorganiser le secteur public afin qu'il fonctionne comme une entreprise. Ils énoncent 10 principes pour rendre les ministères plus dynamiques, plus compétitifs et plus axés sur les règles du marché. Le secteur public, selon eux, doit apprendre « à faire plus avec moins » et doit trouver des moyens d'avoir des recettes supérieures à ses dépenses.

Ces dernières années, les chefs politiques de tous les horizons n'ont pas tari d'éloges à propos des principes formulés par Gaebler et Osborne : de Bill Clinton à Newt Gingrich, aux États-Unis ; de Paul Martin à Ralph Klein et Bob Rae, au Canada. En conséquence, le chassé-croisé qui existe entre les secteurs public et privé (et qui a toujours existé au Canada) s'est accéléré ces dernières années. On a vu des sous-ministres devenir PDG et vice versa, comme si l'un sortait côté jardin et que l'autre entrait côté cour.

Bien qu'il fallût s'attendre à une telle réforme en profondeur de la fonction publique si l'on voulait qu'Ottawa soit capable de jouer son nouveau rôle d'État voué à la sécurité des entreprises, on est peut-être allé trop loin. Depuis peu s'amorce une importante tendance à l'exode chez des hauts fonctionnaires à la recherche de postes mieux rémunérés dans le secteur privé. Toutefois, ces changements de camp ne sont peut-être pas simplement attribuables à des questions de salaire. D'après John McMurtry, de l'université de Guelph : « Tant et aussi longtemps que les dépenses publiques ne serviront pas à augmenter les profits des grandes entreprises ou des riches investisseurs, elles seront la cible d'attaques constantes. »

Le fédéralisme de marché

Pour que l'État au service des entreprises prenne un bon essor au Canada, il fallait également réformer le système fédéral et la soi-disant union économique. Une fois de plus, le CCCE a montré le chemin à suivre en parrainant des conférences sur les changements constitutionnels, en faisant de la propagande en faveur d'un Canada décentralisé et en insistant sur la nécessité de réorganiser en profondeur les pouvoirs du fédéral et des provinces. Selon le CCCE, Ottawa devrait avoir tout pouvoir sur la politique monétaire et financière du pays, sur le commerce international et la défense nationale, qui représentent tous des secteurs primordiaux pour favoriser la sécurité des investisseurs. Les provinces devraient, quant à elles, avoir l'entière responsabilité des secteurs minier, forestier, touristique et du logement ainsi que des secteurs du développement régional, des affaires municipales, des loisirs et des sports.

Les provinces récupéreraient aussi, dans cette optique, une grande part des responsabilités dans les domaines de la pêche, de l'agriculture, de l'environnement, de la culture, des communications, de la production industrielle et de la promotion des exportations. En même temps, les secteurs de la formation professionnelle, du logement social, de la garde d'enfants et des prêts aux étudiants seraient aussi délégués aux provinces. En fait, le CCCE veut que l'État fédéral renforce ses pouvoirs concernant la politique macro-économique, domaine où il peut créer un climat propice aux investissements transnationaux et à la concurrence, tout en se délestant de ses pouvoirs et de ses responsabilités dans les programmes et les services pour lesquels il avait l'obligation, dans le passé, de définir et de maintenir des normes nationales. Les grandes entreprises auraient alors le champ libre pour négocier avec les provinces, les faisant jouer les unes contre les autres, plutôt que d'être limitées par des règles et des normes fédérales.

Les propositions du CCCE en faveur d'un changement constitutionnel se fondent sur le modèle de fédéralisme de marché dont la création remonte à la signature de l'Accord sur le commerce intérieur (ACI) entre Ottawa et les provinces, en juin 1994. Cet accord visait à éliminer les barrières commerciales entre les provinces et à créer une zone de libre-échange complétant les engagements internationaux du Canada dans le cadre de l'ALE et de l'ALENA. Ce faisant, l'ACI a donné à Ottawa des pouvoirs considérables qui lui permettent d'imposer un modèle d'économie de marché et des « mesures tournées vers les entreprises » dans toutes les provinces et tous les territoires. Plus précisément, la législation autorise le fédéral à « suspendre les droits et les privilèges que l'État a accordés aux provinces en vertu de l'accord ou de toute loi fédérale, à modifier ou à suspendre l'application de toute loi fédérale relative aux provinces et à prendre toute autre mesure » qu'il juge utile pour appliquer les dispositions sur le libre-échange que contient l'accord.

En conséquence, Ottawa ou toute grande entreprise pourrait remettre en question ou même abroger toute mesure ou législation provinciales (portant par exemple sur le travail, l'environnement, les politiques d'achat local) qui seraient perçues comme étant contraires à l'esprit de l'accord. Bien que les programmes sociaux ne soient pas pris en compte dans cet accord, Ottawa pourrait se servir des paiements de péréquation, comme instrument de chantage, pour encourager l'instauration d'une vive concurrence entre les provinces riches et les provinces pauvres. En effet, pour appliquer les dispositions sur le libre-échange, l'ACI donne des pouvoirs analogues à ceux qui ont été élaborés à l'échelle internationale dans le cadre de l'OMC.

Pendant ce temps, le gouvernement Chrétien essayait de renforcer le fédéralisme de marché en présentant sa *Loi sur l'efficacité de la réglementation*. En vertu de la législation proposée, les entreprises pourraient court-circuiter les règlements en matière de santé, de sécurité et d'environnement. Les ministres et les fonctionnaires du gouvernement seraient habilités à accorder des dispenses aux entreprises, qui pourraient ainsi se soustraire à l'application de certains articles de loi, alors que ce pouvoir relève, en temps normal, du Parlement. Ce faisant, comme le mentionne le Centre canadien de politiques alternatives, le projet de loi aurait partiellement abrogé une tradition parlementaire britannique vieille de 300 ans selon laquelle l'exercice du pouvoir de dispense par la Couronne, plutôt que par le Parlement, a été déclaré illégal en vertu de la Déclaration des droits. En outre, le gouvernement ne serait pas tenu d'informer le public de son intention d'accorder une dispense à telle ou telle entreprise en particulier, mais d'aviser seulement les parties directement intéressées par la dispense.

Grâce à cette loi, Ottawa offrait aux grandes entreprises un moyen sûr et efficace d'esquiver la primauté du droit. C'est pourquoi le CCCE ne cessait d'inciter le gouvernement Chrétien à ne pas prêter l'oreille aux opposants au projet de loi, « ces prédicateurs de malheur », et à déposer ce projet le plus vite possible. Au cours des deux dernières années, le gouvernement a présenté pas moins de trois versions de ce projet de loi (projets de loi C-62, C-84 et C-25), qui sont morts au feuilleton à la fin d'une session parlementaire. Il semble que le gouvernement Chrétien soit toujours déterminé à présenter un projet de loi en ce sens, et il lui donnera certainement priorité au cours de la première session de la Chambre des communes suivant les élections.

Les gouvernements provinciaux n'ont pas non plus perdu beaucoup de temps pour s'adapter aux nouvelles dispositions du fédéralisme de marché. En Ontario, Mike Harris a dévoilé la clef de voûte de sa « révolution du bon sens » en présentant la *Loi sur les économies et la restructuration,* en décembre 1995, qui proposait des amendements à 43 lois provinciales. Une grande part de cette loi omnibus était destinée à faciliter le transfert des pouvoirs aux mains des grandes entreprises et à instaurer un climat propice à la concurrence et à la rentabilité des investissements.

Ces mesures prévoyaient une réforme globale de certaines parties du code du travail ontarien, la diminution des restrictions relatives à l'élimination des déchets toxiques dans l'industrie minière, l'assouplissement des règlements environnementaux dans le secteur forestier et l'ouverture du régime provincial de soins de santé aux investisseurs privés en autorisant les grandes entreprises à but lucra-tif des États-Unis à implanter des établissements qui offriraient des services allant de la chirurgie ophtalmologique à l'avortement, en passant par la dialyse rénale.

En Alberta, le gouvernement de Ralph Klein a opéré un virage similaire en modifiant largement son système législatif, de manière à favoriser les investissements des grandes entreprises. Lorsque, par exemple, Ottawa a commencé à rationaliser le ministère de l'Envi-ronnement et à transférer des responsabilités aux provinces, le gou-vernement Klein lui a emboîté le pas en rationalisant ses propres organismes de réglementation, dont l'Environment Council of Alberta, la Commission des ressources en eau et le Fonds de contri-butions volontaires pour l'environnement de l'Alberta.

Le nouveau fédéralisme de marché a, en même temps, débouché sur de profonds changements dans les compétences financières res-pectives des gouvernements fédéral et provinciaux. Une récente étude de Marjorie Cohen et associés, à l'université Simon Fraser, a montré que des mesures dans le budget fédéral comme le virage vers le financement global et l'adoption du Transfert canadien en matière de santé et de programmes sociaux ont entraîné dans les paiements de transfert aux provinces des compressions massives qui se sont répercutées sur la population. Les gouvernements Mulroney et Chrétien ont sabré au moins 37 milliards de dollars dans les paie-ments de transfert du fédéral aux provinces.

En fait, Ottawa représentait, en gros, 60 % de toute l'activité éco-nomique gouvernementale du Canada. Aujourd'hui, cette propor-tion est passée à 40 % seulement. Si les prévisions du Conference Board du Canada se réalisent, Ottawa n'assurera plus que 30 % de toutes les dépenses publiques en l'an 2000, ce qui fera de ce pays la fédération la plus décentralisée du monde (même aux États-Unis, Washington est responsable de 61 % de toutes les dépenses publiques).

Même si le pouvoir de dépenser des provinces a augmenté dans les secteurs des programmes sociaux et des services publics, le nouveau système de fédéralisme de marché possède ses propres mesures disciplinaires. Comme l'a si bien dit le PDG de la Banque Nationale, André Bérard, l'objectif réel de la décentralisation est de « donner le pouvoir de dépenser à ceux qui n'ont pas le pouvoir d'emprunter ».

En fait, les provinces, l'Alberta et l'Ontario en tête, ont rigoureusement freiné leurs dépenses. En Alberta, Ralph Klein a retranché près d'un milliard de dollars par année aux dépenses publiques, et tous les ministères ont dû se plier au mot d'ordre de diminution de leurs budgets de fonctionnement de 20 % en 1994. Les compressions imposées par Klein se répartissaient comme suit : 12,4 % dans l'éducation publique ; 18 % dans les soins de santé ; 18,3 % dans les services sociaux ; 30 % dans la protection de l'environnement ; et 48 % dans les services municipaux de police et de lutte contre les incendies.

Pour ne pas être en reste, le gouvernement Harris, en Ontario, a lui aussi passé le rouleau compresseur sur ses dépenses, retranchant huit milliards de dollars à divers programmes et en procédant notamment à des compressions de 22 % dans les programmes d'aide sociale de la province. Ce gouvernement avait promis de surcroît une baisse d'impôt de l'ordre de 30 %, rendant ainsi permanentes les réductions dans les programmes même si les recettes publiques devaient connaître une remontée dans l'avenir. À des degrés divers, toutes les provinces ont suivi leur propre programme de restructuration des dépenses. Bien avant qu'Ottawa ne supprime le régime d'assistance publique du Canada, par exemple, le Nouveau-Brunswick avait déjà mis en place son propre programme de travail obligatoire pour les assistés sociaux. Au Québec, dernière province à se mettre au pas, le Parti québécois, sous la férule de Lucien Bouchard, s'est également conformé à la vision du CCCE en mettant sur pied son propre programme de restructuration assorti de compressions importantes dans les dépenses.

En fait, il semble bien que les gouvernements provinciaux se débrouillent pour fonctionner selon le nouveau modèle de l'État protecteur des entreprises. Malgré la décentralisation rapide des responsabilités et des programmes fédéraux à laquelle on a assisté au cours des dernières années, les gouvernements provinciaux ont réussi à réduire énormément leurs dépenses globales et le nombre de mesures réglementaires concernant les activités des entreprises, dans la plupart des secteurs.

Pour que les changements radicaux nécessaires aient lieu, plusieurs gouvernements ont jugé utile de renforcer et de centraliser leurs propres pouvoirs. Ainsi, en Ontario, la *Loi sur les économies et la restructuration* de 1996 a facilité la centralisation des pouvoirs entre les mains du Cabinet de Queen's Park, dotant certains ministres d'une autorité sans précédent qui leur a permis de faire le grand ménage dans les dépenses de la santé, de l'éducation, de la protection de l'environnement et des affaires municipales. Le projet de loi omnibus du gouvernement Harris, qui préconisait, en 1997, la fusion des municipalités afin de créer des mégapoles, pourrait bien être la lame de fond d'un nouveau système de municipalités plus centralisé relevant de l'autorité provinciale d'un État au service des entreprises.

La proposition qui visait à retirer le financement de l'éducation publique du régime d'impôt foncier pour le remplacer par l'aide sociale aurait comme effet non seulement de renforcer grandement le droit de regard du gouvernement provincial sur l'éducation, mais aussi de placer les familles à faible revenu dans une situation encore plus précaire.

Entre-temps, il s'est opéré un transfert massif de richesses et de pouvoirs du secteur public au secteur privé, ce qui a modifié les rapports de force au sein de ce fédéralisme de marché. En plus des transferts résultant de la vente d'établissements et d'entreprises du secteur public, et du retrait des mesures réglementaires concernant les activités des grandes entreprises dans certaines industries, il y a eu aussi les transferts de fonds directs entre les gouvernements et les banques, découlant d'intérêts à verser sur les prêts. De 1988 à 1995, selon l'économiste Jim Stanford, le gouvernement fédéral a augmenté ses emprunts auprès des banques canadiennes de plus de 430 %, leur valeur passant de 15 milliards à 80 milliards de dollars. En conséquence, Ottawa paie maintenant aux cinq grandes banques des intérêts totalisant quelque sept milliards de dollars par année sur ces emprunts sans risque. En d'autres mots, les profits records que les banques ont enregistrés au cours des dernières années sont, pour une grande part, la conséquence du transfert direct de la richesse des citoyens aux banquiers sous forme de paiements d'intérêts sur les emprunts de l'État.

Selon Stanford, le déficit permet aux banques et aux autres institutions financières de faire plus de bénéfices. La « dette » des contribuables canadiens est devenue pour les banques commerciales un actif qu'elles peuvent, en retour, recycler dans le système bancaire afin d'accorder de nouveaux prêts, lesquels rapporteront d'autres intérêts.

Pour la journaliste Frances Russell, de Winnipeg, Ottawa finit par agir comme le « percepteur de la dette » pour de riches investisseurs.

La politique de classe

Ce transfert considérable de la richesse du public vers le privé et des citoyens vers les investisseurs met au jour une nouvelle sorte de politique des classes, force motrice qui a donné naissance à l'État-entreprise. Selon Ed Finn, du Centre canadien de politiques alternatives, il faut voir dans ces transferts de richesse la formation d'une oligarchie économique dans ce pays. S'inspirant des travaux récents du sociologue américain Michael Lind, Finn fait remarquer que non seulement les familles à revenu moyen ou faible sont plus imposées que les riches, « mais elles sont imposées pour en faire bénéficier les riches ».

Aux États-Unis, soutient Lind, le transfert de richesse des contribuables moyens vers les riches par le biais de paiements d'intérêt sur la dette « est sans précédent dans l'histoire ». Ce transfert de richesse, poursuit-il, alimente l'établissement d'une oligarchie économique aux États-Unis pour contrôler les politiques du pays.

Ici au Canada, explique Finn, les transferts de richesse par le biais de paiements d'intérêts sont même plus importants qu'aux États-Unis, alors qu'environ 40 cents de chaque dollar des recettes publiques servent à éponger la dette nationale. On se complaît à croire que les oligarchies économiques sont le fait des dictatures de l'Amérique latine, mais, ajoute Finn, on devrait se préoccuper un peu plus de « la classe supérieure » de notre société, qui fait main basse sur l'argent et le pouvoir.

Les mythes selon lesquels la société canadienne est une société sans classes sociales sont légion ; pourtant, si l'on voulait bien ouvrir les yeux, on verrait qu'il existe bel et bien une classe supérieure, une oligarchie économique. En 1992, l'OCDE a rapporté que 1 % de la population canadienne détenait 25 % de l'actif du pays (par rapport à 18 % en Grande-Bretagne et à 42 % aux États-Unis). La richesse combinée des 50 Canadiens les plus riches du pays se monte à 39 milliards de dollars. Parmi eux figurent huit individus et familles qui sont milliardaires. En tête se trouve le magnat de la presse Kenneth Thomson (8,2 milliards de dollars), suivi par la famille Irving du secteur pétrolier (7,5 milliards), puis par Charles Bronfman, de Seagram (2,9 milliards), la famille Eaton (1,7 milliard), le magnat des télécommunications Ted Rogers (1,4 milliard), le géant de l'alimentation de détail W. Gaylor Weston (1,3 milliard), les frères McCain, du Nouveau-Brunswick (1,2 milliard), et Paul Desmarais, de Power Corporation (1 milliard). La richesse accumulée par chacun des autres membres de ce club des 50 Canadiens les plus riches varie entre 145 millions et 1 milliard de dollars.

Selon une analyse des données de Statistique Canada, le transfert de la richesse des classes moyennes aux Canadiens à revenu élevé, au cours des 20 dernières années, a grandement polarisé les écarts de classe dans ce pays. Entre 1973 et 1993, selon une étude menée par le Centre canadien de politiques alternatives, les 30 % de Canadiens les plus riches ont vu leur part du revenu national augmenter fortement par rapport à la part de revenu détenue par les 50 % de Canadiens les moins riches. En 1993 seulement, les 30 % des familles canadiennes les plus riches ont empoché 14,3 milliards de dollars de plus que ce qu'elles auraient gagné en 1973 si leur part était restée la même et n'avait pas augmenté durant ces 20 années. Une grande part de ce transfert de richesse supplémentaire, d'après l'étude, provient des 50 % des Canadiens qui se trouvent au bas de l'échelle.

Pis encore, ce fossé entre les classes a continué de s'élargir tout au long des six dernières années. De 1987 à 1993, la part du revenu national des 30 % de Canadiens les plus riches s'est élevée trois à cinq fois plus vite que durant les 14 années précédentes, ce qui a transféré dans leurs mains 7,3 milliards de dollars de plus que si cette part était restée à son niveau de 1987. Par ailleurs, les données montrent que les familles canadiennes dont le revenu se situe dans la moitié inférieure de l'échelle ont vu leur revenu baisser au même rythme. En 1993, leur part annuelle du revenu national était de 7,3 milliards de moins qu'en 1987.

Plus récemment, le revenu annuel des PDG des plus grandes entreprises canadiennes a grimpé en flèche. Selon une enquête de la firme de consultants KPMG, menée auprès de 268 grandes entreprises canadiennes, le salaire moyen des PDG s'est élevé de « seulement » 8 % en 1995, mais leur rémunération totale (ce qui comprend les primes et les mesures incitatives) a grimpé d'environ 32 % depuis 1993. Les 100 PDG les mieux payés ont reçu chacun une rémunération totalisant plus de 1,4 million de dollars en 1995. En haut de la liste, on trouve Frank Stronach, de Magna International, avec une rémunération de 47 millions de dollars. Cependant, ces chiffres ne disent pas tout.

Plusieurs des PDG en tête de liste reçoivent aussi des dividendes à titre d'actionnaires. Prenons, par exemple, le cas du magnat des médias écrits Ken Thomson. Ses actions dans la société Thomson ont produit des dividendes de 296 millions de dollars, en 1995. Paul Desmarais père a reçu des dividendes de 55 millions de dollars assortis d'une rémunération de 5,65 millions de dollars. Parmi les autres dirigeants de grandes entreprises qui ont empoché des rémunérations de plusieurs millions de dollars en 1995, on trouve : Galen

Weston (22 millions) ; Laurent Beaudoin, de Bombardier (19,1 millions) ; Conrad Black (18,4 millions) et la famille Billes, de Canadian Tire (7 millions). Cette année-là, il paraît même que Black s'est offert un cadeau de près de 70 millions de dollars sous forme de dividende spécial sur ses actions de Hollinger.

En même temps, remarque Andrew Jackson, du Congrès du travail du Canada, non seulement le niveau du salaire réel des travailleurs a eu du mal à suivre la hausse du coût de la vie au cours des 15 dernières années, mais, par rapport au revenu de leurs patrons, il est resté loin derrière.

En fait, en 1995, les travailleurs touchaient des salaires correspondant à une petite fraction de la rémunération que recevaient leurs patrons. À Magna International, par exemple, la rémunération de 47 millions de dollars versée cette année-là à Frank Stronach a été plus de 1 100 fois supérieure au salaire annuel moyen de 37 006 $ des travailleurs de l'entreprise. La rémunération de 13 millions de dollars du PDG de la société Cott, Gerald Pencer, a été 927 fois plus élevée que le salaire moyen de ses employés, qui s'élevait à 14 023 $. Paul Desmarais, de Power Corporation, empochait une rémunération correspondant à 249 fois le salaire moyen payé à ses employés, qui s'établissait à 22 714 $ en 1995. Le PDG de Maple Foods, Brent Ballentyne, qui a reçu en 1995 une rémunération de 3,58 millions, touchait ainsi 256 fois plus que le salaire annuel moyen de 14 023 $ versé à ses employés.

Dans le même esprit, la rémunération du PDG de la Banque Toronto-Dominion, Richard Thomson, équivalait à 230 fois le salaire moyen que la banque versait à ses caissiers ; Edgar Bronfman a empoché 180 fois plus que le salaire moyen des employés de Seagram en 1995 ; Gerald Schwartz, d'ONEX Corporation, a reçu une rémunération 159 fois supérieure au salaire moyen des éclairagistes de théâtre ; et la rémunération de Purdy Crawford, chez Imasco, représentait 100 fois le salaire moyen des travailleurs des manufactures de tabac de l'entreprise.

En bref, ce que l'on vient de voir fait partie de la dynamique de la politique de classe qui mène à la domination de l'entreprise au sein de ce pays *(voir l'annexe IV pour les derniers chiffres sur les rémunérations versées en 1996 aux 50 PDG les plus riches)*. Edward Wolf, économiste de l'université de New York qui, depuis 25 ans, étudie la répartition de la richesse en Amérique du Nord, affirme : « Nous devenons une oligarchie, comme c'est le cas dans bien des pays d'Amérique latine où une petite élite possède le pouvoir économique et politique. »

Le club des 50 familles canadiennes les plus riches, allié aux quelque 100 PDG qui dirigent les plus grandes entreprises du pays, constitue le noyau de cette oligarchie au Canada. La plupart sont aussi membres du CCCE. Ils savent que le pouvoir politique leur donne accès à l'accumulation de la richesse. Ils ont réussi à construire une machine politique leur permettant de mettre la main sur les leviers du gouvernement à Ottawa comme dans les provinces. Grâce à cette machine, ils ont effectivement restructuré le rôle et les pouvoirs de l'État et de la fédération pour servir leurs propres intérêts.

Aujourd'hui, non seulement l'État est dans l'obligation de réorganiser le système national afin d'offrir un environnement propice à l'économie de marché, à la rentabilité des investissements et à la concurrence, mais il doit aussi s'assurer que la richesse passe effectivement des mains de la majorité des Canadiens aux poches des grandes entreprises et des investisseurs. Cette oligarchie qui continue de s'approprier richesse et pouvoir « divise pour mieux régner », selon Lind, c'est-à-dire qu'elle tient la majorité des Canadiens en respect, les dressant les uns contre les autres dans un « jeu à somme nulle pour le partage de hausses salariales qui vont en s'amenuisant ».

La fabrication du consentement

Les grandes entreprises avaient d'autres cordes à leur arc pour garder la majorité des Canadiens mal informés et impuissants. Pour faire un coup d'État politique de cette envergure et pour orchestrer une restructuration de l'État canadien et de la fédération sans provoquer de soulèvement important, l'élite des entreprises devait se doter de moyens efficaces pour contrôler les débats publics au pays. Après tout, dans les sociétés capitalistes avancées, l'ordre social n'est pas maintenu par les forces militaires, mais par l'entremise des institutions culturelles, qui modèlent l'attitude, la conduite et les valeurs de la population : l'éducation, les loisirs et, en particulier, les médias. Comme Noam Chomsky l'a démontré à maintes reprises, on « fabrique » bien souvent le consentement du public sur ordre de ceux qui gouvernent et dirigent les sociétés démocratiques.

Ces dernières années, les magnats du monde des affaires, comme Conrad Black, Ken Thomson, Paul Desmarais et Ted Rogers, ont accentué leur domination sur les médias canadiens. Plutôt que de bien informer la population sur les questions publiques importantes et de stimuler le débat en proposant différents points de vue politiques, les principaux médias du pays ont tendance, aujourd'hui, à se faire les porte-parole des grandes entreprises en défendant les intérêts du milieu des affaires.

L'analyste des médias James Winter, de l'université de Windsor, explique que les grands journaux du pays ont connu une concentration grandissante dans la seconde moitié de ce siècle. À la fin des années 1950, les deux plus grandes chaînes de journaux du Canada, Southam et Thomson, contrôlaient 25 % des quotidiens du pays. En 1970, le comité spécial du Sénat sur la concentration des médias s'alarmait du fait que ce contrôle était passé de 25 % à 45 %. En 1980, la Commission royale Kent sur les journaux rapportait que 57 % des quotidiens se retrouvaient entre les mains de trois grandes chaînes. Quinze ans plus tard, Southam et Thomson contrôlaient 67 % des quotidiens, et le *Toronto Star* en possédait 10 %. Enfin, Paul Desmarais était propriétaire de quatre journaux au Québec, tandis que les Irving contrôlaient toute la presse du Nouveau-Brunswick.

Puis, Conrad Black est arrivé. PDG réputé pour son franc-parler et son parti pris idéologique néolibéral, il avait déjà commencé à racheter une série de quotidiens, principalement dans les petites villes et collectivités où, très vite, on s'est aperçu qu'il essayait d'influer sur le contenu éditorial. En 1996, la société Hollinger de Black s'est emparée de Southam et est soudainement devenue propriétaire majoritaire de près de 60 % des quotidiens du pays.

Au bout du compte, Conrad Black se trouvera à la tête, par le biais de la société Hollinger, de 64 des 104 quotidiens du Canada, pénétrant dans 2,3 millions de foyers. Son empire comprend tous les quotidiens de la Saskatchewan, de Terre-Neuve et de l'Île-du-Prince-Édouard en plus des deux tiers de tous les journaux de l'Ontario. L'écurie Southam possède à elle seule le *Vancouver Sun,* le *Calgary Herald,* l'*Ottawa Citizen* et *The Gazette* de Montréal. En outre, par le truchement de Southam, Black a acquis le contrôle de la Presse canadienne, qui dispense un service de dépêches à tous les journaux et stations de radio locaux du pays, dans les deux langues officielles.

Winter a démontré, dans diverses études de cas, que les propriétaires et dirigeants des médias exercent aujourd'hui une forte influence sur le contenu de l'information. Cette influence est visible, dit-il, en ce qui a trait non seulement au recrutement et au licenciement du personnel, mais aussi au choix de l'emplacement de la nouvelle ct de son contenu. Winter tire ses exemples des médias écrits, mais la situation est la même dans les chaînes de radio et de télévision.

Lors d'une entrevue télévisée au cours de laquelle on lui posait la question suivante : « Est-ce vrai que vous vous servez de votre journal pour imposer vos idées politiques ? », John Basset, ancien éditeur d'un journal de Toronto, a répondu : « Bien sûr, sinon, à quoi bon posséder un journal ? » Plus récemment, le bras droit de Conrad Black chez Hollinger, David Radler, a décrit brièvement en quoi consiste le contrôle du contenu de l'information lorsqu'on est propriétaire d'un journal : « Le pouvoir passe par la propriété. C'est moi qui dois payer les employés, par conséquent, c'est moi qui, en bout de ligne, détermine ce qui paraîtra dans les journaux et comment ils seront gérés. » Dans ces circonstances, les journalistes, qui, après tout, sont eux-mêmes des employés et ont des responsabilités individuelles et familiales, n'ont pas d'autre choix que de se plier à la règle ou d'aller rejoindre la cohorte des chômeurs.

Le parti pris politique de ces magnats de la presse en faveur des grandes entreprises influe sur la façon de traiter les nouvelles économiques d'importance. Après le débat sur le libre-échange de 1988, par exemple, des études ont montré que les médias ont largement couvert le point de vue de ceux qui étaient pour le libre-échange et beaucoup moins celui de ses opposants, parce que les propriétaires et les responsables de la plupart des grands journaux et des médias électroniques en avaient décidé ainsi. De même, bien que le gouvernement Chrétien ait été élu grâce à la promesse de créer des emplois, la plupart des médias canadiens ont minimisé la précipitation avec laquelle les grandes entreprises se sont mises à réduire leurs effectifs, au milieu des années 1990, alors qu'elles enregistraient des profits records. Les médias présentaient, remarque Winter, les licenciements massifs et les profits accrus « sans explication ou les attribuaient à des forces mystérieuses et imparables du marché comme la mondialisation et la concurrence internationale ».

La plus grande mystification des grands pontes des médias, au cours des dernières années, est peut-être d'avoir pointé les dépenses « excessives » liées aux programmes sociaux comme étant la cause principale de l'endettement au Canada. Non seulement les médias ont propagé ce mythe, mais ils en ont pratiquement occulté les causes réelles (que certaines études indépendantes ont pourtant bien mises en évidence, notamment celles de Statistique Canada), comme la politique des taux d'intérêt élevés menée, coûte que coûte, par la Banque du Canada et le manque à gagner en revenus publics causé par la baisse de l'impôt sur les sociétés et le taux de chômage élevé.

Il est clair que la domination des grandes entreprises sur les grands médias du pays a eu une incidence directe sur les décisions politiques prises à Ottawa dans les domaines des communications et de la radiodiffusion publique. En 1994, par exemple, Rogers Communications a demandé au Conseil de la radiodiffusion et des télécommunications canadiennes (CRTC) de lui donner le feu vert pour l'achat, au coût de 3,4 milliards de dollars, de MacLean Hunter (qui publie le magazine *Maclean's*). Afin d'asseoir leur influence politique, Rogers et l'une de ses filiales ont versé la somme de 100 000 $ dans les coffres du Parti libéral cette année-là, et le CRTC a rapidement accepté leur demande. Un an plus tard, le gouvernement Chrétien a fait un geste sans précédent lorsqu'il a annulé la décision du CRTC de ne pas accorder de licence à une entreprise québécoise qui voulait offrir un service de radiodiffusion directe par satellite. La demande provenait d'une entreprise que dirigeait le gendre de M. Chrétien, André Desmarais, le fils de Paul Desmarais.

Aujourd'hui, on peut prédire sans se tromper que des forces semblables sont à l'œuvre dans les coulisses d'Ottawa afin que le gouvernement Chrétien entreprenne de privatiser la Société Radio-Canada. Tout le battage autour « des coûts élevés, de l'inefficacité et du gaspillage » qui séviraient à Radio-Canada n'a qu'un seul but, celui de permettre la prise en main de la télévision publique par les grandes entreprises. Alors que Radio-Canada imite souvent ses homologues du privé en participant à la « fabrication du consentement », elle accorde néanmoins une plus large place à la diffusion de points de vue dissidents. Sa perte porterait un sérieux coup à la démocratie de ce pays.

À long terme, le test ultime pour connaître l'étendue du pouvoir et de l'influence des médias contrôlés par la grande entreprise, c'est leur capacité d'infléchir le comportement et les valeurs fondamentales de la population et d'annihiler son sens critique face à la division de plus en plus marquée des classes. Au premier abord, il semble que les Black, Thomson et Desmarais ont réussi au-delà de toute espérance. Après tout, nous avons assisté à ce qui ressemble certainement à un « recul important vers la droite » en ce qui touche les attitudes et les valeurs des Canadiens. On dirait qu'un raz-de-marée de valeurs telles que la concurrence, la rentabilité et l'efficacité a littéralement englouti des valeurs comme la justice, l'égalité et le partage. Les sondages détectent ce déplacement des valeurs chez les Canadiens dans le durcissement de leur attitude à l'égard des pauvres, des

chômeurs et des immigrants. Ce changement se remarque également dans l'apparent empressement de la population à accepter
l'érosion des programmes sociaux universels, de même que les programmes de travail obligatoire pour les assistés sociaux, un système
de santé à deux vitesses et une diminution du rôle de l'État à l'avenir.

Néanmoins, en 1994, le groupe de recherche Ekos a mené une
vaste étude sur les attitudes et les valeurs des Canadiens (étude mise
à jour en 1995) et a conclu qu'il y avait une différence fondamentale
entre les perspectives des élites politiques et économiques, d'une
part, et celles du public en général, d'autre part. Alors que les élites
s'avéraient obsédées par l'obligation de résorber le déficit, le public
montrait plus d'intérêt pour la création d'emplois et faisait état de
ses préoccupations à l'égard des problèmes sociaux engendrés par le
chômage. Alors que les élites plaçaient leurs priorités dans « la compétitivité, la prospérité et un État minimal », le citoyen moyen tendait
à reléguer ces valeurs au bas de la liste.

En fait, l'étude menée par Ekos révélait que la méfiance des
citoyens envers leurs élites allait croissant. Dans le cas du déficit,
la moitié des répondants ont estimé que le gouvernement et les
grandes entreprises s'étaient alliés pour fabriquer la crise.

Peut-être que, contrairement à ce qu'espérait le patronat, ce
consentement fabriqué était encore trop superficiel. Cependant, les
médias ne sont pas la seule institution culturelle capable de façonner
les valeurs et les modes de pensée. L'éducation publique et postsecondaire est également devenue une cible de premier choix sur
laquelle le patronat cherche à étendre sa mainmise. Dans tout le pays,
les gouvernements provinciaux obsédés par la réduction du déficit
ont sabré dans les budgets de l'éducation, se tournant vers la sous-
traitance pour fournir certains services éducatifs et examinant la
possibilité de privatiser certains secteurs du système d'éducation
public. Les écoles, qui souffrent gravement du manque de fonds, se
tournent de plus en plus vers les entreprises pour qu'elles leur fournissent la technologie, des programmes d'études et des services alimentaires qu'elles n'ont plus les moyens de s'offrir. Coca-Cola,

McDonald's, Pepsi-Cola, Burger King, IBM, General Electric, Bell Canada et AT&T figurent parmi les entreprises renommées qui accourent au premier signe pour offrir leurs services en échange du droit de faire connaître leurs produits à un marché captif de jeunes consommateurs.

Jim Turk, militant dans le milieu de l'éducation, a expliqué que les grandes entreprises qui envahissent le champ de l'éducation aujourd'hui ont trois objectifs stratégiques en tête. Le premier consiste à conquérir le marché des jeunes et à former une nouvelle génération de consommateurs. Le deuxième, à amener le secteur de l'éducation à dépendre de plus en plus du financement et des produits du secteur privé. Le troisième, à changer les programmes d'études et le contenu de l'éducation. « Ce troisième objectif, explique Turk, fait partie intégrante de la stratégie des grandes entreprises visant à former une main-d'œuvre docile et servile. »

L'éducation postsecondaire commence à ressentir les effets de la diminution énorme du financement fédéral, et les grandes entreprises en profitent pour frapper aux portes des universités afin d'offrir des dons, de l'équipement et des services en échange de nouveaux débouchés. Northern Telecom, par exemple, a récemment versé huit millions de dollars à l'université de Toronto pour la mise sur pied d'un institut de télécommunications qui sera chapeauté par un conseil consultatif composé de membres de l'industrie et de l'université. Le porte-parole de Northern Telecom a juré que ce conseil ferait « fructifier au maximum » l'argent de l'entreprise. Le collège Atkinson de l'université York a déclaré que toute entreprise versant 10 000 $ ou plus à l'université verrait son nom associé à un cours, tandis que l'université Simon Fraser a permis aux entreprises d'acheter de l'espace publicitaire au-dessus des urinoirs des toilettes pour hommes du campus.

Lorsque les grandes entreprises auront fait main basse sur le système d'éducation du pays, elles seront aux commandes de l'un des meilleurs leviers servant à fabriquer le consentement. Les grandes entreprises ont, en fin de compte, bien plus à vendre que leur marque de commerce lorsqu'elles pénètrent le monde de l'éducation. La commercialisation de la salle de classe, selon Maude Barlow et Heather-Jane Robertson, est également liée à l'arrivée d'une génération d'enfants qui seront les entrepreneurs, les consommateurs et les travailleurs de demain. C'est pourquoi des programmes comme « Consumer Kids », à Toronto, offrent aux cadres des grandes entreprises des ateliers du style « Le marketing dans le système scolaire » ou « Comment former le consommateur de demain ».

Il est très important, pour les grandes sociétés canadiennes désireuses de protéger leurs intérêts à long terme, d'exercer un certain contrôle sur les programmes et le matériel éducatifs et de pouvoir profiter de nouvelles occasions de marketing dans les écoles, les collèges et les universités. Pourtant, renoncer à une éducation démocratique, c'est renoncer à la démocratie elle-même.

Le sabotage de la démocratie

Nous vivons maintenant sous le régime de la domination des entreprises, qui frappe de plein fouet la démocratie de ce pays. Ce que la Commission trilatérale a qualifié de « démocratie excessive », il y a une vingtaine d'années, a été balayé. Non seulement les droits des citoyens sont bafoués au profit de ceux des investisseurs, mais notre société se dirige rapidement vers un système où les grandes entreprises seront pratiquement les seules à posséder un statut de citoyen à part entière. L'État, que ce soit au niveau provincial ou au niveau fédéral, a été restructuré pour satisfaire la soif de capital des grandes entreprises et assurer un paradis sécuritaire aux investissements rentables et à la concurrence.

Les grandes entreprises ont aujourd'hui acquis une telle maîtrise de l'appareil de prise de décision, à Ottawa, que les députés en sont réduits à jouer un rôle de commis dont le tampon avalise les décisions déjà prises en haut lieu dans l'intérêt du cabinet fantôme des grandes entreprises. Quand vient le temps d'aborder les grandes questions financières, économiques, commerciales, sociales et environnementales du jour, les organisations de citoyens qui, collectivement, représentent la majorité des Canadiens sur ces questions sont rapidement qualifiées par Ottawa de « groupes de pression » et sont privées de toute voix au sein du pouvoir.

Les concepteurs de ce régime de domination des entreprises ont porté un dur coup au cœur même de la démocratie, c'est-à-dire à la société civile. Comme Tocqueville l'avait observé voilà près de deux siècles, celle-ci est composée de milliers d'associations bénévoles formées de citoyens qui se préoccupent des questions de politique d'État. Situées entre les grandes entreprises et le gros appareil étatique, elles constituent un secteur indépendant de la société, le sang de la démocratie. Dans une société démocratique, leur rôle consiste à empêcher la tyrannie de l'État aussi bien que celle du marché. Cependant, la mainmise des grandes entreprises sur l'État a sérieusement affaibli les fondations de la société civile au Canada.

Les syndicats, par exemple, qui représentent 36 % des travailleurs canadiens et qui ont été les premiers à favoriser les changements sociaux progressivement instaurés au cours des 60 dernières années, ont vu leur pouvoir de négociation miné par le non-respect gouvernemental des conventions signées, tandis que les grandes entreprises cherchaient sans cesse à ternir leur image. Les organisations de femmes, qui ont apporté tant de passion et d'idées dans leur combat en faveur de l'égalité sociale dans ce pays, ont été parmi les victimes des compressions du gouvernement. Les groupes écologistes, dont certains n'ont pas hésité à se mettre en travers du chemin des grandes entreprises, se sont aussi retrouvés affaiblis en raison des compressions gouvernementales et des attaques des grandes entreprises. Les principales Églises, qui, avec l'aide d'autres groupes religieux, ont parfois rallié la nation autour d'une vision morale de la justice sociale, ont été réduites au silence par le monde financier, l'infiltration des chrétiens intégristes de droite et une forte désaffection de leurs fidèles.

La société civile n'est toutefois pas encore à l'agonie. En dépit de son recul, il subsiste des signes de vie démocratique dans les mouvements syndicaux, féministes, écologistes et même religieux, partout au pays. Il en reste aussi dans le mouvement nationaliste canadien où l'on commence à mener un combat pour un contrôle démocratique. Cependant, le nouveau régime de domination des entreprises rend la tâche très difficile à ces mouvements puisqu'il les empêche de participer efficacement au processus de changement social démocratique. Les représentants des grandes entreprises jouent maintenant un rôle prédominant dans presque tous les groupes consultatifs, les commissions et les groupes de travail importants du gouvernements. On a réduit l'accès du public à l'information sur les politiques gouvernementales, non seulement en édulcorant la *Loi sur l'accès à l'information,* mais aussi en réduisant les budgets de Statistique Canada et en fermant plusieurs instituts de recherche sur la politique.

Par-dessus tout, il est difficile pour les mouvements de citoyens de savoir comment mener leur combat en faveur des changements sociaux alors que les forces vitales qui déterminent, pour une large part, la prise de décision gouvernementale sont celles de la grande entreprise. Même si, dans leurs efforts en faveur d'un changement social, ces mouvements devaient cibler les grandes entreprises, ils seraient gênés dans leurs actions par la législation récente qui est moins exigeante pour les entreprises en ce qui a trait à leur obligation de tenir Ottawa au courant de leurs activités.

Paradoxalement, quelques puissants investisseurs mondiaux comme George Soros en sont récemment venus à la conclusion que l'expansion des grandes entreprises menace les valeurs et les traditions fondamentales de la démocratie. « Même si j'ai fait fortune sur les marchés financiers, a écrit Soros dans le numéro de février 1997 du magazine *Atlantic Monthly,* j'ai bien peur maintenant que l'intensification du laisser-faire capitaliste, que plus rien n'entrave, et la propagation des valeurs du marché dans presque tous les domaines de la vie ne mettent en danger notre société ouverte et démocratique. »

S'inspirant de la théorie d'une « société ouverte » que le philosophe de l'économie Karl Popper a élaborée au tout début du siècle,

Soros demande que l'on repense cet idéal, qui, dit-il, « ne peut plus se définir en fonction de la menace communiste ». Alors que Popper maintenait que l'extrême droite (fascisme) et l'extrême gauche (communisme) souffraient toutes deux d'un problème similaire, c'est-à-dire la répression de l'individu par l'État, Soros affirme : « Ce qui menace cet idéal d'une société ouverte provient de la direction opposée, soit d'un excès d'individualisme. Trop de concurrence et trop peu de coopération peuvent causer d'intolérables iniquités et une immense instabilité. La loi du plus fort ne peut être le principe directeur d'une société ouverte et civilisée. »

Dans une tout autre perspective, Ed Finn maintient que nous vivons aujourd'hui dans une ploutocratie plutôt que dans une démocratie. La ploutocratie, dit-il, est née dans la Rome antique, où ceux qui gouvernaient exerçaient à la fois le pouvoir politique et le pouvoir économique. Cependant, alors que les ploutocrates romains étaient des politiciens qui possédaient des terres, de la richesse et des esclaves, les ploutocrates du Canada sont « les dirigeants d'entreprise, les banquiers et les cambistes, non élus et sans obligation de rendre compte, qui définissent les orientations politiques pour les divers ordres de gouvernement ». Les politiciens, selon lui, répondent à leurs vœux. « Les mesures que l'on encourage et les lois que l'on édicte sont celles qui décuplent la richesse et le pouvoir de la ploutocratie. »

Pour prévenir tout soulèvement populaire, remarque Finn, les empereurs romains avaient mis au point la formule « du pain et des jeux » qui gardait le peuple bien nourri et lui procurait un divertissement. Les banques alimentaires, la télévision et les événements sportifs pourraient bien être l'équivalent moderne du pain et des jeux, mais la vie politique elle-même poursuit le même objectif. Les politiciens sont presque devenus de simples marionnettes dont les grandes entreprises tirent les ficelles. Tout comme la lutte professionnelle, dit Finn, les bouffonneries des politiciens sur la colline parlementaire constituent davantage un divertissement que la manifestation d'un véritable gouvernement démocratique.

Peu importe les images utilisées pour décrire cette réalité, les Canadiens doivent s'ouvrir les yeux sur le fait tragique suivant : nous vivons de plus en plus sous un régime d'oppression exercée par les grandes entreprises, et non dans une réelle démocratie. Même si les grandes entreprises ont toujours été disposées à « apprivoiser la démocratie chaotique », comme nous le rappelle le philosophe des sciences politiques Benjamin Barber, elles n'ont pas non plus « de problèmes à tolérer même la tyrannie ». Après tout, elles sont elles-mêmes des institutions très autoritaires et hiérarchiques. Dans le monde, dit Barber, la liste des dictatures que les grandes entreprises ont renforcées et légitimées, en y investissant, est très longue.

Il y a quelque chose d'insidieux, cependant, dans la tyrannie du patronat que nous subissons aujourd'hui. On nous laisse l'impression que tout cela est uniquement une question de « libre choix » et de « volonté personnelle ». L'État au service des entreprises, après tout, se fonde sur le libre jeu du marché. Telle la démocratie elle-même, le marché offre aux gens le libre choix. Cependant, comme le dit Barber en s'inspirant de Tocqueville, « le corps est libre, mais l'âme est prisonnière. L'idéologie du choix, dit-il, libère le corps mais étouffe l'âme complètement. Vous choisissez en fait de ne pas choisir. »

5

LE PLAN D'ACTION DES CITOYENS

— Ce sont les entreprises, IDIOT !

— On se demande ce que font les gens. Pourquoi est-ce qu'ils ne se révoltent pas ? Qu'est-ce qu'ils attendent ? À croire qu'ils ont envie de vivre dans un monde dirigé par les grandes entreprises. Ont-ils donc tous baissé les bras ? !

— Je ne crois pas. Regarde en Ontario, 200 000 personnes sont descendues dans la rue et ont pratiquement paralysé toute la ville de Toronto. Elles protestaient contre le gouvernement Harris, et contre le démantèlement des services et des programmes publics. Ça, c'est de la résistance de masse !

— Ouais, mais attention ! Toute cette vague d'opposition visait le gouvernement conservateur, comme s'il était le seul à blâmer. Tu sais aussi bien que moi que ce n'est pas en se débarrassant de Harris et de sa clique qu'on va changer grand-chose. On va continuer à vivre sous la coupe des entreprises. De nos jours, on peut bien élire n'importe quel parti, de toute façon, ce sont toujours les grandes entreprises qui mènent le bal.

— C'est à se demander quelle valeur les gens accordent à la démocratie. C'est tout de même incroyable, quand on y pense, que les Canadiens, qui sont prêts à se porter au secours de la démocratie dans les autres pays, n'aient pas plus envie de se battre pour défendre leurs propres droits démocratiques.

— Ouais. On dirait qu'une bonne partie des Canadiens traversent le cauchemar social et économique actuel comme des somnambules. Il faut que quelqu'un les réveille ! S'ils continuent d'obéir comme ça, passivement, aux quatre volontés du patronat, toutes les luttes menées par nos parents et nos grand-parents n'auront servi à rien.

— Tiens, ça me rappelle le slogan de Bill Clinton lors de sa première campagne électorale : « C'est l'économie, idiot ! » On peut dire qu'il a attiré l'attention des gens avec ça. On pourrait peut-être s'en inspirer pour créer notre propre slogan : « Ce sont les entreprises, idiot ! »

Les mouvements de citoyens

L'histoire de la contre-révolution qui a marqué les deux dernières décennies, au pays, a aussi son corollaire : des mouvements de citoyens ont mobilisé la population contre le programme d'action du patronat. Ce mouvement de résistance dynamique est né dans les années 1980 et s'est poursuivi jusqu'au début des années 1990. Syndicats, groupes de femmes, associations nationalistes, organisations religieuses, groupes écologistes, associations d'agriculteurs, groupes culturels, associations professionnelles, organismes internationaux, groupes de personnes âgées et associations communautaires ont formé un réseau actif pour lutter ensemble sur plusieurs fronts : économique, social et écologique.

Tous ces groupes rassemblés représentent une vaste majorité de Canadiens. La résistance des citoyens à l'heure des débats politiques importants, comme celui du libre-échange, a au moins eu le mérite de freiner la mise en place du plan d'action des grandes entreprises à des moments cruciaux. Sans cette résistance populaire, la contre-révolution serait plus profondément ancrée dans notre société qu'elle ne l'est aujourd'hui et ses effets seraient encore plus dévastateurs.

Le mouvement syndical, tant dans le secteur public que dans le secteur privé, a été, dans une large mesure, le fer de lance de ce vaste mouvement de citoyens. Le Congrès du travail du Canada, la plus importante centrale syndicale du pays, représente plus de 2,5 millions de travailleurs que l'on trouve dans presque tous les secteurs importants de notre économie, comme l'automobile, les mines, le secteur forestier, l'industrie pétrolière, l'hydroélectricité, la transformation des aliments, le transport ferroviaire, l'énergie, les communications, les pâtes et papiers, les journaux, la radiodiffusion, l'éducation, les soins de santé, la culture, les services sociaux, les services postaux et le commerce de détail, ainsi que dans la fonction publique fédérale, provinciale et municipale. Au cours des dix dernières années, le Congrès du travail du Canada a joué un rôle capital en fournissant les ressources nécessaires à l'organisation et au développement du mouvement social.

Les syndicats affiliés, tels les Travailleurs et travailleuses canadiens de l'automobile (TCA), les Métallurgistes unis, le Syndicat canadien de la fonction publique, le Syndicat canadien des communications, de l'énergie et du papier, le Syndicat des travailleurs et travailleuses des postes, le Syndicat national des employés et employées généraux du secteur public et l'Alliance de la fonction publique du Canada ont aussi fourni, à l'occasion, une aide précieuse à ce mouvement de résistance. Il en a été de même pour la Confédération des syndicats nationaux, qui représente la majorité des syndicats québécois non affiliés au Congrès du travail du Canada.

Si les syndicats ont généralement été le principal instrument de cette mobilisation, d'autres organisations sociales ont souvent été l'étincelle qui a mis le feu aux poudres. Le Conseil des Canadiens a mis en œuvre des campagnes de mobilisation des citoyens au nom d'un nationalisme progressiste sur le plan social. Le Comité canadien d'action sur le statut de la femme a souvent conféré un élan créateur à l'organisation de campagnes, en plus de toucher la majorité de la population par l'entremise de plus de 600 groupes de femmes. Des organisations comme le Syndicat national des cultivateurs ont permis au mouvement de pénétrer aussi bien les régions rurales que les régions urbaines. Greenpeace et l'éventail de groupes qui composent le Réseau canadien de l'environnement ont mis les priorités écologiques à l'ordre du jour des débats nationaux. Par le truchement d'organisations comme la Coalition œcuménique pour la justice économique, les principales Églises du pays (anglicane, catholique, unie, presbytérienne et luthérienne) se sont engagées activement dans la lutte. Des réseaux d'associations d'enseignants et de syndicats d'infirmières ont livré bataille sur divers fronts comme l'éducation publique et les soins de santé, alors que des organismes de développement international comme Oxfam, le SUCO et Inter Pares ont encouragé la création d'alliances dans les pays du tiers-monde, en plus de s'attaquer aux questions de politique étrangère.

Dès 1988, ces organisations syndicales et sociales se sont regroupées pour former une vaste coalition nationale, le Réseau pro-Canada, qui est ensuite devenu le Réseau canadien d'action. Grâce à celui-ci, les syndicats et les organisations sociales ont pu procéder à des analyses, élaborer des stratégies et préparer des campagnes d'action communes pour manifester leur opposition au changement d'orientation des politiques économique et sociale du pays. L'organisation sœur du Réseau canadien d'action, le Centre canadien de politiques alternatives, a coordonné une bonne partie de la recherche et de l'analyse dont le mouvement avait besoin pour mener à bien ses activités. Cette organisation a publié un grand nombre de documents de réflexion sur les principaux enjeux en matière de politiques économique et sociale. La formation de coalitions provinciales a aussi permis de concevoir des stratégies de campagne pour divers dossiers régionaux et de coordonner les activités pour les questions nationales d'un bout à l'autre du pays. Au Québec, on a instauré le mouvement Solidarité populaire Québec, une coalition nationale qui a, par la suite, noué des relations de travail bilatérales avec le Réseau canadien d'action. Les organisations membres de ce réseau se sont réunies trois fois par année, en assemblée nationale, afin de s'entendre sur des stratégies communes. De plus, par l'entremise d'une autre organisation sœur, Common Frontiers, le Réseau canadien d'action a forgé des alliances avec des coalitions similaires dans d'autres pays, principalement aux États-Unis et au Mexique.

Au cours de cette période, on a organisé plusieurs campagnes de résistance à l'échelle nationale. Même si le gouvernement Mulroney a réussi à remporter l'élection de 1988, dont l'enjeu était le libre-échange, le mouvement a déployé des tactiques de sensibilisation populaire novatrices qui ont permis de rallier 53 % des électeurs contre l'accord entre les États-Unis et le Canada. D'autres campagnes ont suivi contre les compressions des dépenses publiques annoncées dans les budgets fédéraux successifs de 1989, de 1990 et de 1991. En 1990, le mouvement s'est lancé dans une bataille vigoureuse contre le gouvernement Mulroney au sujet de l'instauration de la taxe sur les produits et services (qu'un vote au Sénat a failli bloquer). Des groupes membres ont aussi orchestré d'autres offensives sur des questions spécifiques, notamment contre les compressions massives dans les domaines de l'assurance-emploi, des soins de santé publics, des chemins de fer nationaux et de la radiodiffusion publique. En 1993, l'opposition publique à l'ALENA était telle qu'elle a rallié plus de 100 000 personnes lors d'une vaste manifestation sur la colline parlementaire.

Après que toute cette résistance eut contribué à la défaite humiliante des conservateurs de Kim Campbell en 1993, une nouvelle offensive n'a pas tardé à prendre pour cible le gouvernement Chrétien. En 1994, le mouvement, encore imprégné d'un fond de naïveté, a participé au processus de réforme de la politique sociale du gouvernement Chrétien, mais, à l'approche du dépôt de l'ignoble budget Martin de 1995, le mouvement s'était déjà remis en selle. Par la suite, le Transfert canadien en matière de santé et des programmes sociaux (TCSPS) est devenu l'objet de campagnes ciblées qui s'opposaient au démantèlement du régime d'assistance publique du Canada, à l'amputation du régime public de soins de santé et à la privatisation éventuelle du Régime de pensions du Canada.

Dès 1991, cependant, la résistance populaire a commencé à montrer des signes d'essoufflement. Alors que la récession du début des années 1990 s'aggravait, on a assisté à un durcissement des valeurs et des attitudes conservatrices à l'égard des pauvres et des sans-emploi. Une brèche s'est ouverte, divisant les syndicats et les groupes de femmes à l'époque du débat sur l'accord constitutionnel de Charlottetown; le Congrès du travail du Canada s'est rangé du côté des élites économiques et politiques tandis que le Comité canadien d'action sur le statut de la femme s'est rangé aux côtés du Parti réformiste et d'autres forces populistes pour s'opposer à cet accord. De plus, après avoir vu échouer une série de campagnes énergiques (dont certaines ont été de véritables crève-cœur, en ratant de peu leur objectif), plusieurs militants étaient au bord de l'épuisement. Le mouvement de résistance issu des syndicats, des groupes de femmes et des Églises a commencé à s'effriter. Lorsqu'on s'est aperçu que le Nouveau Parti démocratique ne pouvait plus s'appuyer sur son électorat traditionnel (en raison, principalement, de la performance des gouvernements néo-démocrates au pouvoir en Ontario, en Saskatchewan et en Colombie-Britannique), il s'est produit, en 1993, un revirement marqué dans l'allégeance politique, ce qui a contribué également à miner la résistance populaire.

Même si l'élection du gouvernement d'extrême droite de Mike Harris a servi de catalyseur à un renouveau de la résistance populaire en Ontario (mentionnons notamment le succès remporté par le mouvement des journées d'action), rien ne permet d'affirmer si cette nouvelle manifestation de solidarité vise effectivement à renverser la « révolution du bon sens » ou si elle reflète simplement une volonté de changer de gouvernement à Queen's Park.

Pour une nouvelle politique

Un examen plus poussé révèle l'existence d'un problème stratégique fondamental. Comme nous l'avons vu, le Conseil canadien des chefs d'entreprises et ses alliés des grandes entreprises ont déjà consolidé leur mainmise sur Ottawa et la plupart des provinces, dans presque tous les domaines de décision, politique, économique, social et écologique. La naissance d'un État protecteur des entreprises a, de fait, profondément transformé la nature et le rôle de l'État en fonction de l'intérêt des grandes entreprises. Bien que le mouvement de citoyens décrit ci-dessus ait souvent cherché, par le moyen de campagnes de résistance, à s'opposer au programme d'action du patronat, les stratégies et les tactiques employées ne reflétaient pas toujours leur analyse de la situation. En d'autres mots, les stratégies de mobilisation du mouvement s'attaquaient principalement aux gouvernements, sans toucher à la structure du pouvoir des entreprises qui se trouve directement derrière la prise de décision gouvernementale.

Alors que sonne l'heure de la mobilisation contre le régime Chrétien à Ottawa, ou contre les régimes Harris et Klein ou leurs homologues des autres provinces, dans des dossiers comme la création d'emplois, les soins de santé, l'aide sociale ou la protection de l'environnement, le mouvement de résistance a naturellement tendance à retomber dans son travers, qui consiste à s'attaquer uniquement aux gouvernements, sans remettre en cause les pouvoirs du patronat qui tire les ficelles et dicte les priorités.

Par ailleurs, le Conseil canadien des chefs d'entreprises, l'institut C. D. Howe et l'institut Fraser ont aggravé ce problème stratégique, en faisant eux aussi du gouvernement et de l'État les cibles précises de leurs campagnes. Comme nous l'avons vu, grâce à leur propagande continuelle des 20 dernières années, l'ingérence de l'État est aujourd'hui considérée comme l'ennemi public numéro un. Fort opportunément et sous l'impulsion du Parti réformiste, ces organisations sont parvenues à attiser des attitudes anti-État frôlant l'hystérie. En procédant de la sorte, elles ont réussi non seulement à créer une image négative de l'État, mais aussi à camoufler le rôle puissant que jouent les entreprises, à l'arrière-scène, dans la conduite des affaires publiques du pays.

En conséquence, les mouvements de citoyens se sont vus contraints de jouer un rôle de plus en plus défensif. Les campagnes de résistance, comme leur nom l'indique, plutôt que d'inciter à passer à l'offensive, avaient plus ou moins pour but de défendre le *statu quo*, soit l'État-providence. Même si, pour la plupart, les groupes engagés dans ces campagnes ne voyaient pas forcément l'État-providence comme une panacée et que certains allaient même jusqu'à juger cette forme de gouvernement dégradante et punitive, ils se sont trouvés acculés à adopter une position essentiellement défensive en raison de la dynamique politique imposée par les grandes entreprises. Le démantèlement fragmentaire de l'État-providence, conjugué à un accès de plus en plus restreint à l'appareil de prise de décision politique, leur a compliqué l'existence. Les mouvements de citoyens, aujourd'hui, s'en remettent beaucoup trop aux approches traditionnelles, comme celle qui consiste à s'en prendre surtout à la politique gouvernementale, pour amener un changement sociodémocratique. Ils estiment qu'il faut soit prôner des changements sur le plan des politiques et des pratiques gouvernementales, soit montrer la porte au parti au pouvoir en élisant un nouveau gouvernement. Cette approche, bien entendu, se fonde sur deux hypothèses erronées, la première, que l'État-providence est resté à peu près intact; et la deuxième, que ce sont toujours les gouvernements élus démocratiquement qui exercent le pouvoir.

La mainmise des entreprises sur l'État exige l'adoption d'une approche très différente. Les citoyens ne peuvent plus, d'une part, centrer leurs stratégies de changement social seulement sur les politiques et les programmes gouvernementaux ni, d'autre part, changer totalement de cible et s'attaquer uniquement aux entreprises en perdant de vue l'État, ce qui serait tout aussi irréaliste. S'il est vrai que la mainmise des entreprises sur l'État doit être la cible réelle des actions engagées, il faut, cependant, accorder la priorité stratégique *à la fois* aux entreprises *et* aux gouvernements. Ensemble, ils forment un État dominé par les entreprises, qui dicte les orientations et le contenu des politiques gouvernementales ayant une incidence sur notre avenir économique, social et écologique.

Tout cela, bien sûr, témoigne d'un besoin, chez les citoyens, d'adopter une nouvelle approche politique qu'il leur faudra soigneusement planifier. N'oublions pas qu'il a fallu 20 ans aux grandes entreprises et à leurs alliés de droite pour mobiliser les forces nécessaires au démantèlement de l'État-providence keynésien. Si les mouvements de citoyens de la gauche démocratique se montrent aujourd'hui déterminés à s'opposer à cette contre-révolution et à la renverser, ils doivent s'attendre alors à un long siège et préparer un plan stratégique à la fois à long terme et à court terme. La tâche à long terme consiste, au cours des 10 à 20 prochaines années, à élaborer des plans stratégiques pour démanteler les mécanismes de domination des entreprises à l'œuvre dans ce pays et rebâtir des institutions afin de décider démocratiquement de notre avenir économique, social et écologique.

Avant de s'atteler à cette tâche de longue haleine, cependant, il faut d'abord planifier et agir à court terme. Au cours des cinq prochaines années, les mouvements de citoyens devraient rassembler leurs forces afin de créer un climat favorable à une nouvelle approche politique. Durant cette période, il faudra principalement mettre en œuvre des stratégies d'action ayant pour but de dévoiler sur la place publique le poids réel qu'exercent les entreprises sur les orientations politiques à Ottawa et dans les capitales provinciales d'un bout à l'autre du pays.

La création d'un climat propice au renouveau politique exige que l'on entreprenne des démarches novatrices pour canaliser, vers les grandes entreprises qui forment alliance avec le gouvernement, la colère des Canadiens et leurs revendications en faveur d'un changement social. On ne ferait ainsi que reprendre le procédé que les grandes entreprises et leurs alliés ont employé et grâce auquel ils ont réussi à susciter dans la population des attitudes et des attentes négatives à l'endroit des gouvernements. Au cours des cinq prochaines années, il faut avant tout amener le peuple canadien à considérer que ce sont les grandes entreprises et le pouvoir qu'elles exercent sur l'orientation des politiques à Ottawa et ailleurs qui sont l'« ennemi public numéro un », et non le gouvernement à lui seul.

Les campagnes d'information devront exposer au grand jour l'aspect « mercantile » de l'alliance établie entre l'État et les entreprises à Ottawa et dans les provinces. Tant qu'on ne dévoilera pas cette face cachée au grand public, les mouvements de citoyens seront toujours sur la défensive. De fait, le seul moyen de passer à l'offensive, maintenant, consiste à viser publiquement les entreprises qui sont très actives dans notre vie politique et qui mettent en péril notre avenir démocratique. Cela ne veut pas dire que les syndicats, les organismes sociaux ou les groupes communautaires doivent temporairement oublier les enjeux et les luttes qui sont d'un intérêt vital pour les personnes qu'ils représentent. Bien au contraire, quels que soient ces enjeux aujourd'hui — le chômage, les soins de santé, les déchets toxiques, les garderies, la sécurité d'emploi, le logement social, le travail obligatoire, l'assurance-emploi, l'éducation publique, la sécurité sociale, l'exportation de l'eau, les coupes à blanc, la radiodiffusion publique, les prêts aux étudiants et bien d'autres encore —, il est à parier qu'ils subissent l'influence directe des acteurs clés du monde des affaires, quand ces derniers n'en dictent pas carrément l'orientation.

Si les groupes de citoyens veulent élaborer une nouvelle approche politique en ce sens, au cours des cinq prochaines années, ils devront mieux définir leurs méthodes et leurs aptitudes en vue de provoquer un changement sociodémocratique. Leur tâche comportera trois volets : *identifier, démasquer* puis *dépeindre* les acteurs clés du monde des affaires qui déterminent l'élaboration des décisions politiques, économiques, sociales et écologiques aux niveaux national et provincial. La mise en œuvre de ces trois volets nécessitera l'emploi de méthodes et de stratégies novatrices.

À première vue, cette tâche semble ardue. Après tout, certaines des entreprises les plus puissantes de ce pays, sans parler de leurs PDG, ne sont pas des figures familières au même titre que la plupart de nos chefs politiques. Malgré tout, une fois que les mouvements de citoyens auront identifié les entreprises correspondant à leurs enjeux prioritaires, qu'ils auront accumulé les données disponibles à leur sujet et qu'ils auront exploré les activités internes et ce qui les relie entre elles, ce sera un jeu d'enfant que de diriger les projecteurs sur ces entreprises et leurs PDG qui travaillent dans l'ombre. En bref, ce qu'il faut aujourd'hui, en politique canadienne, c'est une bonne connaissance des activités des entreprises. Et si les organismes sociaux, les syndicats et les groupes communautaires doivent être les premiers à cultiver ce type de connaissances sur les entreprises pour les appliquer dans notre vie politique, ils doivent se doter des outils nécessaires à cette fin.

Avant d'examiner ce que peuvent faire les groupes de citoyens à ce sujet, il faut absolument se rappeler que les grandes entreprises et leurs alliés s'affairent eux aussi à mettre en œuvre leur propre stratégie. L'institut Fraser, par exemple, a récemment présenté un plan quinquennal, intitulé « Towards the New Millennium », qui fixe de nouveaux objectifs afin d'élargir le bassin de lecteurs de son magazine mensuel, d'étendre son programme de « pénétration des médias » et d'augmenter le nombre de ses publications. Michael Walker prévoit aussi faire de l'indice de liberté économique de l'institut Fraser « l'indice de liberté économique le plus consulté du monde », en organisant des forums annuels sur la liberté économique dans 10 pays, en décernant chaque année un Prix pour la liberté économique dans le cadre du Forum de l'économie mondiale de Davos, en Suisse, et en sollicitant l'aide des entreprises transnationales pour la mise en place de ce programme.

Au pays, l'institut Fraser prévoit : « devenir la principale source d'information sur les soins de santé privés » ; faire pression en faveur de lois provinciales sur le « droit au travail » ; promouvoir « une solution fondée sur la propriété privée et le marché » pour répondre aux problèmes écologiques ; mettre sur pied un indice sur « les coûts croissants qu'engendrent les impôts et les réglementations gouvernementales » ; offrir une « solution de rechange » à l'institut Vanier concernant le rôle de la famille dans la société ; et, enfin, lancer un nouveau projet sur « le droit et les marchés » dans le but de réformer le système juridique du Canada pour ainsi promouvoir la croissance économique, ce qui pourrait comprendre la privatisation du système pénal.

Pour que la contre-offensive soit efficace, la gauche démocratique doit donc concevoir une nouvelle approche politique. D'entrée de jeu, il est essentiel que la nouvelle approche retenue par les groupes de citoyens soit solidement ancrée dans l'héritage politique et culturel du Canada, et qu'elle en soit le reflet.

La souveraineté populaire

L'un des plus grands défis qui s'offrent aux mouvements de citoyens à l'heure de l'élaboration d'une nouvelle approche politique est d'asseoir leur action sur une argumentation solide. Ces dernières années, les droits démocratiques sont devenus un argument sur lequel il est difficile de s'appuyer. Non seulement les « droits des investisseurs » dans la nouvelle économie mondiale ont remplacé les « droits des citoyens » dans une société démocratique, mais le rôle et la signification même du mot « citoyen » ont été changés et dénaturés. L'institut Fraser et le Parti réformiste ont organisé des campagnes conjointes qui ont en effet ravalé le « citoyen » au rang de « contribuable » et de « consommateur » dans notre culture politique.

Dans la nouvelle économie de marché, on accorde la priorité aux droits individuels plutôt qu'aux droits collectifs. Les citoyens se voient progressivement dépouillés de leurs droits politiques et sociaux. En revanche, les entreprises ont gagné des droits politiques et collectifs. Par conséquent, si les mouvements de citoyens tiennent à mettre au point une nouvelle approche politique, ils doivent prendre des mesures réfléchies afin de rétablir et de réaffirmer les droits démocratiques fondamentaux sur lesquels s'appuiera leur action.

Au cours des deux derniers siècles, on s'est battu dans le monde entier pour la reconnaissance de la souveraineté des droits démocratiques et des droits de la personne, et ce, qu'il s'agisse du droit de manger, de se vêtir et de se loger adéquatement, du droit à l'emploi, à l'éducation et aux soins de santé, ou encore du droit à un environnement propre, à l'égalité sociale, à la diversité culturelle et aux services publics. Le droit à l'autodétermination revêt une grande importance, de même que la capacité de participer effectivement aux décisions qui influent sur l'exercice de ces droits. Aujourd'hui, ces droits démocratiques fondamentaux sont consacrés dans des conventions internationales telles que la Déclaration universelle des droits de l'homme, le Pacte international relatif aux droits économiques, sociaux et culturels et le Pacte international relatif aux droits civils et politiques. S'ajoutent à cela les droits fondamentaux de la planète Terre, de ses écosystèmes et de la diversité des espèces qui la peuplent, qui ont été enchâssés dans la Charte de la Terre lors du Sommet de Rio sur l'environnement et le développement durable. Aujourd'hui, cependant, ces droits fondamentaux de la population et de la planète risquent d'être relégués aux oubliettes. De plus en plus, non seulement la nouvelle culture du marché les mine et les érode, mais ils sont également dénaturés dans cette nouvelle ère de tyrannie des entreprises.

Globalement, ces droits forment l'ensemble des droits collectifs que confère aux individus le fait de vivre dans une société démocratique. Ils sont au cœur de ce que l'on entend par souveraineté populaire, c'est-à-dire une souveraineté qui part de la base. C'est forts d'une telle souveraineté que les mouvements de citoyens sont en mesure de résister efficacement aux formes de tyrannie et d'oppression. Cette théorie n'a rien d'abstrait pour les Canadiens, puisqu'elle s'enracine au plus profond de l'histoire des mouvements sociaux du pays.

Prenons, par exemple, les mouvements populaires qui ont mené à la rébellion de 1837 dans le Haut-Canada et le Bas-Canada. D'après l'historien Stanley B. Ryerson, il y a 160 ans, le Haut-Canada (principalement l'Ontario d'aujourd'hui) était régi par le *Family Compact*, un pacte qui réunissait de grands propriétaires terriens, des banquiers et des marchands. Ceux-ci, grâce au haut clergé de l'Église anglicane, étaient directement en relation avec les capitalistes de Londres et les autorités coloniales britanniques. William Lyon Mackenzie, à l'époque un des leaders du mouvement populaire, a défini ce pacte comme un réseau de relations familiales qui gouvernait le Haut-Canada selon son bon plaisir et n'était soumis à aucun mécanisme de contrôle permettant de protéger le peuple de sa tyrannie et de son oppression.

Au même moment, le Bas-Canada (principalement le Québec d'aujourd'hui) vivait dans un système féodal, fondé sur le domaine seigneurial, où une grande part des terres appartenaient à l'Église catholique et à des entreprises comme la British American Land Company. Les démocrates révolutionnaires du Bas-Canada, mieux connus sous le nom de patriotes et qui avaient à leur tête Louis-Joseph Papineau, ont décrit la loi de la tenure seigneuriale comme « l'effroyable visage de l'oppression féodale ».

Alors qu'il organisait la résistance populaire contre le *Family Compact,* fondé sur la domination des entreprises dans le Haut-Canada au cours des années 1830, Mackenzie a déclaré que la totalité des revenus du Haut-Canada était, en réalité, entre les mains des participants à ce pacte, soit les intendants, les administrateurs, les vérificateurs, les rois, lcs seigneurs et les députés. « Les fermiers travaillent fort, les marchands travaillent fort, les ouvriers travaillent fort, s'est-il exclamé, et les membres du *Family Compact* récoltent les fruits de leur labeur. »

Réaffirmant les droits fondamentaux de la population, Mackenzie et ses compatriotes ont organisé une vaste coalition pour combattre la domination coloniale et ses abus. Élu maire de Toronto en 1834 (à la grande surprise des membres du *Family Compact*), Mackenzie a constitué un comité de plaintes chargé d'entendre les doléances de la population. Lorsque le comité a rendu public son rapport, Mackenzie a décidé qu'il fallait avant tout établir une forme de « gouvernement responsable », puisqu'il n'existait pas de tel système « pour protéger la population de l'usurpation de ses droits par le pouvoir exécutif dans le Haut-Canada ».

En 1837, sous le leadership de Mackenzie, on a mis sur pied dans le Haut-Canada un mouvement populaire qui devait s'emparer du pouvoir à la faveur d'une énorme manifestation à Toronto. Le *Family*

Compact a lancé une offensive militaire qui a rapidement anéanti ce mouvement populaire pour un « gouvernement responsable », avant que celui-ci n'ait la possibilité de prendre véritablement son essor.

De même, les patriotes du Bas-Canada ont fait exploser le système de monopole des terres et des domaines seigneuriaux par lequel « le capital … [s'engouffrait] dans les coffres [des] maîtres et suzerains, les sociétés immobilières du Canada ». À leur assemblée, en 1834, les patriotes ont adopté 92 résolutions exigeant la fin de la domination coloniale et l'adoption de leur propre forme de gouvernement responsable, doté d'assises démocratiques. Rejetant le modèle britannique de gouvernement, les patriotes ont proposé de former une assemblée populaire pour gouverner. Comme Louis-Joseph Papineau l'a dit à l'époque, ce qu'ils demandaient n'était rien d'autre que des institutions politiques « plus conformes à la situation véritable des Canadiens ».

Papineau a amorcé la résistance par un boycottage massif des produits britanniques, qui a atteint son apogée en 1837 lors du rassemblement de 5 000 personnes provenant de six cantons du Richelieu. L'événement a jeté les bases d'un gouvernement populaire provisoire. Dans la bataille qui a suivi, les patriotes ont d'abord repoussé les forces britanniques. En 1838, ils ont promulgué une déclaration d'indépendance par rapport à la Grande-Bretagne, réclamant l'établissement d'un « gouvernement patriotique et responsable ». Ryerson signale que, au moment où les patriotes ont installé leurs camps le long de la rivière Richelieu, au cours de l'été de 1838, les forces militaires britanniques étaient déterminées non seulement à mettre en déroute les « rebelles », mais aussi à les exterminer.

Pourtant, les mouvements conduits par Papineau et Mackenzie reposaient en grande partie sur le principe de la souveraineté populaire et cherchaient à démanteler les structures qui soutenaient la domination des entreprises de l'époque. Peut-être plus connues, les rébellions des Métis, menées par Louis Riel d'abord au Manitoba puis en Saskatchewan, après la Confédération, partageaient le même objectif. En 1869, le peuple métis s'est déclaré souverain dans la vallée de la rivière Rouge, a établi son propre gouvernement provisoire et a promulgué une « Liste de droits », sorte de plate-forme de revendications qui s'opposait à un accord que le Canada et la Compagnie de la Baie d'Hudson étaient en voie de conclure. En bref, Ottawa et Londres s'étaient entendus pour effectuer une transaction immobilière de grande envergure, en vertu de laquelle la Compagnie de la Baie d'Hudson recevrait de fortes sommes d'argent en échange d'une vaste étendue de terres dans le Nord-Ouest canadien, des terres indiennes dont la compagnie n'était même pas propriétaire au départ.

D'autres événements de ce type ont ponctué notre histoire, comme la grève générale de Winnipeg en 1919, les grèves des mineurs de charbon du Cap-Breton ou encore les protestations des fermiers de l'Ouest contre les tarifs établis dans l'est du pays durant les années 1920. La résistance populaire contre les abus de pouvoir des entreprises prend alors sa source dans les droits fondamentaux de la population. Des hommes, et souvent des femmes, comme Agnes MacPhail, ont joué des rôles de premier plan dans les luttes des agriculteurs et des travailleurs pour défendre les droits démocratiques fondamentaux contre les entreprises qui tenaient le gouvernement à la gorge.

Aujourd'hui, il faut reconquérir ces droits souverains qui font partie de notre histoire culturelle et politique pour jeter les bases d'une action populaire. C'est en s'inspirant de la souveraineté populaire que les citoyens : *a*) expriment leurs aspirations et leurs rêves communs en tant que membres d'une communauté politique ; *b*) revendiquent leur droit de contrôler leur avenir économique, social et écologique ; *c*) définissent les priorités, les normes et les conditions auxquelles doivent se conformer les entreprises qui exercent leurs activités dans la collectivité ; *d*) pressent le gouvernement d'exercer son autorité morale et politique afin de s'assurer que les entreprises respectent intégralement ces normes et conditions avant de les autoriser à se lancer en affaires ; *e*) entreprennent différentes actions nécessaires pour le respect des droits fondamentaux de la collectivité.

En bref, ce sont quelques-uns des principes de base sur lesquels doit s'appuyer un plan d'action des citoyens. C'est seulement en recouvrant la souveraineté qui servira de fondement à leur action que les mouvements de citoyens pourront commencer à rebâtir leurs forces et s'attaquer à l'actuelle domination des entreprises sur la collectivité.

Les campagnes contre les entreprises

Depuis plus de vingt ans, les mouvements de citoyens ont mené des campagnes de résistance de très grande envergure, à l'échelle internationale, pour contrer le pouvoir exercé par les entreprises. Au cours des années 1970 et 1980, Nestlé (qui contrôle la moitié du marché mondial de la nourriture pour bébés) a été la cible d'une campagne internationale de boycottage de ses produits et de lobbying parce qu'elle avait recours à des pratiques commerciales, malheureusement bien connues, qui visaient à substituer le lait en poudre à l'allaitement maternel dans les pays du tiers-monde. À la même époque, on a organisé, en Europe et en Amérique du Nord, des campagnes visant les détenteurs d'actions afin de mettre un terme à tout prêt bancaire et à tout investissement consentis au régime de l'apartheid en Afrique du Sud.

Un scénario semblable s'est déroulé aux États-Unis et au Canada, où les actionnaires ont été la cible principale des campagnes s'opposant aux banques et aux entreprises qui faisaient affaire avec le régime dictatorial sanglant du général Pinochet au Chili.

En 1984, on a intenté des poursuites judiciaires contre la société Union Carbide et on a organisé, à coup de millions de dollars, des campagnes publiques contre cette société après la fuite de gaz toxiques survenue à son usine de Bhopal, en Inde, laquelle a blessé ou tué des milliers de personnes. Plus récemment, un boycottage mondial s'est organisé contre Shell et une poignée d'autres sociétés pétrolières, qui ont causé d'importants dégâts à l'environnement dans le sud du Nigeria et détruit les principales sources de revenus de populations locales, tels les Ogonis, qui vivaient de l'agriculture et de la pêche. Les méthodes employées par Shell ont conduit le gouvernement nigérian (dont 80 % des revenus proviennent du pétrole, Shell, à elle seule, en représentant la moitié) à commettre de graves violations des droits de la personne.

Plus près de nous, des citoyens s'en sont pris aux méthodes de certaines entreprises, tant aux États-Unis qu'au Canada. Ainsi, en 1976, le Syndicat des travailleurs du vêtement et du textile, employant des stratégies élaborées par Ray Rogers, a orchestré une campagne habile contre l'entreprise J. P. Stevens, qui exploite les travailleurs de ses filatures de coton. Sa croisade visait les conseils d'administration interreliés des sociétés qui finançaient et approvisionnaient cette gigantesque entreprise et faisaient des affaires avec elle. Plus tard, aux États-Unis, le mouvement des « concierges pour la justice », mis sur pied par les syndicats, a combiné des stratégies d'action directe (par exemple, des barrages routiers) à l'organisation communautaire pour accentuer les pressions sur les sociétés immobilières.

Au nombre des campagnes dirigées contre des entreprises par le mouvement écologiste américain, celle qui a retenu l'attention mondiale a été orchestrée par le Réseau d'action pour les forêts tropicales, qui s'insurgeait contre les méthodes abusives d'exploitation forestière de Mitsubishi dans des régions boisées depuis longtemps. Ici au Canada, les syndicats ont eu recours à divers moyens de pression économiques pour contrer le pouvoir des entreprises : que l'on pense aux négociations et à la grève couronnée de succès des Travailleurs canadiens de l'automobile contre General Motors et Ford, et à la stratégie du Syndicat des métallurgistes unis en faveur du rachat d'Algoma Steel par les travailleurs. De même, UNITE a mené une campagne vigoureuse au nom des travailleurs du textile et du vêtement ici et en Amérique centrale pour forcer la chaîne de vêtements GAP à adopter un code de conduite commerciale.

Les Églises ont aussi mené des croisades contre les actionnaires de banques et de grandes entreprises pour protester contre des abus sociaux et environnementaux ainsi que contre des violations des droits de la personne. Plus récemment, on a vu des groupes écologistes comme Greenpeace mener des campagnes publiques comme on n'en avait jamais vu auparavant. Dans le cas de Clayoquot Sound, dans l'île de Vancouver, par exemple, une campagne de désobéissance civile, combinée à des pressions internationales exercées sur les fournisseurs, a réussi en partie à forcer le gouvernement de la Colombie-Britannique à ralentir les activités forestières de MacMillan Bloedel dans les régions boisées depuis longtemps.

Dans cette foulée, des mouvements de citoyens comme le Conseil des Canadiens ont eux aussi lancé une poursuite devant les tribunaux et une campagne publique contre le quasi-monopole de Conrad Black sur les journaux canadiens par l'entremise de sa société Hollinger. Et, bien sûr, il ne faut pas passer sous silence le mouvement antitabac dont les campagnes contre les principales entreprises de tabac, au Canada et aux États-Unis, ont porté des fruits.

Dans l'ensemble, toutes ces croisades montrent de quoi sont capables les mouvements de citoyens quand ces derniers sont décidés à faire le nécessaire pour contrecarrer la puissance des grandes sociétés. L'étude de ces campagnes nous fait découvrir la variété des outils stratégiques et tactiques auxquels on peut avoir recours : poursuites judiciaires, boycottages, grèves, actions centrées sur les actionnaires, actions directes et pressions économiques visant les conseils d'administration interreliés.

Toutefois, c'est au moment de s'attaquer au démantèlement des systèmes de domination des entreprises que chacune de ces stratégies d'action dévoile ses faiblesses aussi bien que ses forces. Dans la plupart des cas, ces stratégies portent sur des questions très précises et visent principalement à contrer les abus et les violations que commettent des entreprises particulières. Même si cette approche ponctuelle engendre souvent la participation active du public, elle a parfois tendance à détourner l'attention de celui-ci des dimensions plus systémiques et plus politiques de la domination exercée par les entreprises. Par ailleurs, en ne s'intéressant qu'aux méthodes abusives d'une entreprise en particulier, on a tendance à oublier les profondes ramifications du pouvoir des sociétés.

On remet rarement en question, par exemple, la nature des entreprises, leur mandat et leur rôle, leurs droits et libertés et la source de leur autorité. Les efforts que nous déployons pour rendre les entreprises individuelles plus « responsables sur les plans social et démocratique » n'atteignent pas les fondements de leur domination, pas plus que les campagnes pour lesquelles le boycottage est le seul moyen envisagé, et qui ont tendance à réduire les « citoyens » au rôle de « consommateurs ». Même si ces boycottages s'avèrent des outils stratégiques essentiels, il faut que les mouvements de citoyens apprennent à les utiliser à bon escient afin de ne pas se trouver emportés dans le tourbillon de l'économie de marché.

Face à la réalité de la domination exercée par les entreprises, les mouvements de citoyens n'ont aujourd'hui pas d'autre choix que d'adopter un nouveau style d'action. Il ne s'agit pas de rejeter les stratégies et les tactiques mises au point ces 20 dernières années. Il faut toutefois orienter différemment les stratégies d'action des citoyens, afin de s'attaquer aujourd'hui aux structures du pouvoir des entreprises. Pour cela, il faut poser plusieurs hypothèses.

Premièrement, les entreprises (qu'elles soient canadiennes ou étrangères) sont devenues des acteurs dominants dans presque tous les aspects de la vie publique du pays. Cela est tout aussi vrai si l'on parle des domaines où les entreprises ont de tout temps exercé leur domination, c'est-à-dire le secteur privé — les milieux financiers, le secteur manufacturier, l'agriculture et les industries d'exploitation des ressources naturelles —, ou de ceux qu'elles s'approprient progressivement, c'est-à-dire le secteur public — l'éducation, les soins de santé, la sécurité sociale, l'eau, le transport et les communications. Ainsi, tout est prêt pour la mise sur pied de mouvements de citoyens contre les entreprises à tous les niveaux de notre vie publique.

Deuxièmement, l'entreprise, en tant que machine politique, doit devenir la cible principale des croisades de citoyens. Il faut donc viser, bien entendu, le pouvoir grandissant que les entreprises exercent sur la prise de décisions politiques grâce à un vaste arsenal de moyens et de ressources. Au nombre de ceux-ci se trouvent les groupes de recherche qui représentent leurs intérêts, le financement des campagnes électorales, la publicité politique et les mécanismes de pression exclusifs, sans oublier le rôle direct que jouent les entreprises dans les orientations politiques des gouvernements et le statut spécial dont elles jouissent à titre de « citoyennes » ayant des droits politiques protégés par la Constitution.

Troisièmement, les campagnes de citoyens contre les entreprises doivent être ancrées solidement dans l'idéal de la souveraineté populaire. À l'instar des combats qu'ont menés, dans le passé, les Mackenzie, Papineau, Riel et MacPhail, qui plongeaient leurs racines dans une vision de souveraineté populaire, les mouvements de citoyens d'aujourd'hui doivent retrouver et réaffirmer leurs droits démocratiques primordiaux, qui sont le fondement de leur action sociale.

L'adoption d'un nouveau style de campagne contre les entreprises, selon ces orientations, ne se fera pas du jour au lendemain. Néanmoins, on peut voir à certains signes qu'un renouveau est en marche. Ainsi, en Inde, les citoyens font campagne pour que des compagnies comme Cargill et Poulet frit Kentucky soient ni plus ni moins mises à la porte du pays, en raison de leur influence destructrice sur le mode de vie et la culture des Indiens. Aux États-Unis, la résistance s'organise dans plusieurs États afin de faire révoquer les chartes d'entreprises comme Weyerhaeuser, dans l'État de l'Oregon, et Waste Management, en Pennsylvanie, parce qu'elles ont transgressé les mandats que le peuple souverain leur avait donnés par le truchement du corps législatif de leur État.

Bien que ces campagnes n'aient pas forcément pour but de s'attaquer à la nature des entreprises en tant que machines politiques, elles font plus que dénoncer des abus particuliers, elles visent aussi le démantèlement des activités des entreprises qui jouent un rôle néfaste dans la société. Elles agissent, de surcroît, en fonction des droits démocratiques fondamentaux des citoyens et de l'affirmation de leur souveraineté. Au Canada, nous devons adopter un style de campagne qui s'attaquera aux machines politiques des entreprises, forces agissantes derrière les prises de décision de l'État, qui ont une influence directe sur l'avenir économique, social et écologique de la population de ce pays et d'autres nations dans le monde.

Au cours des cinq prochaines années, les citoyens doivent saisir l'occasion qui leur est donnée d'élaborer ce nouveau style de campagne contre les entreprises. Ils devraient mettre à profit cette période pour créer avant tout un climat favorable à une nouvelle approche politique, en sensibilisant le public au pouvoir énorme qu'exercent les entreprises et en consolidant les droits démocratiques fondamentaux des citoyens. Le premier objectif consiste à mettre en œuvre des campagnes visant les entreprises qui, dans des secteurs clés de l'économie canadienne, fonctionnent comme des machines politiques, dirigeant et contrôlant la prise de décision dans divers domaines. Il faut *identifier, démasquer* et *dépeindre* ces machines politiques que sont les entreprises qui façonnent notre avenir économique, social et écologique. Un coup d'œil sur le paysage politique du Canada nous permet de dire que les mouvements de citoyens peuvent lancer une offensive simultanée contre les entreprises sur au moins trois fronts au cours de cette période.

Premier champ de bataille: reprendre en main notre destinée économique

Le premier champ de bataille décisif sur lequel doivent porter les campagnes de citoyens est celui de la reprise du contrôle de leur *avenir* économique. C'est dans cette arène de la politique macroéconomique qu'Ottawa prendra des décisions cruciales quant à ses orientations dans des dossiers comme la réduction de la dette et la création d'emplois. Pour entrer dans cette arène, il faut être prêt à se battre dans les domaines de la finance, du commerce, de l'investissement et de la fiscalité. C'est pourquoi plusieurs mouvements de citoyens préfèrent se tenir à l'écart de ces débats politiques, mais il reste que c'est dans ces domaines que les grandes entreprises pèsent de tout leur poids sur les décisions relatives à la politique économique, tant au niveau fédéral qu'au niveau provincial. Il est fort possible que le gouvernement Chrétien veuille camoufler ses stratégies de réduction de la dette et de création d'emplois derrière un visage social, mais il ne faut pas oublier que ce sont encore les libéraux de droite qui tirent les ficelles à Ottawa.

Plus encore, le CCCE et la machinerie politique des entreprises continueront de fixer les modalités de fonctionnement des secteurs clés de l'économie canadienne et de dicter à Ottawa ce qu'il peut ou ne peut pas faire. Il faut profiter des cinq prochaines années pour tracer une stratégie d'action concertée et soutenue visant à identifier, démasquer et dépeindre les principaux acteurs du monde des affaires qui orientent les stratégies gouvernementales concernant la réduction de la dette et la création d'emplois, dans les deux principaux ordres de gouvernement.

La réduction de la dette

Alors qu'Ottawa se rapproche de son objectif du déficit zéro, qu'il doit atteindre en 1999, un grand débat politique va faire rage sur l'emploi des surplus financiers qui, selon certains analystes, pourraient atteindre 90 milliards de dollars. La machine politique du secteur des finances va à coup sûr peser de tout son poids sur le gouvernement afin qu'il destine la majeure partie de ces surplus au remboursement de la dette et à la réduction des impôts, au lieu de les réinjecter dans les programmes sociaux. Parmi les acteurs clés de cette machine politique financière figurent, bien sûr, la Banque Royale du Canada, la CIBC, la Banque de Nouvelle-Écosse, la Banque de Montréal et la Banque Toronto-Dominion, de même que leurs maisons de courtage respectives, RBC Dominion Securities, Wood Gundy, Scotia McLeod et Toronto-Dominion Securities, ainsi que des compagnies d'assurances comme la Great West Life.

Comme nous l'avons vu, l'endettement du pays a été extrêmement profitable à toutes ces institutions, et c'est pourquoi nous devons échafauder aujourd'hui une campagne bien orchestrée afin de montrer à la face du monde que les institutions financières seront les seules à retirer des bénéfices d'une politique qui accorderait la priorité à la réduction de la dette au lieu de prévoir la réinjection de fonds dans les programmes sociaux.

Une telle campagne permettrait de mettre en lumière les profits énormes que les banques (qui encaissent déjà des revenus d'intérêts de six à sept milliards de dollars par année) retireraient des prêts sans risque si elles assumaient une partie encore plus grande du fardeau de la dette d'Ottawa, comme le permet la récente déréglementation des lois canadiennes sur les banques. Elle révélerait aussi que ces mêmes institutions financières sont celles qui ont le plus contribué aux coffres du Parti libéral fédéral, durant les années électorales comme dans les années sans élection, et qu'elles n'hésitent pas à faire appel à la propagande politique pour mousser leurs orientations politiques. Une telle campagne pourrait viser une banque ou une maison de courtage en particulier, mais sa stratégie devrait chercher à démasquer et à mettre au jour l'ensemble du secteur financier et de sa machinerie politique.

La création d'emplois

Un taux officiel de chômage plafonnant autour de 10 %, des problèmes structurels reliés au sous-emploi et le chômage caché conduiront sans aucun doute la population à accentuer ses pressions sur le gouvernement d'Ottawa pour qu'il mette en place un programme de création d'emplois. Les grandes entreprises, elles, veulent surtout s'assurer qu'Ottawa ne présentera pas une quelconque stratégie industrielle menant à la création d'emplois. Le secteur financier et sa machine politique vont continuer de faire pression pour que la Banque du Canada maintienne le cap sur le contrôle de l'inflation par le biais de taux d'intérêt réels élevés, au lieu de faire de la création d'emplois une priorité en favorisant une politique de taux d'intérêt plus faibles. Ils seront appuyés en ce sens par les principaux artisans du chômage au pays et leur machine politique. Parmi les grandes entreprises qui ont fortement réduit leurs effectifs au cours des dernières années, le Canadien Pacifique en tête, figurent : les fabricants d'automobiles comme General Motors et Ford ; des sociétés d'exploitation des ressources naturelles comme Alcan, Abitibi-Price, Domtar, Noranda et Stone Consolidated ; et, enfin, des entreprises appartenant au secteur du commerce de détail et au secteur manufacturier, telles Imasco, K-Mart, Provigo et Sears.

L'idéal serait de concocter une campagne publique qui viserait deux ou trois des entreprises du pays qui ont fait le plus de mises à pied, ainsi qu'une ou deux banques. Une initiative de ce genre permettrait de dévoiler comment ces entreprises s'y prennent, en tant que machines politiques, pour empêcher le Canada de mettre sur pied une stratégie de création d'emplois digne de ce nom. Cette campagne montrerait de surcroît comment ces entreprises, tout en réalisant des profits, ont pu licencier massivement du personnel ; comment le régime fiscal récompense ces mises à pied ; comment les banques étouffent la création d'emplois en refusant de prêter aux petites entreprises les fonds dont elles ont besoin ; comment les accords de libre-échange se trouvent à restreindre les choix d'Ottawa ; et comment la plupart des investissements étrangers servent, de nos jours, à racheter des compagnies existantes (ce qui entraîne souvent des mises à pied importantes) plutôt qu'à développer des industries créatrices d'emplois.

La réduction de la dette et la création d'emplois sont deux des principales luttes politiques qui seront encore au cœur des décisions économiques au cours des prochaines années. Il est essentiel que les syndicats, de concert avec les organisations sociales et les groupes communautaires, élaborent et lancent des campagnes pour dévoiler le jeu politique du patronat, qui non seulement oriente les décisions politiques d'Ottawa et des provinces, mais place également le milieu des affaires en bonne position pour profiter de ces décisions. Plusieurs autres luttes politiques s'engagent aujourd'hui et se poursuivront durant les cinq prochaines années. Des actions stratégiques sur ces fronts permettraient de renforcer les campagnes contre les entreprises portant sur les questions de la réduction de la dette et de la création d'emplois. En voici quelques exemples.

Les missions commerciales

Maintenant que le Canada est devenu l'un des principaux promoteurs du libre-échange, Ottawa participera sans aucun doute davantage aux négociations et aux missions commerciales des cinq prochaines années. Le patronat canadien a des intérêts importants à défendre dans les négociations commerciales sur l'élargissement de l'ALENA qui se tiendront dans le cadre du Sommet des Amériques, ainsi que dans le développement de l'Organisation de coopération économique Asie-Pacifique (APEC) comme régime de libre-échange entre les pays du Pacifique. Il est indispensable que les actions de citoyens engagées sur ces deux fronts commerciaux identifient et dévoilent le rôle du CCCE et de certains acteurs du monde des affaires (qui représentent les forces occultes derrière ces orientations commerciales), et qu'elles montrent les retombées négatives de ces nouveaux accords sur les emplois et les salaires, la sécurité sociale, les soins de santé et l'environnement. Ainsi, lors du sommet des dirigeants des pays membres de l'APEC tenu à Vancouver en novembre 1997, le CCCE a organisé pendant trois jours une réunion de PDG de grandes entreprises provenant de la région Asie-Pacifique, assortie de dialogues directs avec des dirigeants gouvernementaux. Cette réunion aurait pu faire l'objet d'une mobilisation de la résistance populaire.

Dans la même veine, les missions commerciales annuelles très médiatisées qu'organise Ottawa devraient faire l'objet d'une action publique concertée qui mettrait en lumière le rôle de simples promoteurs que jouent les premier ministres du Canada et des provinces en aidant les grandes entreprises à vendre leurs produits.

La spéculation financière

La croissance rapide et continue des transactions financières non réglementées qui alimentent l'« économie de casino » pourrait déclencher une autre bataille qui est susceptible de prendre de l'ampleur au cours des années à venir. On estime maintenant que le système bancaire du Canada effectue, chaque année, plus de 27 000 milliards de dollars de transactions financières. Ces transactions vont de la vente d'actions, d'obligations et de devises aux contrats d'options, contrats à terme et dérivés. La plupart d'entre elles, comme nous l'avons vu, sont de nature spéculative et non productive. Malgré cela, contrairement aux biens et services sur lesquels on impose maintenant une taxe (TPS), ces transactions sont exemptes d'impôt au Canada.

Une campagne qui s'attaquerait à la spéculation financière constituerait un grand pas vers l'établissement d'un climat favorable à une nouvelle approche politique. Celle-ci aurait pour but d'identifier et de démasquer les riches individus et les entreprises lucratives qui font fortune tous les jours par le biais de transactions financières spéculatives. On pourrait aussi mettre en évidence le lien qui existe entre ces transactions financières et la crise de la dette et de l'emploi au Canada.

Les impôts sur les entreprises

Au cours des dernières années, les mouvements de citoyens ont pris diverses initiatives pour bien montrer que plusieurs entreprises lucratives au Canada ne paient pas leur juste part d'impôt. Il y a encore beaucoup à faire à ce chapitre. Il n'y a aucun doute que toute la question de l'impôt sur les sociétés est capitale, et ce parce qu'elle constitue non seulement un facteur important de la dette nationale, mais aussi un facteur de chômage, particulièrement lorsque les entreprises sont récompensées d'avoir procédé à des mises à pied et bénéficient de déductions et de crédits fiscaux. Il serait temps qu'une bonne campagne de sensibilisation publique dévoile les iniquités du régime fiscal des entreprises, y compris le recours aux prix de cession interne et aux paradis fiscaux situés à l'étranger. Une campagne publicitaire, par exemple, pourrait diriger les projecteurs sur les 15 principales entreprises dont les impôts ont été différés en 1996 — Seagram, Bell Canada, BCE, le Canadien Pacifique, la Compagnie pétrolière Impériale, Alcan Aluminium, Pan-Canadian Petroleum, Chrysler Canada, Shell Canada, Petro-Canada, Noranda, Norcen Energy Resources, Anderson Exploration, Home Oil Co., Albert Energy Co., Westcoast Energy, Suncor, IPL Energy, Thomson et Dofasco *(voir les graphiques à l'annexe IV)*. Une telle campagne pourrait viser à contrebalancer les exigences croissantes des grandes entreprises et de leurs alliés de droite en faveur de réductions fiscales encore plus avantageuses.

Les traités sur l'investissement

Au cours des deux prochaines années, une succession de négociations pourrait mener à la conclusion d'un traité international sur l'investissement. Bien que l'OCDE ait vu ses projets en faveur de la signature de l'Accord multilatéral sur l'investissement (AMI) être contrecarrés, les États-Unis ne désespèrent pas de voir l'AMI adopté au plus tard au mois de mai 1998. Si leurs espoirs sont déçus, les États-Unis s'efforceront alors probablement d'établir un tel traité mondial sur l'investissement par l'intermédiaire de l'Organisation mondiale du commerce. Dans un cas comme dans l'autre, le gouvernement canadien restera certainement un des principaux partisans de l'AMI, d'où l'urgence d'organiser une campagne qui démontrerait à quel point ce traité fait en réalité partie du système de domination des entreprises.

Huit années d'expérience directe dans le domaine des codes d'investissement, qu'il s'agisse de celui de l'Accord de libre-échange ou de l'ALENA, ont fait douloureusement sentir aux Canadiens à quel point ces mécanismes accroissent les droits et les pouvoirs des entreprises transnationales. Si l'AMI entre en vigueur, il aura un effet encore plus dévastateur sur notre économie et notre société. En fait, véritable camisole de force, il entraverait gravement le pouvoir décisionnel des gouvernements fédéral et provinciaux dans le domaine de la création d'emplois, des soins de santé, de la culture, de l'éducation, de l'environnement, et même dans le domaine constitutionnel (*voir l'annexe V*). Une campagne contre l'AMI doit mettre en lumière les menaces que constitue ce type d'accord pour notre bien-être économique, social et politique. Elle doit aussi révéler à qui il profite, en pointant les principales entreprises canadiennes qui favorisent la ratification d'un tel traité.

Nous venons de brosser un tableau des grandes luttes politiques qui se dérouleront sur ce champ de bataille dans les prochaines années. Le monde des affaires cherchera à tout prix à préserver sa machine politique bien huilée, laquelle est prête à jouer un rôle décisif dans la bataille pour le contrôle des orientations économiques d'Ottawa. Ce qui se passera sur ce terrain aura également des retombées sur les deux autres champs de bataille.

Deuxième champ de bataille : la maîtrise de notre avenir social

L'autre bataille que devront mener les citoyens se jouera sur le front du contrôle de notre avenir *social*. Sur ce champ de bataille se déroulera la lutte pour la sauvegarde des programmes sociaux et des services publics au Canada. Les entreprises, canadiennes et étrangères, se lancent actuellement à l'assaut des programmes et des services que dispensait auparavant le secteur public, particulièrement dans le domaine des soins de santé et de l'éducation. La pénurie financière est telle, dans les secteurs des soins de santé et de l'éducation (principalement à cause de la mise en place du Transfert canadien en matière de santé et de programmes sociaux), que les gouvernements provinciaux ont dû rapidement se résoudre à privatiser divers services, sous forme de contrats de sous-traitance, de retrait de la couverture médicale, de tickets modérateurs, etc.

Lorsqu'un gouvernement privatise un service public, notamment des pans du régime de soins de santé, de l'éducation et du réseau d'aqueducs, il doit, en vertu de l'ALENA, accepter les soumissions d'entreprises américaines. Des firmes de consultants américaines comme Lehman Brothers l'ont déjà souligné, les soins de santé et l'éducation sont devenus les cibles de premier choix des entreprises qui veulent investir. Les compagnies d'assurances, les hôpitaux privés et les entreprises pharmaceutiques et médicales ont accaparé le marché des soins de santé aux États-Unis, selon Lehman Brothers, et sont alors devenus « les gardes-barrières de chaque dollar injecté dans les soins de santé » et « ont dicté l'orientation des dépenses dans les soins de santé » aux États-Unis durant les années 1970 et 1980. De même, la privatisation du régime de soins de santé canadien a ouvert la voie à l'investissement du secteur privé dans les années 1990. Maintenant, à l'aube d'un nouveau millénaire, Lehman Brothers lorgne du côté du secteur de l'éducation, offrant aux entreprises un plan détaillé du marché et des possibilités d'investissement résultant d'une privatisation grandissante. Reprenons cette phrase d'un représentant du Syndicat canadien de la fonction publique et demandons-nous : « À qui profite la privatisation ? »

Il faudrait, au cours des cinq prochaines années, concocter des campagnes qui dénonceraient et décriraient les principales actions politiques des entreprises du secteur des services qui prévoient faire main basse sur les régimes de santé et d'éducation du Canada.

Les soins de santé

Le régime public de soins de santé au Canada représente un chiffre d'affaires annuel de 72 milliards de dollars. Aujourd'hui, la stratégie des entreprises américaines dans le domaine de la santé vise une expansion mondiale. Leur première étape a été l'implantation en Angleterre, mais elles ont gardé l'œil ouvert sur le marché canadien. Elles ont fait appel à plusieurs firmes de consultants en gestion afin de promouvoir la privatisation des soins de santé au Canada. Elles ont même engagé la plus grande firme du monde, KPMG, dont le bureau de Toronto est dirigé par ceux-là mêmes qui ont orchestré la campagne en faveur de la privatisation des hôpitaux de Londres, en Angleterre.

Bien qu'on ait organisé une campagne nationale pour sauvegarder le régime public de soins de santé au Canada, d'autres mesures doivent suivre afin que le débat sur les responsabilités d'Ottawa et des provinces dans le domaine de la santé ne devienne pas un écran de fumée masquant le jeu des entreprises qui se rempliraient les poches en s'appropriant petit à petit ce secteur. Il faudrait, dans ce cas, se doter d'une stratégie qui dévoilerait l'invasion par les entreprises du régime public de soins de santé du Canada.

Dans ce domaine, les machines politiques des entreprises marchent à plein régime, que ce soit les chaînes d'hôpitaux situées aux États-Unis, comme Columbia/HCA, Tenet Healthcare et Kaiser Permanente, qui s'affairent à créer de futurs hôpitaux privés, ou encore leurs partenaires des nouvelles entreprises à but lucratif du domaine de la santé au Canada, comme MDS ; ou bien les compagnies d'assurances privées comme Sun Life, Manulife, Liberty Mutual et Great West Life, qui profitent du fait que la couverture des régimes de santé provinciaux rétrécit comme peau de chagrin pour ouvrir de nouveaux marchés ; ou les organisations de gestion des soins médicaux, qui ont rapidement proliféré aux États-Unis au cours de la dernière décennie, avec, en tête de peloton, des entreprises comme Kaiser Permanente et Aetna Health Care ; sans oublier la pléiade de fabricants de médicaments brevetés, représentés par l'Association canadienne de l'industrie des médicaments, qui exercent des pressions énormes pour que soit prolongée la période de monopole sur les produits brevetés, ce qui entraînerait une autre forte croissance du prix des médicaments.

Une campagne d'information menée sur plusieurs de ces fronts pourrait grandement contribuer à préparer le terrain pour l'adoption d'une nouvelle politique.

L'éducation publique

Au Canada, le système public d'éducation représente un marché d'environ 60 milliards de dollars par année. Dans la plupart des provinces, les compressions majeures effectuées dans le domaine de l'éducation publique et postsecondaire ont incité les commissions scolaires, les collèges et les universités à se trouver des partenaires d'affaires parmi les entreprises. Ces établissements ont formé plus de 20 000 « partenariats » avec les entreprises, partout au Canada. Des commissions scolaires qui n'ont plus les moyens de se procurer le matériel ou l'équipement technique essentiels à leurs besoins éducatifs se tournent vers des partenaires privés dans les secteurs de la technologie et de la communication, comme AT&T Canada, Bell Canada, General Electric, Hewlett Packard, IBM Canada, Northern Telecom, UNITEL et YNN.

Dans la même veine, les commissions scolaires qui n'ont pas les fonds nécessaires pour offrir des programmes de dîner à l'école ou des services de cafétéria forment des « partenariats » avec des entreprises d'alimentation et de boissons comme Burger King, Coca Cola, McDonald's, Pepsi-Cola et Pizza Hut. En échange, ces entreprises sont autorisées à faire de la publicité directement auprès d'une nouvelle génération de consommateurs, dans les écoles, où les enfants passent 40 % de leur temps. Les collèges et les universités établissent aussi de tels « partenariats » ; ils offrent ainsi aux entreprises qui font des dons importants la possibilité d'associer leur nom à un cours.

Par conséquent, les écoles et les universités deviennent un champ de bataille stratégique dans la lutte contre le règne des entreprises. Il faut mettre en place des campagnes planifiées pour dénoncer la mainmise des grandes entreprises sur notre système d'éducation et pour mettre au jour les activités de certaines machines politiques. Des groupes d'élèves, d'enseignants et de parents que cette mainmise préoccupe pourraient diffuser de l'information dans des écoles et des universités soigneusement choisies. D'autres campagnes pourraient aussi aider les écoles, les collèges et les universités à fixer clairement les modalités régissant les activités des entreprises qui parrainent des projets précis et à obliger ces entreprises à rendre des comptes.

Si les soins de santé et l'éducation publique sont sans doute les principaux enjeux sur ce champ de bataille, ils ne sont certes pas les seuls. La privatisation s'étend à plusieurs autres programmes sociaux et services publics qui sont, par conséquent, sujets à une prise de contrôle des entreprises. Ce qui compte, c'est que les citoyens actifs dans ces débats identifient les principaux acteurs du monde des affaires et leurs machines politiques, et qu'ils élaborent, dans la mesure du possible, de bonnes tactiques en ce sens au cours des cinq prochaines années.

Le régime de retraite public

Toutes les conditions sont réunies pour privatiser le Régime de pensions du Canada (RPC). Fort de l'appui de la grande entreprise, l'institut C. D. Howe, de concert avec le groupe Earnscliffe (la firme de relations publiques influente qui entretient des liens étroits avec le ministère des Finances), a mené une lutte implacable pour convaincre les Canadiens qu'il valait mieux avoir des régimes de retraite privés sous forme de REER, plutôt qu'un régime de retraite public. Par conséquent, Ottawa propose maintenant que des firmes d'investissement du secteur privé prennent en main le fonds du RPC, qui représente plusieurs milliards de dollars.

Le fonds d'investissement du RPC devrait fortement augmenter durant les 10 prochaines années, pour passer des 40 milliards de dollars actuels à environ 120 milliards de dollars. Un tel capital équivaut à la valeur des sept plus grandes sociétés de fonds mutuels réunies. De plus, ces fonds du RPC seront investis non seulement dans les obligations d'épargne des gouvernements provinciaux, comme auparavant, mais aussi dans un assortiment d'actions et d'obligations privées et publiques. Ces investissements se feront aussi bien à l'étranger qu'au Canada, ce qui risque d'entraîner la levée de la limite de 20 % en investissements étrangers qui est en vigueur, à l'heure actuelle, dans le cas des régimes de retraite du secteur privé.

Il faut battre le fer pendant qu'il est chaud et profiter de ce que ce débat fait rage au Canada pour mettre au point des stratégies d'action visant à dénoncer les entreprises qui bénéficieront de ces mesures de privatisation, soit les banques canadiennes et leurs firmes d'investissement.

Les médias d'information

Comme nous l'avons vu, la concentration et le contrôle grandissants des médias d'information exercés par les entreprises menacent gravement l'avenir de la démocratie au Canada. C'est pourquoi la campagne pour la liberté de la presse et de la radiodiffusion, qu'une alliance de syndicats et d'organismes sociaux a mise en œuvre, arrive à point nommé. En s'attaquant à l'entreprise Hollinger, de Conrad Black, qui contrôle près de 60 % de tous les journaux au Canada, cette campagne va sensibiliser davantage les Canadiens sur le danger qu'il y a à laisser une grande entreprise dicter le contenu éditorial et décider de la qualité de la couverture des nouvelles, surtout quand le grand patron de cette entreprise affiche des convictions idéologiques conservatrices très arrêtées sur les grandes questions de l'heure.

C'est en ce sens que doit aussi se faire la lutte pour la sauvegarde de Radio-Canada. Aspect crucial de la campagne en cours en faveur de Radio-Canada et du rétablissement complet de son financement, il faudrait identifier et cibler les entreprises qui auraient intérêt à ce que la privatisation de Radio-Canada ait lieu et qui préparent le terrain pour son intégration dans le secteur privé.

Le logement social

Dans ses derniers budgets, Paul Martin a mis fin à l'engagement du gouvernement fédéral dans le domaine de l'aide au logement social destinée aux groupes à revenu faible ou modeste, abandonnant ainsi le marché de l'habitation aux investisseurs privés. Après le démantèlement de la Société canadienne d'hypothèques et de logement, Ottawa a transféré le financement des coopératives aux provinces, lesquelles, notamment l'Ontario, ont ensuite éliminé les subventions au logement social et transmis la gestion des coopératives aux municipalités. Par conséquent, les grands promoteurs immobiliers comme Bramelea, Minto, Tridel, Centara, Menkes, Camrost et des dizaines d'entreprises locales seront en mesure de rafler la totalité du marché de l'habitation au Canada.

La riposte des groupes de citoyens que cette situation préoccupe doit consister à identifier et à montrer du doigt les grands promoteurs immobiliers qui profiteront de ces changements, ainsi que leur machinerie politique, sans oublier leurs alliances avec les grandes sociétés immobilières et les banques qui financent leurs opérations. Dans la plupart des cas, c'est à l'échelle municipale que les campagnes d'information seront le plus efficace.

Le travail obligatoire

À la suite du démantèlement du régime d'assistance publique du Canada, les entreprises ont de gros intérêts en jeu à l'heure où le programme d'aide sociale se transforme en programme de travail obligatoire pour les assistés sociaux. Il faut dévoiler ces intérêts. Alors que les gouvernements provinciaux sabrent dans les dépenses consacrées aux programmes d'aide sociale et prétendent éliminer les « fraudeurs de l'aide sociale », la liste des entreprises qui, elles, fraudent l'impôt continue de s'allonger. Une autre occasion nous est donnée de nous reporter aux 15 principales entreprises dont les impôts ont été différés *(voir le tableau de l'annexe IV)*, pour dénoncer l'hypocrisie de ces affirmations et démontrer qu'un régime fiscal aussi injuste équivaut au vol pur et simple, par les entreprises, des revenus publics. Du même coup, des stratégies d'action contre la pauvreté pourraient dénoncer certaines entreprises qui profitent des programmes de travail obligatoire.

Après tout, le travail obligatoire est une véritable « vache à lait » pour les entreprises puisqu'il sert à la fois à fournir une main-d'œuvre bon marché et à subventionner les employeurs. De même, c'est un mécanisme efficace pour maintenir les salaires bas et les profits élevés. Une récente enquête menée au Québec a montré que 50 % des entreprises qui participent à des programmes de travail obligatoire ont reconnu qu'elles auraient embauché les personnes en cause à plein salaire si un tel programme provincial n'avait pas existé. Il faut donc braquer les projecteurs sur les entreprises qui vantent les bienfaits du travail obligatoire aux niveaux provincial et local, afin de sensibiliser l'opinion publique aux véritables enjeux.

Ce que nous venons de voir n'est qu'un échantillon de ce que l'on peut faire pour poursuivre la lutte contre le démantèlement des programmes sociaux et des services publics dans les années à venir. L'appétit des grandes entreprises est insatiable et elles font, entre autres, des pressions de plus en plus fortes pour que l'on privatise le service des postes, que l'on démantèle des organismes publics de mise en marché des produits agricoles et que l'on fasse appel à la sous-traitance pour plusieurs services publics. Aux États-Unis, une campagne importante est en cours pour privatiser et rentabiliser les programmes de sécurité sociale dans plusieurs États. Les échos de cette campagne pourraient bien nous parvenir au Canada. En identifiant et en dénonçant publiquement les entreprises qui profitent de ces changements et de bien d'autres encore, les mouvements de citoyens pourront se lancer de nouveau dans la bataille.

Troisième champ de bataille : la maîtrise de l'environnement

Le troisième champ de bataille sera le théâtre de la lutte *environnementale* pour le contrôle de notre avenir écologique. Le Canada est considéré comme un pays doté d'une riche biodiversité car il possède une large gamme de ressources naturelles, une faune et une flore variées, ainsi qu'une multitude de cours d'eau. Toutefois, les écologistes nous avertissent que les changements climatiques provoqués par le réchauffement de la planète, lui-même causé par l'émission effrénée de gaz à effet de serre (comme le dioxyde de carbone) dans l'atmosphère, menacent gravement ce patrimoine. Les principales causes d'émission de ces gaz résident dans l'utilisation de combustibles fossiles (le charbon, le pétrole, le gaz naturel) et la déforestation rapide qui se produit partout sur la Terre.

Au Canada, les plus grandes sociétés pétrolières et forestières du pays ont fortement influé sur la politique fédérale en matière de ressources naturelles. Cette politique a pour but principal de promouvoir l'exploitation rapide et l'exportation de notre pétrole, de notre gaz naturel et de notre bois. Comme nous l'avons vu, l'industrie pétrolière n'a cessé d'appuyer, avec une ferveur jamais démentie, la signature de l'accord de libre-échange conclu avec les États-Unis, qui supprimait toute restriction sur la production et l'exportation des combustibles fossiles. Ce sont aussi les principales sociétés pétrolières, de concert avec les entreprises forestières et minières, qui ont fait pression, avec succès, sur Ottawa pour déréglementer, privatiser et décentraliser la politique sur les ressources naturelles.

Au cours des cinq années à venir, la domination des entreprises sur la politique de production énergétique et forestière qui menace notre avenir écologique pourrait devenir un champ de bataille majeur pour les mouvements de citoyens.

Le développement forestier

Même si les forêts du Canada, qui représentent 10 % des réserves mondiales de bois, sont considérées comme le « poumon » nordique de la planète, il reste que l'on y coupe un hectare de bois toutes les 30 secondes. Les grandes entreprises ont largement recours aujourd'hui à la coupe à blanc (celle-ci représente maintenant 90 % de toute l'exploitation forestière de ce pays), ce qui a dangereusement accéléré l'érosion de nos réserves forestières. En dépit des projets provinciaux de reforestation (que l'industrie américaine du bois qualifie de « subvention commerciale injuste »), les endroits classifiés « non régénérés de manière satisfaisante » se sont multipliés par cinq.

De plus, les nouvelles technologies employées pour la coupe à blanc ont considérablement réduit le nombre des travailleurs de l'industrie du bois. Les compagnies forestières et de pâtes et papiers les plus importantes au Canada — MacMillan Bloedel, Avenor, Abitibi-Price, Domtar, Noranda Forest, Cascades, Fletcher Challenge, Canfor, Repap Enterprises et Stone Consolidated — jouent un rôle de premier plan dans la définition de la politique de gestion des forêts, à la fois à Ottawa et dans les capitales provinciales. C'est le cas également des entreprises transnationales étrangères comme Mitsubishi, Daishawa Paper et Louisiana Pacific. Toutes ces entreprises sont les machines politiques du monde des affaires dans le secteur forestier. Bien que plusieurs campagnes environnementales aient déjà visé ces entreprises (par exemple, MacMillan Bloedel et ses activités à Clayoquot Sound dans l'île de Vancouver), on pourrait sensibiliser davantage le public en coordonnant une campagne nationale qui identifierait quelques-uns des principaux acteurs et montrerait combien leur influence pèse lourd sur la politique de gestion des forêts. Pour être efficace, une telle campagne doit reposer sur une alliance entre les travailleurs et les écologistes.

La production énergétique

Maintenant qu'Ottawa a déréglementé et décentralisé la plus grande partie du secteur de l'énergie au Canada, la perspective de nouveaux mégaprojets pétroliers et gaziers, de constructions hydroélectriques et même de projets d'exportation de l'eau sur une grande échelle souligne l'urgence de mettre sur pied des campagnes qui feront contrepoids aux entreprises dans ces domaines. Alors que les réserves canadiennes de pétrole et de gaz sont en train de se tarir, on s'attend à ce que les principales sociétés — la Compagnie pétrolière Impériale, Amoco, Shell, Petro-Canada, Pan Canadian, Chevron,

Occidental, Norcen Energy, Total Petroleum, Husky Oil — exercent des pressions croissantes pour exploiter les réserves situées dans des régions fragiles sur le plan écologique, comme le Nord canadien et les régions côtières, afin de satisfaire aux demandes américaines grandissantes.

Les enjeux écologiques sont encore plus grands lorsqu'on prend en compte les entreprises qui œuvrent dans la construction de pipe-lines et le transport pétrolier. De même, les principales sociétés pro-ductrices d'électricité du pays — Hydro-Québec, Hydro Ontario, B. C. Hydro, Canadian Utilities, TransAlta, ainsi que d'autres entre-prises hydroélectriques provinciales — prévoient d'accroître leur production pour répondre à la demande nationale et étrangère. Hydro-Québec va ouvrir la marche en amorçant la phase II de la Baie-James, qui verra la construction d'autres barrages et l'inonda-tion massive de terres, menaçant de détruire la faune et la flore locales et de bouleverser la vie de communautés autochtones. De plus, il est bien possible que des projets qui dormaient depuis des années dans des tiroirs et qui visaient l'exportation de grands volumes d'eau douce vers les régions arides des États-Unis refassent surface (notamment le projet de construction d'un grand canal de 100 milliards de dollars derrière lequel se trouvent de puissantes entreprises américaines comme Bechtel).

Il est possible que, au cours des cinq prochaines années, l'on entreprenne des campagnes contre les entreprises sur ces trois fronts à la fois ; mais il est essentiel que ces campagnes mettent en évidence non seulement les conséquences écologiques de ces mégaprojets, mais aussi la façon dont les machines politiques du monde des affaires contrôlent la quasi-totalité de la politique énergétique du pays.

Les campagnes menées sur le front du secteur forestier ou du secteur énergétique devront absolument mettre l'accent sur les liens stratégiques entre les principaux acteurs du monde des affaires de chaque secteur. Ces campagnes devront montrer comment le jeu politique de ces différents protagonistes (pensons à leur rôle dans le

CCCE) détermine les priorités et les orientations de la stratégie nationale en matière de ressources naturelles. Parallèlement, les luttes qui naîtront dans d'autres industries d'exploitation des ressources naturelles pourraient faire l'objet d'actions concertées.

Le secteur minier et ses pratiques

Les principales entreprises du secteur minier — Alcan Aluminium, Inco, Cominco, Mines Noranda, Falconbridge, Barrick Gold, Placer Dome, Rio Algoma — ont croisé le fer avec des groupes écologistes au cours des deux dernières décennies. Dans bien des cas, ils ont eu maille à partir sur la question du déversement des résidus miniers et des déchets chimiques dans le réseau fluvial. Alors que des provinces comme l'Ontario continuent de déréglementer, au point où les sociétés minières obtiennent ni plus ni moins carte blanche et sont libres de s'autoréglementer ou pas, leurs méthodes pourraient bien à nouveau susciter un débat brûlant. Les projets d'Inco qui prévoient le développement de l'énorme gisement de nickel de Voisey Bay, à Terre-Neuve, seront certainement dans la ligne de mire de la surveillance des écologistes. Les entreprises minières canadiennes (qu'Ottawa a chaudement recommandées lors des missions commerciales d'Équipe Canada) sont aussi reconnues pour leurs activités douteuses à l'étranger. Au Chili, par exemple, un tiers des travailleurs de la mine El Indio, appartenant à la compagnie Barrick Gold, souffrent de maladies chroniques telles que silicose, pneumonie et bronchite, ou encore de lésions rénales, d'empoisonnement à l'arsenic ou de cancers du poumon et des testicules. Aux Philippines, la société Placer Dome a déversé dans une rivière des tonnes de déchets miniers qui contenaient du cuivre, provoquant ainsi un désastre écologique. Et, avant qu'elle ne fasse l'objet de « la plus grande supercherie de l'histoire de l'industrie minière » dans le développement du gisement d'or Bussang, en Indonésie, Bre-X était partenaire de Freeport, entreprise qui, depuis 30 ans, est reconnue pour détériorer l'environnement et violer les droits de la personne dans ce pays. De nombreuses sociétés minières canadiennes qui ont des activités à l'étranger sont inscrites à la Bourse de Vancouver, elle-même reconnue pour son laxisme dans l'application des règlements sur les activités boursières.

En dépit de ces incidents et de bien d'autres semblables, Ottawa continue de fermer les yeux. Il est temps d'organiser une campagne publique pour identifier et dévoiler de façon systématique ce réseau de sociétés minières et leur pouvoir sur Ottawa.

La gestion des déchets

Les normes du Canada étant moins contraignantes que celles des États-Unis en matière de gestion des déchets toxiques et nucléaires, le pays sert aujourd'hui de dépotoir aux entreprises chimiques et métallurgiques américaines. Il y a eu une époque où les quatre cinquièmes de tous les déchets toxiques des entreprises américaines aboutissaient au Canada. Par exemple, Tricil, une société de gestion des déchets de Sarnia, traitait entre 80 % et 90 % de tous les déchets toxiques produits aux États-Unis. On a même envisagé d'utiliser le bouclier canadien comme site d'enfouissement des déchets nucléaires.

Des géants de l'industrie chimique comme DuPont déploient un prodigieux appareil de lobbying pour qu'Ottawa maintienne des normes peu contraignantes en matière de gestion des déchets toxiques, pendant que d'autres géants du secteur agrochimique, comme Cargill, veillent à ce que, dans le cadre du libre-échange, on harmonise les normes canadiennes de contrôle des pesticides avec les normes américaines, moins rigoureuses. En même temps, Ottawa essaie de trouver un moyen de se débarrasser des 50 000 tonnes de BPC que les entreprises chimiques ont, pour la plupart, produites dans le passé. Il faut organiser de toute urgence une campagne pour identifier et dévoiler sur la place publique les entreprises chimiques et métallurgiques qui ont transformé le Canada en un dépotoir toxique.

Le génie génétique

Le Canada possède aussi l'une des plus importantes industries biotechnologiques du monde, une industrie de pointe dans le domaine expérimental de la production de nourriture manipulée génétiquement. Au Canada, on effectue plus d'expériences sur les produits agricoles manipulés génétiquement que n'importe où dans le monde, excepté aux États-Unis. Au cours des dernières années, des géants de l'industrie chimique et pharmaceutique comme Monsanto et Eli Lilly ont dépensé des millions de dollars pour faire pression sur des responsables fédéraux afin de pouvoir commercialiser une hormone de croissance bovine, qui augmente la production laitière. Malgré les mises en garde formulées dans diverses études au sujet des effets négatifs éventuels de cette hormone sur la santé, on sait que Monsanto n'a pas hésité à employer des tactiques peu scrupuleuses pour obtenir l'appui d'Ottawa, allant, selon certaines sources, jusqu'à produire des documents frauduleux et offrir des pots-de-vin à des fonctionnaires de Santé Canada. Dans les années à venir, les entreprises biotechnologiques qui travaillent dans le domaine de la manipulation génétique des aliments pourraient devenir, de plus en plus souvent, la cible des mouvements de citoyens.

La privatisation de l'eau

Les sources d'eau douce, la livraison de l'eau et les systèmes d'égouts représentent un des nouveaux domaines que les entreprises chercheront à envahir. Présentés dans les cercles d'affaires comme « la méga-industrie nationale de la prochaine décennie », les réseaux d'aqueduc devraient attirer des dizaines de milliards de dollars d'investissement. En octobre 1996, le gouvernement Harris a annoncé qu'il allait privatiser l'Agence ontarienne des eaux, société de la Couronne (la plus grande de ce genre en Amérique du Nord) qui a signé des contrats à long terme avec les municipalités de la province pour fournir des services de traitement d'eau et d'égout.

Dans pratiquement toutes les autres provinces, les tenants de la privatisation de l'eau ont négocié des ententes avec les gouvernements pour la vente et l'exportation d'eau douce. En Ontario et au Québec, par exemple, on a formé des consortiums privés, regroupant certaines des plus grandes entreprises transnationales dans ce domaine (par exemple, Bechtel aux États-Unis, le géant français de la privatisation la Lyonnaise des Eaux et North-West Water en Angleterre) et plusieurs entreprises canadiennes (comme Westcoast Energy, TransCanada Pipelines, Nova, IPL Energy, et des institutions financières comme Wood Gundy, de la CIBC, et le groupe Newcourt Credit).

Les gouvernements municipaux, à la recherche de revenus, ont aujourd'hui tendance à se tourner vers de tels consortiums afin que ceux-ci prennent en charge leurs réseaux d'approvisionnement en eau et leurs réseaux d'égouts ainsi que leurs usines de traitement des eaux usées. La riposte devra consister à organiser des campagnes dans chaque collectivité pour dénoncer ces tenants de la privatisation de l'eau et pour rappeler que l'eau est un bien public qui ne doit pas être laissé entre les mains d'entreprises à but lucratif.

Les aptitudes politiques

En fin de compte, il ne faut pas présumer que les mouvements de citoyens sont fin prêts à s'organiser contre les entreprises sur ces trois principaux champs de bataille. En fait, la plupart des syndicats progressistes de ce pays, sans parler des groupes de défense de l'intérêt public, des organisations sociales, des réseaux de protection de l'environnement, des associations religieuses et des organismes communautaires, n'ont pas encore en main tous les outils requis pour s'attaquer aux mécanismes de la domination exercée par les entreprises.

Ce n'est pas seulement un manque de ressources financières qui les en empêche. Si c'était le cas, il y aurait moyen de trouver des solutions. Le problème vient plutôt, d'abord et avant tout, des méthodes classiques dont s'inspirent la plupart de ces mouvements pour mener leur action en faveur d'un changement social démocratique. L'approche stratégique qui consiste à diriger ses attaques uniquement contre les gouvernements dans le but d'ébranler les structures sur lesquelles repose le pouvoir des entreprises n'est pas viable. Les mouvements de citoyens doivent, à la place, s'évertuer à viser les entreprises qui sont le moteur des décisions gouvernementales. Pour ce faire, ils devront raffiner et perfectionner leurs outils politiques.

En premier lieu, il faudrait dispenser une éducation politique aux membres des mouvements de citoyens. Qu'il s'agisse d'un syndicat, d'un mouvement de femmes, d'une organisation écologiste, d'un groupe de défense de l'intérêt public, d'une Église ou d'un mouvement religieux, ou de tout autre genre d'organisation de citoyens, il est essentiel que les membres reçoivent une forme d'éducation politique qui leur apprenne à développer leurs aptitudes organisationnelles et à se doter des outils requis pour amener le changement social. Ces occasions de s'instruire et de se former permettent aux membres de mieux se connaître, de discerner sous un autre angle les enjeux et les luttes qui mènent au changement social.

Il faut, tout d'abord, prendre conscience du fait que nous vivons dans une nouvelle ère politique, celle du règne des entreprises, celles-ci agissant comme des machines politiques qui déterminent les orientations et les politiques du gouvernement. Quel que soit l'enjeu public qui les préoccupe, les membres peuvent l'étudier à travers ce prisme.

En même temps, cette nouvelle optique peut nous aider à mieux nous situer sur le plan politique en tant que citoyens ayant des droits démocratiques fondamentaux. En s'appuyant sur ce type de souveraineté populaire, les mouvements de citoyens peuvent développer chez leurs membres les aptitudes politiques requises pour identifier les nouvelles réalités du règne des entreprises et s'y attaquer.

À partir de là, on peut entreprendre d'autres démarches pour élaborer les outils politiques nécessaires à l'organisation de campagnes contre les entreprises. Une fois que les militants percevront les enjeux prioritaires et qu'ils considéreront leurs luttes en faveur du changement social sous l'angle du règne des entreprises, ils pourront identifier les acteurs clés du monde des affaires dans le secteur qui les intéresse et choisir ceux qu'ils devraient pointer du doigt. Au moment de choisir leurs cibles, il devront se concentrer sur les entreprises qui fonctionnent véritablement comme des machines politiques et qui pèsent de tout leur poids sur l'orientation des politiques gouvernementales. En d'autres mots, leur choix de cibles, sur l'un ou l'autre des trois principaux champs de bataille, devrait amener les militants à viser les entreprises qui illustrent le mieux la dynamique de domination dans le contexte de la lutte politique particulière que mène le mouvement auquel ils appartiennent.

Il ne reste plus alors qu'à tracer le portrait de chaque entreprise visée en tant que machine politique. Cela exige une certaine recherche initiale, entre autres, sur l'objectif stratégique fondamental de l'entreprise engagée dans cette lutte politique, ses exigences politiques précises, les ministères sur lesquels elle exerce des pressions, ses relations avec le ou les ministres et hauts fonctionnaires concernés, le genre de ressources et le dispositif qu'elle a mis en place pour exercer des pressions, le type de publicité politique qu'elle déploie pour obtenir l'appui du public, ainsi que ses apports financiers aux partis politiques et aux campagnes électorales.

Il faut de surcroît découvrir les leviers stratégiques que l'entreprise actionne. Pour cela, il est important de recueillir de l'information et d'avoir des connaissances, notamment sur : les propriétaires de l'entreprise et la composition de son conseil d'administration ; le type de charte ou de licence qu'on lui a accordée pour exercer ses activités et sur le palier de gouvernement (fédéral ou provincial) habilité à la lui accorder ; le genre de financement dont l'entreprise a besoin et les sources précises de ce financement (quelles banques, quels courtiers ou maisons d'investissement, etc.) ; le type de fournisseurs dont l'entreprise a besoin et le nom de ces fournisseurs ; le nom de ses principaux clients achetant ses produits ou ses services ; les antécédents judiciaires de l'entreprise au chapitre des relations de travail, de l'environnement, des relations avec les consommateurs et du respect des droits de la personne ; enfin, la personnalité et la réputation du PDG et d'autres personnages clés de l'entreprise.

Bien que, à première vue, la tâche paraisse ardue, on peut trouver ces renseignements assez facilement. Notre guide de recherche sur les entreprises destiné aux citoyens, fourni à l'annexe I, indique un certain nombre d'outils et de sources d'information élémentaires que l'on peut utiliser pour recueillir ce type de données.

À l'aide de ce genre d'outils politiques, les mouvements de citoyens seront en mesure de mettre sur pied leurs propres stratégies d'action et leurs propres tactiques. À court terme, l'objectif stratégique consiste à identifier, à démasquer et à décrire les entreprises qui jouent un rôle clé en tant que machines politiques dans le système de domination des entreprises. Ce faisant, on bâtit la résistance populaire et on crée ainsi un climat politique menant, à long terme, au démantèlement des mécanismes de domination et à l'instauration de nouvelles institutions démocratiques.

À court terme, il existe un éventail de tactiques qui peuvent faciliter l'élaboration des stratégics d'action : la poursuite devant les tribunaux en vertu de la Charte canadienne des droits et libertés, des demandes d'injonction, des campagnes de boycottage auprès des consommateurs, des grèves de travailleurs, des pressions politiques, l'action directe ou encore diverses formes de désobéissance civile. Les tactiques choisies dépendront, bien sûr, des aptitudes politiques des groupes de citoyens actifs, de même que des leviers stratégiques définis pour chaque entreprise en question. Dans tous les cas, des campagnes basées sur des stratégies multidimensionnelles et qui recourent à une variété de tactiques seront probablement plus efficaces.

De plus, afin d'inciter les Canadiens à la résistance populaire, il est important d'appliquer des techniques novatrices utilisées pour l'éducation et le théâtre populaires, qui font appel au sens de l'humour, au plaisir et au jeu, dans la mesure du possible. Notre guide d'action contre les entreprises, destiné aux citoyens et présenté à l'annexe II, contient un certain nombre de suggestions et de conseils.

Quelles que soient les campagnes que mèneront les mouvements de citoyens sur l'un ou l'autre des champs de bataille décrits plus hauts, au cours des cinq prochaines années, il est crucial qu'elles visent à mettre sur pied des alliances et des coalitions. À elle seule, aucune organisation de citoyens, peu importe son influence économique ou son pouvoir politique, n'est équipée pour s'attaquer efficacement à une grande entreprise et à sa machine politique. Il est essentiel d'obtenir l'aide et l'engagement d'autres organisations alliées et de leurs membres. Bâtir un mouvement de citoyens aux assises larges pour combattre à long terme le règne des entreprises exige d'établir et de maintenir des alliances stratégiques à court terme. En d'autres mots, l'aptitude à réunir des coalitions est un atout politique que les militants sociaux doivent absolument exploiter s'ils veulent atteindre leurs objectifs.

Là où il y a eu des tensions dans le passé (par exemple, entre les écologistes et les travailleurs forestiers), il faudra recourir à des moyens de persuasion spéciaux pour mobiliser et rebâtir des alliances solides à long terme.

Enfin, les mouvements de citoyens devront envisager la possibilité d'investir dans le monde des médias et des communications s'ils veulent arriver à créer un climat favorable à une nouvelle approche politique. Tant et aussi longtemps que Conrad Black et ses alliés des grandes entreprises posséderont et contrôleront les principaux journaux et les principales chaînes de radio et de télévision du pays, il sera extrêmement difficile de s'attaquer au système de domination des entreprises (et encore plus de le démanteler). Les fonds de pension des Canadiens représentent des sommes très importantes, et Ed Finn estime que ceux des travailleurs syndiqués au Canada s'élèvent maintenant à près de 400 milliards de dollars. Si, par exemple, on investissait seulement 5 % de ces fonds dans une action sociale, il serait possible d'acheter une chaîne de journaux, de stations de télévision et de radio dans des lieux stratégiques du pays. Si l'on nommait aux postes importants de ces média nouvellement acquis des journalistes et du personnel d'information aux convictions sociales progressistes bien éta-

blies, cela pourrait avoir une profonde influence sur la conscience politique, les motivations et les ressources des mouvements de citoyens.

Bien sûr, un plan d'action de ce genre doit être soigneusement
mis au point, et les syndicats devraient entreprendre à ce sujet un
débat en profondeur. La majeure partie des fonds de pension des travailleurs syndiqués sont gérés par des administrateurs nommés par
les employeurs. La question stratégique est de savoir comment les
syndicats peuvent reprendre le contrôle de ce qui constitue en vérité
le montant des salaires différés gagnés par les travailleurs. Comme
Finn le souligne : « Dans une société où l'influence se mesure à l'aune
du pouvoir financier, une politique qui laisse les employeurs, les banquiers, les courtiers et les dirigeants des compagnies d'assurances
libres de gérer les sommes accumulées par les travailleurs syndiqués
et de les utiliser fréquemment à des fins antisyndicales est une politique qui crée un rapport de force entièrement favorable aux
employeurs dans les relations de travail. »

Évidemment, les travailleurs veulent être sûrs de bénéficier d'un
bon rendement sur l'investissement de leurs fonds de pension, et
c'est bien normal, mais il n'y a aucune raison pour que ce ne soit pas
le cas. Après tout, la plupart des journaux et des chaînes de radio et
de télévision sont des entreprises lucratives qui donnent un bon rendement sur l'investissement. Même s'il n'est pas nécessaire que les
travailleurs deviennent des investisseurs, le fait est que, à moins d'entreprendre des actions pour que les fonds de pension des travailleurs
soient investis, du moins en partie, dans des activités qui soient
socialement productives, ils continueront d'être consacrés à réaliser
des investissements contre-productifs, aux dépens des luttes menées
par les travailleurs de ce pays.

Il s'agit de savoir comment les travailleurs pourraient reprendre
le contrôle de leurs propres fonds de pension afin d'en investir une
partie dans des entreprises qui, tout en étant socialement productives, leur donneraient un taux de rendement raisonnable. En mettant le cap dans cette direction, on peut commencer à jeter les bases
d'un mouvement solide.

6

LE RETOUR À LA VRAIE DÉMOCRATIE

— On dirait qu'on ferait mieux de se préparer pour un long combat !

— Tu sais quoi ? Hier, j'ai passé la journée dans une réunion régionale de groupes communautaires. Ça les inquiète beaucoup de voir la grande entreprise faire main basse sur les soins de santé et l'éducation. On se rencontre de nouveau dans quelques semaines pour se fixer des objectifs et préparer une stratégie de recherche.

— Tu vois, finalement, il y a quelque chose qui se prépare. Quand je suis passé l'autre jour au local du syndicat, je me suis fait dire que le bureau national demandait la tenue d'une séance de réflexion stratégique afin d'organiser une campagne contre les compressions de personnel dans les grandes entreprises.

— Super ! Il y a aussi des rumeurs qui circulent au sujet d'autres moyens de lutte contre les banques et leurs taux d'intérêt, et contre les compagnies forestières et leurs coupes à blanc. Par contre, les gens aimeraient bien savoir où tout ça les mène. Dévoiler au monde les activités de ces grandes entreprises, c'est très bien, mais qu'est-ce que ça va donner ? Il va bien falloir que ça bouge sur le plan politique et que le gouvernement finisse par travailler pour nous, plutôt que pour les grandes entreprises.

— Bonne chance, mon vieux ! Les faits sont là, quoi ! Si un parti se montre le moindrement préoccupé par nos problèmes, tu peux être sûr qu'une fois au pouvoir il se conforme, bien gentiment, au plan d'action des entreprises. Celles-là, elles dirigent le pays maintenant, peu importe la clique de politiciens que l'on décide d'élire.

— Ce qui veut tout simplement dire qu'on doit voter en se fiant à autre chose qu'aux promesses électorales. Tu sais comme moi que ça, c'est du vent…Si un parti ne s'engage pas fermement et publiquement à démanteler le système de domination des entreprises et à en faire sa priorité absolue, alors ça ne sert à rien de l'élire. Il ne changera rien à l'ordre des choses.

— Exact! Mais cela, les gens ne le savent toujours pas. Ils pensent encore que le meilleur moyen de faire avancer les choses, c'est encore de passer par le processus politique. Tant et aussi longtemps qu'ils n'auront pas saisi que les grandes entreprises ont corrompu ce processus, on ne reprendra pas les commandes démocratiques de notre pays, de notre économie et de notre avenir.

Le mouvement politique

Les mouvements de citoyens ne doivent pas se contenter d'opposer une résistance aux structures du système de domination des entreprises. Bien que la stratégie de la résistance soit un élément essentiel du programme d'action des citoyens, il faut également que ceux-ci puissent donner un sens à leur action en l'enracinant dans l'espoir d'une vie meilleure. Si le peuple s'engage dans un mouvement de résistance, il doit pouvoir se dire qu'il se bat pour quelque chose.

Autrement dit, toute lutte en vue d'instaurer des changements sociaux démocratiques exige que l'on se forge une nouvelle vision de l'avenir. Pourtant, le milieu des affaires canadien et les politiciens injectent sans arrêt au public une forte dose de « on n'a pas le choix ». En fait, il faut bien le dire, il s'agit là d'une forme de terrorisme intellectuel. Oui, on a le choix, il existe d'autres options dont on devrait discuter et débattre dans une société démocratique.

Seul un régime antidémocratique, au fond, peut distiller la peur dans la population à grands renforts de « on n'a pas le choix ». Ce que cela démontre, en fait, c'est que, pour accepter de s'engager dans une longue lutte, les gens doivent non seulement savoir qu'il existe d'autres options, mais aussi croire fermement que celles-ci sont raisonnables et réalisables.

Afin qu'un tel projet de société remporte l'adhésion de la population, il faut présenter aux gens une vision qui leur permette d'espérer en l'avenir et de croire que cette vision peut se réaliser. En bref, pour faire contrepoids à la politique de la peur, nous devons bâtir un mouvement dans lequel la résistance va de pair avec l'espoir.

Nous devons toutefois admettre que le champ d'action des mouvements de citoyens est plutôt restreint. Il ne faut pas s'attendre, par exemple, à ce que ces mouvements démantèlent, à eux seuls, le système de domination des entreprises dans notre pays. C'est là où l'intervention des partis politiques se révèle essentielle. Le seul moyen d'instaurer un programme de changements démocratiques est de prendre les commandes de la gestion publique au moyen de la lutte électorale. Ce qui fait souvent défaut dans une lutte comme celle-ci, c'est une stratégie qui tienne compte clairement des rôles que chacun des acteurs doit jouer, qu'il s'agisse des mouvements de citoyens ou des partis politiques.

Les mouvements de citoyens peuvent créer les conditions favorables à un changement de culture politique en orientant le débat public vers certains problèmes, certaines valeurs et certaines priorités. Ils formeront ainsi une assise sociale et créeront un élan populaire en faveur du changement. Un parti politique a, pour sa part, un rôle primordial à jouer dans l'élaboration et la présentation d'une plate-forme qui reflète les questions importantes ainsi que les priorités reliées à ce changement de culture politique. S'il gagne l'appui de la population et qu'il forme le gouvernement, un parti politique peut alors mettre en œuvre sa plate-forme de changement social. Ce pays a besoin d'un parti doté d'une stratégie visant à démanteler les structures du système de domination des entreprises et à mettre en place de nouvelles institutions grâce auxquelles la démocratie reprendra ses droits.

Un rapide coup d'œil jeté sur la colline parlementaire nous indique qu'en ce moment aucun parti politique, sur la scène nationale, ne correspond à cette description. Malgré sa rhétorique électorale, le Parti libéral de Jean Chrétien, qui dirige le pays, est sous la coupe de son aile droite et reçoit l'essentiel de son financement des grandes entreprises et des nantis de la société. Il en est ainsi du Parti conservateur qui, même s'il ne constitue plus qu'un parti moribond, adhère au plan d'action des entreprises, comme du temps de Mulroney, mais se situe encore plus à droite aujourd'hui.

Principal bénéficiaire des déboires du Parti conservateur, le Parti réformiste, sous la direction de Preston Manning, s'est fait le défenseur des politiques néolibérales au Canada, favorisant les mesures économiques et sociales qui servent les intérêts des grandes entreprises et des riches. Quant au Bloc québécois, alors que, du temps de Lucien Bouchard, il a manifesté à l'occasion une certaine conscience sociale, sa politique souverainiste obéit de plus en plus au plan d'action des grandes entreprises, surtout depuis que Bouchard est devenu le premier ministre du Québec et qu'il a fait de la réduction du déficit la priorité absolue de son gouvernement.

Ne reste plus que le Nouveau Parti démocratique. Historiquement, il est certainement le parti le mieux placé pour se faire le champion de la lutte sociale. Son prédécesseur, la Cooperative Commonwealth Federation (CCF), a eu pour chefs des personnalités marquantes comme J. S. Woodsworth, Agnes MacPhail et Tommy Douglas, qui ont fait de la bataille contre le capitalisme monopolistique la clé de voûte de sa plate-forme. C'est grâce à cette plate-forme que la FCC et son successeur, le NPD, ont réussi à gagner la faveur populaire, qui a atteint son apogée en 1972, au moment de la croisade de David Lewis contre les « quêteux en Cadillac ».

Bien que les formes du capitalisme monopolistique aient certainement changé depuis les beaux jours de la FCC, la logique du système est restée la même. Cependant, comme le souligne James Laxer, observateur de longue date de l'évolution du parti, le NPD des années 1990 a dévié de sa trajectoire. En fait, les réalisations des gouvernements néo-démocrates provinciaux au cours de la décennie ont montré que le parti consentait, dans une certaine mesure, à intégrer des éléments du plan d'action des entreprises afin de gagner le soutien de la communauté des affaires.

En même temps, les relations problématiques du parti avec les mouvements féministes, les syndicats et de vastes coalitions l'ont aussi quelque peu affaibli. En outre, et cela est peut-être plus significatif, le NPD n'a pas encore élaboré de plate-forme détaillée ni de stratégie en vue de s'attaquer aux machines politiques des entreprises et d'instituer de nouvelles formes de contrôle démocratique.

Même si le NPD fédéral, avec Alexa McDonough, arrive à retrouver sa vision et ses objectifs initiaux, des mesures s'imposent, à l'approche du nouveau millénaire, pour reconstruire une gauche démocratique qui soit une véritable force politique. Pour ce faire, il nous faut inventorier les ressources et les moyens dont nous disposons. Par exemple, maintes forces opposées au plan d'action des entreprises et à la droite politique ont déjà pris place sur l'échiquier. Le Congrès du travail du Canada fait naturellement contrepoids au Conseil canadien des chefs d'entreprise. Le Centre canadien de politiques alternatives, avec son réseau de chercheurs et d'éducateurs, est la contrepartie adéquate de l'institut C. D. Howe et de l'institut Fraser. Des organisations comme le Conseil des Canadiens viennent contrebalancer la National Citizens' Coalition. Toutefois, pour que la gauche démocratique s'oppose efficacement au plan d'action des entreprises, toutes ces organisations doivent consolider et coordonner leurs ressources de manière stratégique.

Parallèlement à ces acteurs principaux, il existe une grande variété de mouvements de citoyens influents, notamment le Comité canadien d'action sur le statut de la femme, la Fédération canadienne des étudiantes et des étudiants, les groupes pour la justice sociale créés par les principales Églises, la Coalition canadienne de la santé, les groupes écologistes comme Greenpeace, l'Association canadienne du droit de l'environnement et le Sierra Club ainsi que les organisations de développement international comme Inter Pares, OXFAM et le SUCO. Il faut se demander, cependant, si l'on peut revitaliser ces mouvements en vue de présenter un vaste front commun et un mouvement politique capables de s'attaquer aux structures du système de domination des entreprises et de reprendre les rênes de la démocratie.

Il ne faut cependant pas espérer y parvenir avant 5, 10 et même 15 ans. La tâche à laquelle on doit tout particulièrement s'atteler consiste à élaborer une plate-forme politique qui offre une vision sociale capable de revitaliser une forme de populisme de gauche dans ce pays. On ne peut réussir sans l'aide de la génération montante de jeunes dirigeants issus du milieu étudiant, des mouvements syndicaux et écologistes, et ayant à cœur de se battre pour la sauvegarde de leurs droits démocratiques fondamentaux de citoyens à l'ère de la tyrannie des entreprises.

C'est là que les campagnes lancées par les mouvements de citoyens contre les grandes entreprises pourraient jouer un rôle crucial. C'est en effet dans les tranchées, sur le terrain des machines politiques des entreprises, que la nouvelle génération pourra acquérir la formation et l'expérience qui lui permettront d'exercer son leadership. Ces batailles permettront également de mettre en évidence les éléments de base d'une plate-forme qui redonnera vie à la gauche démocratique au Canada.

En fait, c'est le moment ou jamais ! Partout au pays, les signes de consolidation de la politique d'insécurité se multiplient. Le taux élevé et persistant du chômage, les licenciements massifs résultant des compressions effectuées par les grandes entreprises (y compris les gouvernements), assortis d'un accroissement des emplois à temps partiel au détriment des emplois à plein temps, ont créé un climat d'insécurité qui va croissant au Canada. Les vagues incessantes de compressions financières dans la santé, l'éducation publique, l'aide sociale, l'éducation postsecondaire et l'assurance-emploi ont énormément haussé le niveau de l'*insécurité sociale,* surtout chez les femmes. À cela s'ajoute un sentiment grandissant d'*insécurité écologique,* car les Canadiens craignent les conséquences d'un assouplissement des règlements sur la protection de l'environnement, ainsi que celles des compressions qui affaibliront le respect et l'application des normes antipollution et celles d'un plus grand laisser-faire dans les processus d'extraction et d'exportation de nos ressources naturelles non renouvelables, laisser-faire dont profitent les entreprises minières, forestières et énergétiques.

La crainte diffuse de la population, mue par cette insécurité, est de voir lui échapper la maîtrise de son avenir économique, social et écologique. Les gens voient leurs craintes décupler alors qu'ils perçoivent de plus en plus à quel point, aujourd'hui, leur bien-être politique, économique et social est à la merci des grandes entreprises. Pour couronner le tout, un fossé grandissant se creuse entre les classes… Toute cette insécurité pourrait bien se révéler un mélange hautement explosif.

Cependant, au milieu de ces bouleversements brille une lueur d'espoir. Après tout, les fondements économiques et politiques sur lesquels repose le système de domination des entreprises, comme l'explique William Grieder, sont quelque peu chancelants, à un point tel que les contradictions internes de ce système pourraient bien s'intensifier et mener à l'apparition de failles politiques majeures. Prenons, par exemple, l'économie de casino, dans laquelle l'investissement est devenu un jeu pour les cambistes et les spéculateurs. Les centaines de milliards de dollars qui transitent chaque jour dans le monde, sous forme de cybermonnaie, ont gonflé une bulle financière qui pourrait bientôt nous exploser en pleine figure si l'on ne se décide pas à réglementer prochainement le secteur financier mondial.

Un autre exemple est constitué par les secteurs industriels de l'économie, qui ont déployé leur arsenal de nouvelles technologies afin de fournir des biens et des services en quantité astronomique, mais qui sont incapables de les écouler en raison de la faiblesse de la demande et du déclin du pouvoir d'achat des consommateurs.

En outre, certains PDG et leurs complices dans les milieux universitaire et politique commencent à manifester des signes d'angoisse et d'incertitude. Encore tout récemment, ils exaltaient les vertus de la libre concurrence internationale et de l'investissement étranger sans entraves, qu'ils présentaient comme les outils à toute épreuve pour construire une économie mondiale prospère. Aujourd'hui, ils commencent à s'apercevoir que la religion du libre marché ne donne pas les résultats escomptés, que l'Utopie annoncée par ses grands prêtres n'est pas au rendez-vous.

À ces premières failles dans le système de domination des entreprises s'ajoute une grogne populaire grandissante en raison des inégalités et de l'insécurité que ce système a engendrées. Voilà donc de bonnes raisons de croire que le règne des suzerains des affaires n'est peut-être pas aussi absolu et aussi éternel que ceux-ci voudraient nous le faire croire. Même s'il ne s'effondre pas sous les pressions et ses propres contradictions, le nouvel ordre mondial des entreprises est certainement vulnérable aux attaques de la résistance populaire contre ses points faibles.

Le grand défi de la gauche démocratique, aujourd'hui, consiste à saisir la balle au bond et à se doter d'un mouvement politique bien rodé. À l'aube du XXIe siècle, la crise de la démocratie est appelée à s'intensifier et à s'aggraver sous la botte des grandes entreprises. Nous avons besoin d'une plate-forme politique qui offre une marche à suivre pour démanteler les mécanismes de la domination des entreprises et créer de nouvelles institutions permettant de revenir à une vraie démocratie. Au cœur de cette plate-forme, on devrait trouver l'objectif d'accroître le pouvoir de la population sur son avenir économique, social et écologique.

Bien que cette tâche relève d'un parti politique comme le NPD, rien n'empêche les mouvements de citoyens d'amorcer un tel processus. En fait, c'est une condition *sine qua non* si l'on veut que la politique d'espoir complète la politique de résistance. Les paragraphes qui suivent présentent donc l'ébauche de certaines parties de cette plate-forme. Il ne s'agit pas d'un plan directeur, mais plutôt d'un assortiment de propositions et de stratégies dont il faudra débattre et discuter afin d'en évaluer la pertinence.

La reconstruction nationale

D'emblée, l'une des questions fondamentales que devra se poser la gauche démocratique au moment d'élaborer une nouvelle plate-forme politique pour les Canadiens est la suivante : comment reconstruire notre économie et notre société sur les ruines du système de domination des grandes entreprises ? À l'origine, l'économie du Canada se fondait sur un système mixte dans lequel les secteurs public et privé coexistaient comme forces motrices du développement économique et social du pays. Fondements de l'expérience canadienne, ces deux secteurs se distinguaient de l'économie de marché exclusive qui régnait aux États-Unis. Toutefois, en tirant à boulets rouges sur le secteur public, les grandes entreprises et leur machine politique ont gravement ébranlé ces fondements.

Partout s'accumulent les signes de naufrage : fermeture d'usines, faillite d'entreprises, fermeture d'hôpitaux, queues devant les soupes populaires, épuisement des stocks de poissons et coupe à blanc de nos forêts. Cela se détecte surtout dans le sentiment grandissant d'insécurité économique, sociale et écologique qu'éprouve la population.

Pour savoir comment sauver l'économie et la société canadiennes de ce naufrage, il faut amorcer un débat sur le modèle économique et politique que nous voulons suivre.

Comme nous l'avons vu, le modèle de développement fondé sur les grandes entreprises domine largement aujourd'hui la société et l'économie du Canada. L'économie de marché règne en maître absolu et le secteur privé est la principale force motrice du développement économique et social, sans ingérence, ou presque, de l'État. Les grandes entreprises ont orienté l'économie afin qu'elle serve leurs intérêts, ici et à l'étranger, et leur donne de meilleures occasions d'investissement rentable.

L'économie du Canada, conformément à la doctrine de la concurrence internationale, vise à satisfaire en premier lieu aux exigences étrangères du capital transnational plutôt qu'à répondre aux besoins fondamentaux de la population du pays. Au moyen de sa vaste machinerie politique, le Canada des affaires s'est donc assuré que les politiques économique et sociale du gouvernement soient redéfinies afin de renforcer ce modèle de développement. En dépit de tous les discours sur l'efficacité de la réduction des coûts, cependant, ce modèle des grandes entreprises s'est finalement révélé être extrêmement néfaste en ce qui concerne les ressources humaines et matérielles.

Une nation qui tolère que deux millions de ses travailleurs soient tenus à l'écart d'activités productives de façon permanente, qu'un tiers de ses moyens de production y soient à l'abandon et que des dizaines de milliards de dollars, constituant l'épargne de la population, soient gaspillés pour financer la mainmise des entreprises sur l'État, les fusions et l'investissement à l'étranger est une nation qui dilapide ses ressources humaines et naturelles.

La reconstruction de notre économie et de notre société passe aujourd'hui par un rejet clair et ferme de ce modèle. Comme les économistes Sam Gindin et David Robertson l'ont bien mis en évidence, il n'y a pas de demi-mesures. Une fois qu'on est pris dans l'engrenage du modèle des entreprises, on ne peut plus reculer. Le Canada doit plutôt choisir une nouvelle voie, un modèle plus démocratique qui cherche avant tout à satisfaire les besoins fondamentaux de ses citoyens et à développer leurs capacités en vue de la reconstruction de l'économie et de la société. La poursuite de ces objectifs devra être au cœur de l'économie nationale.

Le bien-être d'une nation, expliquent Gindin et Robertson, dépend, en grande partie, des idées créatrices et des capacités de ses travailleurs. Plutôt que d'entraîner les citoyens dans l'engrenage de la concurrence internationale, ce nouveau modèle les encouragera à exploiter leurs talents et à utiliser leurs ressources. Les Canadiens pourront ainsi participer à la reconstruction économique, sociale et écologique de leur pays et de leurs collectivités, et reprendre ainsi le contrôle de leur destinée.

Pour y parvenir, bien sûr, il leur faudra prendre une part beaucoup plus active au développement économique et social du pays et démanteler le système de domination des entreprises et ses mécanismes, notamment les rouages politiques dont se servent les grandes entreprises pour déterminer et orienter les politiques économique, sociale et écologique. Cependant, pour que les citoyens prennent une part plus active au développement de l'économie, il faudra faire bien plus qu'éliminer les mécanismes de pouvoir et de contrôle que manient les grandes entreprises. La vraie démocratie, comme le soulignent Gindin et Robertson, exige que les gens participent également au développement de l'économie (démocratie universelle) et qu'ils aient une possibilité réelle de s'épanouir dans la société.

Un autre préalable à l'exercice du pouvoir démocratique est la satisfaction des besoins primaires des gens, faute de quoi ces derniers ne pourront participer efficacement à la reconstruction. Par ailleurs, les nouveaux mécanismes institutionnels devront encourager et accroître la participation des citoyens en vue de définir les priorités et de planifier des initiatives économiques, sociales et écologiques, notamment dans les collectivités et les régions. Si l'on veut que les gens puissent exercer leurs droits dans une société véritablement démocratique, le respect de ces conditions est essentiel.

Le remplacement du modèle des entreprises par un modèle plus démocratique de développement ne signifie pas qu'on doive rejeter les grandes entreprises ni même la mondialisation en soi. Les grandes entreprises et leurs employés ont un rôle économique crucial à jouer. En mobilisant le capital et les technologies afin de produire des biens et des services destinés à la consommation nationale et mondiale, les grandes entreprises stimulent la croissance et la richesse économiques. Le modèle que nous devons bannir est celui d'une société qui laisse les grandes entreprises exercer les pleins pouvoirs et brandir leur richesse pour dominer, exploiter et contrôler la vie des gens. Plus particulièrement, il ne faut plus laisser aux PDG des grandes entreprises et à leur machine politique le pouvoir de déterminer (sinon d'imposer) les priorités économiques, sociales et écologiques et les orientations du pays.

Les grandes entreprises et leurs activités doivent revenir dans le giron de la démocratie, sans que pour autant il faille rejeter d'emblée la mondialisation. L'interdépendance mondiale, en raison des progrès de la technologie du transport et des communications, est un phénomène avec lequel nous devons composer. Le Canada est une nation commerçante et, à ce titre, il sera toujours dans son intérêt de négocier des ententes internationales et d'accéder à des marchés mondiaux dans le cadre de son plan de développement. Le modèle qu'il nous faut rejeter, c'est celui d'une société où les entreprises transnationales, engagées dans une concurrence à outrance, déterminent les modalités de la mondialisation.

Tous ces points convergent vers la nécessité d'un débat public permettant de dégager un modèle de reconstruction nationale. À maints égards, la plate-forme politique que nous proposons devrait avoir pour fonction de stimuler un tel débat, de nature essentiellement idéologique. Après tout, les modèles des entreprises et de la démocratie ne reposent pas sur les mêmes valeurs et sur les mêmes conceptions de la nature de notre économie et de notre société.

L'opportunité d'un tel débat est de plus en plus évidente. Non seulement il faut sans tarder élaborer un plan de reconstruction nationale, mais la perspective d'un surplus budgétaire à Ottawa au tournant de ce siècle rend cette tâche impérative. Il s'agit de savoir si la gauche démocratique sera capable de saisir cette occasion pour proposer un plan de reconstruction nationale reposant sur un modèle démocratique plutôt que sur le maintien du système de domination des entreprises, qui a déjà engendré tant de misère et d'insécurité au pays.

Il reste beaucoup de travail à accomplir pour en arriver là, c'est-à-dire pour mettre un terme à l'abus de pouvoir des grandes sociétés et rétablir la démocratie.

La formation d'un État démocratique

Dans ce contexte, tout plan de reconstruction devrait donc poser la question du rôle de l'État. Comme nous l'avons vu, les grandes entreprises et leurs alliés se sont systématiquement attelés au démantèlement de l'État keynésien, qui a été le modèle de gouvernement de notre pays et de l'Occident pendant presque la moitié du XXe siècle, afin de le remplacer par le modèle de l'État au service des grandes entreprises. Tant et aussi longtemps que le rôle premier du gouvernement fédéral canadien sera de restructurer de fond en comble le système national, fiscal, économique, social, culturel et écologique selon des critères de rentabilité et de concurrence, il y a peu d'espoir que l'on puisse présenter, encore moins instaurer, un vaste programme de reconstruction nationale.

Les grandes entreprises ont réinventé l'État afin d'en faire leur bras politique. Elles l'ont dépouillé de certains de ses pouvoirs et en ont réorienté et renforcé certains autres, au gré de leurs intérêts. En conséquence, un parti de la gauche démocratique ne peut pas songer à constituer une opposition forte et encore moins espérer former le gouvernement à Ottawa au cours de la prochaine décennie s'il ne dispose pas d'un plan de réforme quelconque des rôles, des responsabilités et des pouvoirs de l'État. Autrement, il n'aura que très peu ou pas de crédibilité quand il présentera sa plate-forme en faveur du changement social.

En fait, toute plate-forme de substitution doit prévoir une stratégie pour remplacer le modèle de l'État au service des entreprises par un modèle de gestion publique démocratique. Si l'on se conforme aux principes énoncés ci-dessus, la défense et la promotion des droits fondamentaux et des libertés des citoyens devraient figurer au cœur des préoccupations d'un tel État démocratique. Celui-ci devrait donc veiller en premier lieu à ce que l'économie serve à satisfaire les besoins fondamentaux de ses citoyens et fasse appel à leurs capacités de production.

Il ne s'agit pas simplement de revenir à l'ancien modèle de l'État keynésien. Bien sûr, tout comme dans le modèle keynésien, l'État démocratique doit avoir les pouvoirs et les outils nécessaires pour intervenir sur les marchés quand l'intérêt du public le commande. En revanche, il ne fonctionnerait pas de la même manière. Par exemple, compte tenu de la mondialisation de l'économie, il semble logique que l'État démocratique ait le même type de mandat et de pouvoir que celui dont le régime actuel s'est servi pour réorganiser le système national en profondeur. La différence résiderait dans le fait que la réorganisation serait orientée vers les citoyens et la satisfaction de leurs besoins plutôt que de ceux des entreprises. De plus, l'État devrait procéder de manière à encourager et même à optimiser la participation des citoyens.

Selon Leo Panitch, le vrai débat, aujourd'hui, ne consiste pas à opposer un État faible à un État omniprésent, mais bien plutôt à édifier un État différent. S'inspirant de la Commission Spicer, qui a mené une consultation pancanadienne sur la question des réformes constitutionnelles en 1991 et en 1992, Panitch affirme qu'il est évident que les Canadiens veulent voir s'opérer des changements profonds dans le système de gouvernement. La Commission Spicer a conclu que les gens voulaient des formes de représentation, de responsabilisation et de contrôle des institutions publiques plus démocratiques. La population justifie cette demande, selon la Commission, en exprimant sa conviction que les forces anonymes du marché viennent usurper les valeurs traditionnelles canadiennes sans que les gouvernements ne s'en préoccupent.

Le Parti réformiste s'est empressé d'intégrer ce message à sa plate-forme populiste de droite, remarque Panitch, et il est grand temps que la gauche élabore son propre plan en vue de démocratiser l'État. Une démocratie dynamique, ajoute-t-il, n'est pas une démocratie qui représente et fige l'opinion du moment. Elle encourage plutôt le développement du potentiel humain, et par-dessus tout celui du potentiel collectif, afin de créer un ordre social où règne la justice. C'est un processus de développement collectif et d'éducation qui fait appel à la participation.

Il faut s'attendre, cependant, à ce que toute tentative de réforme de l'État par la démocratisation du mécanisme gouvernemental rencontre une résistance chez les hauts fonctionnaires. Il ne faut pas se leurrer et croire qu'un nouvel État progressiste pourra compter sur une fonction publique indépendante, loyale, dévouée, neutre et attentive à ses besoins, d'autant plus que, durant les dernières années, on a redéfini le rôle des fonctionnaires afin qu'ils travaillent selon les exigences du secteur privé, traitent les citoyens comme des consommateurs et transforment les politiques, les programmes et les services en « produits » à acheter et à vendre sur le marché politique.

Les PDG et leurs machines politiques résisteront également avec acharnement aux efforts de démantèlement des mécanismes de domination des entreprises. L'élite du monde des affaires, bien plus que les hauts fonctionnaires, a précisément intérêt à maintenir le *statu quo*. Par conséquent, l'instauration d'un modèle démocratique doit se faire selon un plan d'action concerté. Dans le cas contraire, un gouvernement progressiste pourrait voir ses plans contrecarrés par une alliance des entreprises et des fonctionnaires hostiles à son action.

C'est d'abord par « un renforcement de la représentation démocratique et des libertés politiques » au sein de la fonction publique fédérale que doit s'amorcer la réalisation d'un plan d'action en faveur de la démocratisation de l'État, explique le politologue Greg Albo. Pour ce faire, il faut recourir à trois mesures : *la première* est d'injecter du sang neuf, tant au sein du personnel ministériel que chez les fonctionnaires, pour mettre en route rapidement les réformes démocratiques. On ne peut pas uniquement recourir à des experts provenant de l'extérieur, dit Albo, parce qu'ils seront trop loin du cœur de la bataille.

La deuxième mesure consiste à prévoir la mise sur pied d'un comité central de planification et d'examen des mesures visant à coordonner les initiatives gouvernementales. Un tel comité est essentiel pour redéployer les pouvoirs concentrés entre les mains des hauts fonctionnaires, ainsi que pour passer d'un mode de gestion de crise à court terme au développement de la capacité à réaliser une planification à long terme.

La troisième mesure vise à démocratiser la fonction publique en « assouplissant les structures de fonctionnement rigides, en déléguant le pouvoir de décision à des niveaux subalternes, en passant outre aux frontières de juridiction, en multipliant les lieux de décision accessibles aux citoyens et en décentralisant les services ».

Afin d'aller de l'avant, une autre plate-forme devra définir les principales étapes à suivre pour démanteler l'État protecteur des entreprises et ses mécanismes. Son premier objectif devra être la machinerie politique des entreprises. On pourrait, par exemple : faire intervenir le législateur pour éliminer ou restreindre de manière importante toutes les formes de financement des partis politiques et des campagnes électorales par les entreprises ; réglementer de façon stricte les activités de lobbying des grandes entreprises et s'assurer que les autres regroupements de citoyens ont facilement accès aux processus gouvernementaux de prise de décision et d'orientation des politiques ; enfin, empêcher les grandes entreprises d'adopter des formes de publicité visant à promouvoir leurs nouvelles orientations ou idéologies politiques.

On pourrait envisager d'autres mesures restreignant l'influence directe qu'exercent les centres de recherche des grandes entreprises sur la prise de décision à Ottawa. De telles mesures permettraient de reprendre les commandes démocratiques de notre système politique en démantelant les rouages politiques des entreprises qui font en sorte que les décideurs d'Ottawa et des provinces sont pris en otage.

Pour qu'un État démocratique remplisse son rôle dans la nouvelle économie mondiale, il faudra aussi revoir la répartition des pouvoirs au sein du régime fédéral. Les questions à régler ne sont pas les mêmes dans le cas de l'avenir politique du Québec, qui demande, quant à lui, une attention toute particulière. Dans le cas qui nous préoccupe ici, la question comporte deux volets. D'une part, il faut se demander comment il est possible de renforcer l'État canadien pour, notamment, négocier avec les puissantes entreprises transnationales (de même qu'avec les autres États-nations) afin de s'assurer que soient respectées des normes nationales dans le fonctionnement des programmes sociaux et des services publics, partout au pays.

D'autre part, il faut déterminer quels pouvoirs devraient rester entre les mains des gouvernements provinciaux qui administrent aujourd'hui, par exemple, une grande part des programmes sociaux et des services publics et qui ont pris en main la promotion du développement économique de leurs régions. Une telle révision permettrait de s'assurer que les pouvoirs sont centralisés ou décentralisés de façon à favoriser l'épanouissement démocratique du peuple. Une révision des pouvoirs des gouvernements fédéral et provinciaux, selon ces critères, nécessiterait la renégociation de parties importantes de la législation, que l'on songe au Transfert canadien en matière de santé et de programmes sociaux ou encore à l'Accord sur le commerce intérieur.

Cependant, l'édification d'un État démocratique sur ce modèle n'aura pas une grande portée si l'on n'introduit pas, du même souffle, des mesures qui donneront aux citoyens une plus grande latitude en matière de planification et de gestion populaires. Pour ce faire, Albo propose trois autres étapes : d'abord, la mise sur pied d'un « réseau d'équipes », composé de fonctionnaires, de consultants, de syndicalistes et d'usagers, qui devrait se concentrer sur les politiques et les programmes des principaux secteurs d'activité. Ces « équipes » auraient pour fonction de favoriser la planification populaire à Ottawa et d'assouplir considérablement les rigidités bureaucratiques.

Ensuite, il faudrait instaurer des mesures pour que producteurs et usagers soient à égalité en ce qui a trait à la prestation de services. On pourrait changer le modèle actuel de dépendance bureaucratique, dans lequel les usagers dépendent des producteurs, en encourageant fortement la mise sur pied d'associations actives d'usagers et en concevant une nouvelle forme de relation avec les producteurs.

Enfin, il faudrait faire une plus grande place à la planification populaire et à l'autogestion. Les travailleurs sur le terrain et les groupes d'usagers, par exemple, devraient pouvoir soumettre leur propre plan en matière de prestation et d'offre des services. Il faudrait, du même coup, accélérer la démocratisation sur les lieux de travail.

Le défi est de concevoir des mécanismes novateurs de participation populaire, aussi bien dans le domaine de la planification populaire que dans celui de l'autogestion. Il ne s'agit pas de dépoussiérer d'anciens modèles de consultation et de les remettre en service. Il faut mettre en place, au contraire, des conseils de citoyens élus ayant pour mission de faire de la planification populaire et de concevoir un programme de gestion destiné aux chefs et aux administrateurs démocratiques. C'est une façon, dit Panitch, d'encourager et de faciliter la participation authentique des citoyens à la planification et à l'autogestion.

Tout comme on élit des citoyens, par exemple, pour siéger aux conseils scolaires afin de surveiller l'implantation des mesures éducatives, on devrait mettre en place des instances semblables qui permettraient aux citoyens de participer à l'élaboration et à la mise en œuvre des mesures économiques, sociales et écologiques dans les régions. Là où les choses se compliquent, remarque Panitch, c'est qu'il est difficile, pour la population, d'assumer une citoyenneté active à un moment où elle a l'impression de n'avoir aucun pouvoir et où elle n'a pas un sens aigu de la collectivité. Il est donc important que les chefs et les administrateurs démocratiques soient doués des aptitudes nécessaires pour susciter et faciliter la participation populaire à ce stade.

Paul Leduc Browne, analyste de la politique sociale, suggère de surcroît que l'État démocratique se dote d'une stratégie qui combine le développement économique et le développement social en jumelant le secteur public à l'« économie sociale », qui englobe les organisations à but non lucratif, les associations bénévoles, les coopératives, les sociétés d'assurance mutuelle et les entreprises de développement économique communautaire. Alors que seul l'État, par le truchement du secteur public, peut mobiliser les ressources utiles à la fourniture et à la répartition des biens collectifs de manière juste et équitable, il est absolument vital que les initiatives économiques, sociales et de développement durable soient reliées aux réseaux locaux des collectivités et aux mouvements de citoyens sur le terrain.

Pour en arriver là, on doit financer et renforcer l'économie sociale de façon adéquate, sans porter atteinte au secteur public. Cela est possible, selon Browne, en offrant des subventions directes et indirectes de l'État au secteur de l'économie sociale et en mettant sur pied des organismes de financement autonomes à but non lucratif. Ces derniers devraient s'appuyer sur des conseils composés d'intervenants du milieu ayant pour mandat de répartir les fonds entre les organismes à but non lucratif au service de la collectivité. Le renforcement de l'économie sociale permettrait aussi de s'assurer que les mouvements de citoyens disposent des ressources nécessaires pour s'engager activement dans les batailles en vue de changements sociaux démocratiques.

La souveraineté politique

Pour créer une plate-forme de reconstruction et de développement national, on devra se poser la question suivante : comment redonner au Canada les pouvoirs souverains qui lui sont propres en tant qu'État-nation ? Comme nous l'avons vu, les mesures impitoyables qui ont mené à la privatisation et à la déréglementation de l'économie canadienne dans les années 1980 que sont venus renforcer des accords comme l'ALE et l'ALENA vers la fin de la décennie, et notre dépendance croissante envers l'étranger au chapitre du financement de la dette dans les années 1990 ont affaibli profondément la souveraineté nationale du Canada. Ottawa (ainsi que les provinces), à la suite de ces mesures, a effectivement abandonné bon nombre de ses pouvoirs et des outils dont il avait besoin pour élaborer un plan national répondant aux besoins économiques, sociaux et écologiques de la population canadienne. Plus précisément, ces mesures ont dépouillé Ottawa et les provinces de la plupart des outils dont ils disposaient autrefois pour réglementer les activités des grandes entreprises, canadiennes ou étrangères, en fonction des besoins du pays en matière de développement.

Il est vrai que les État-nations comme le Canada n'ont jamais eu le pouvoir souverain ni les outils nécessaires pour contrôler effectivement les activités des entreprises transnationales sur leur territoire, mais le problème s'est encore accentué au cours des dernières décennies. Il est, par conséquent, indispensable d'élaborer un plan d'action qui permettra d'exercer un contrôle démocratique en profondeur sur les grandes entreprises présentes dans l'économie.

D'entrée de jeu, Ottawa devra trouver un moyen de réglementer à nouveau les investissements, qu'ils soient nationaux ou internationaux, des grandes entreprises. Conformément au plan national de reconstruction et de développement, il faudra établir un nouvel et vaste éventail de critères financiers reflétant les priorités économiques, sociales et écologiques de la population. On pourra utiliser ces critères pour établir des normes d'efficacité portant sur la nature des emplois, la technologie appropriée, la sécurité au travail, le contrôle de la pollution, la sécurité alimentaire et les quotas d'exportation des ressources naturelles. On pourrait créer d'autres normes de ce type pour atteindre l'objectif d'une plus grande utilisation de la capacité de production de la population.

Il faudrait aussi adopter des mesures législatives appropriées, qui détermineraient, par exemple, les modalités à respecter en cas de fermeture d'usine, au chapitre des responsabilités envers les travailleurs et les collectivités, ou les conditions à remplir pour que la collectivité ait plus de prise sur les investissements étrangers au moyen de lignes de conduite du type : « Fabriquons et achetons chez nous ». Dans tous les cas, ce qu'il nous faut, ce sont des critères financiers clairs combinés à des mesures d'application pertinentes, de façon que les investissement des grandes entreprises, sur les plans national et international, permettent d'atteindre les objectifs économiques, sociaux et écologiques du développement national.

C'est par la concentration de la propriété et par le renforcement de leur contrôle que les grandes entreprises sont en mesure de mieux déstabiliser la souveraineté politique d'un pays comme le nôtre. Grâce aux monopoles, aux fusions et aux cartels, les entreprises géantes sont capables de raffermir leur contrôle sur les secteurs clés de l'économie. Pour illustrer ce processus, y a-t-il meilleur exemple que le cas de Conrad Black, de Hollinger, qui possède et contrôle 60 % des quotidiens du pays ? Conrad Black se place au troisième rang mondial des magnats de la presse. Afin de contrer l'instauration de blocs d'entreprises aussi puissants, il faut circonscrire les monopoles qui, dans les secteurs clés de l'économie, ont un effet néfaste sur les priorités nationales de développement et prendre les mesures législatives qui s'imposent pour les casser.

Pour ce faire, il faudra réformer en partie la législation qui régit la concurrence au Canada, laquelle, comme nous l'avons déjà souligné, a été dictée par le CCCE. Si l'on veut faire montre d'un fort leadership sur cette question, il faut aussi appliquer rigoureusement une législation antitrust comme celle qui existe déjà dans d'autres pays, notamment aux États-Unis, pour briser les puissants monopoles des grandes entreprises qui n'agissent pas pour le bien commun.

De plus, il faudrait mener une action concertée pour rapatrier la partie de la dette du Canada que détiennent les étrangers sous forme d'obligations, et pour freiner la fuite des capitaux. La Banque du Canada, principal instrument de la politique monétaire d'Ottawa, a la possibilité d'aller sur les marchés monétaires pour acheter des bons du Trésor à court et à long terme. Ce faisant, elle pourrait racheter une plus grande part de la dette canadienne détenue par les investisseurs étrangers et, par conséquent, réaffecter au Trésor public le montant des intérêts qui, autrement, serait versé à l'étranger. D'autres initiatives devraient suivre en vue de rapatrier les dizaines de milliards de dollars que les grandes entreprises détournent à l'extérieur du pays chaque année afin de ne pas acquitter la juste part d'impôts et de coûts sociaux liés à leurs activités dans ce pays.

Alors que, depuis 1951, le Canada a renoncé à utiliser un système de contrôle direct du capital, quelque 11 pays industrialisés et 109 pays en voie de développement appliquent toujours un tel système pour freiner la fuite des capitaux. Il existe une vaste gamme d'outils pour surveiller et contrôler les mouvements de capitaux. Au moment où les forces policières réclament des mesures de surveillance très strictes des mouvements de capitaux à l'échelle mondiale afin de contrer le blanchiment d'argent provenant de la drogue, il faudrait négocier des accords internationaux exigeant que les capitaux qui traversent illégalement les frontières soient rapatriés dans leur pays d'origine.

Certaines de ces actions visant à restaurer la souveraineté politique du Canada risquent de se heurter à des obstacles majeurs dans le cadre d'accords commerciaux comme l'ALENA. Le code d'investissement de l'ALENA, par exemple, empêche les gouvernements d'appliquer des critères d'efficacité comme les spécifications d'emplois ou la fourniture de technologies appropriées. De même, le code énergétique de l'ALENA proscrit l'utilisation de quotas à l'exportation et le code financier interdit toute forme de contrôle du capital et des échanges internationaux.

Bien qu'il s'agisse là des clauses les plus contestables, il y en a d'autres, dans le cadre de l'ALENA, qui contrecarrent le plan d'action proposé. Dans ce contexte, l'alternative qui se présente à Ottawa consiste soit à faire usage de la clause d'abrogation de l'ALENA et à informer ses partenaires de son intention de se retirer de l'accord, soit à entreprendre des démarches pour rouvrir les négociations sur les principales clauses contestables. Étant donné que ces dernières constituent, à maints égards, la pièce maîtresse de l'ALENA, il semble peu probable que les États-Unis (ou, plus précisément, le patronat de l'Amérique du Nord) se montrent enclins à reprendre de telles négociations. Cependant, une bonne tactique consisterait à consentir d'abord un effort énorme pour la renégociation, puis, en cas d'échec, à prendre les mesures qui s'imposent pour faire jouer la clause d'abrogation.

On peut aussi renforcer la souveraineté politique d'Ottawa (et des provinces) en offrant aux citoyens des occasions bien concrètes d'exercer leurs pouvoirs fondamentaux sur les grandes entreprises. Les gouvernements pourraient édicter une procédure qui permettrait aux mouvements de citoyens de réviser, de remettre en question et d'amender les chartes des grandes entreprises. Aux États-Unis, par exemple, la loi de nombreux États, depuis le début du XIXe siècle, donne toute autorité aux citoyens pour remettre en question les chartes des grandes entreprises. Le raisonnement qui a mené à cette situation est le suivant : puisque les gouvernements agissent au nom des citoyens quand ils octroient aux grandes entreprises l'autorisation d'exercer leurs activités sur leur territoire, les mouvements de citoyens devraient aussi avoir le droit de participer au processus d'évaluation des activités de ces entreprises et de recommander toute extension, tout amendement ou toute révocation de leurs licences.

Le Canada pourrait s'inspirer de ces procédures et imposer des critères d'évaluation des activités des grandes entreprises qui soient semblables, ou presque, à ceux qu'on utilise pour évaluer le plan d'investissement d'une grande entreprise ; ces critères se fondent sur les priorités économiques, sociales et écologiques du plan de développement national. En recourant à des moyens juridiques, les mouvements de citoyens pourraient évaluer le rendement antérieur des grandes entreprises visées en fonction de ces critères et, au besoin, présenter une requête, soit pour la révocation de leur charte parce qu'elles violent les droits démocratiques fondamentaux des citoyens, soit pour la modification de celle-ci, afin qu'elles ne répètent pas ces violations.

Si cela s'avère nécessaire, il serait toujours possible de demander une injonction de la cour pour empêcher les entreprises en question de continuer à nuire ou d'aller rapidement s'installer ailleurs. Et qui plus est, les mouvements de citoyens pourraient recourir à ces moyens pour s'opposer aux stratagèmes dont se servent les grandes entreprises en vue de dicter l'orientation des politiques gouvernementales.

Les finances publiques

L'un des secteurs où la gauche démocratique a certainement fait une percée est celui des finances publiques. Au moyen de ce qu'on appelle une « Alternative budgétaire pour le gouvernement fédéral », elle a élaboré un modèle permettant aux citoyens de participer à la gestion des finances publiques. Mise au point initialement par CHOICES!, une coalition de citoyens militants du Manitoba, cette méthode a été reprise par le Centre canadien de politiques alternatives en collaboration avec la coalition manitobaine. Ces deux organismes coordonnent annuellement pour le gouvernement fédéral la préparation d'une alternative budgétaire à laquelle participent des mouvements de citoyens provenant de différents secteurs. À la suite de vastes séries de consultations auxquelles prennent part des groupes de citoyens et des experts techniques, secteur par secteur, on détermine les priorités en matière de programmes et de revenus. À partir de ces priorités, on prépare un programme politique de substitution qui sert lui-même de cadre à l'élaboration de l'Alternative budgétaire pour le gouvernement fédéral.

Partant du principe que le déficit et la dette du Canada sont avant tout un problème de revenus, et non un problème de dépenses, l'Alternative budgétaire contient des propositions novatrices pour réduire le déficit tout en renforçant, du même souffle, l'investissement public dans la mise en valeur des ressources humaines au moyen de la création d'emplois, de programmes sociaux et de la protection de l'environnement. Ce budget met plus particulièrement l'accent sur les mesures à prendre pour améliorer le contrôle démocratique, par opposition au contrôle des grandes entreprises, sur les finances de la nation.

La première action concertée doit consister à réformer le régime fiscal des entreprises en vigueur au pays. Comme nous l'avons vu, la diminution des recettes provenant des grandes entreprises qui font des profits est l'une des principales causes de l'endettement persistant du pays, ces entreprises ayant souvent reçu des subventions importantes de l'État sans devoir payer leur juste part d'impôt. Ottawa pourrait grandement consolider ses finances publiques en adoptant une série de mesures qui transformeraient le régime d'imposition des sociétés, entre autres : une réduction importante ou l'élimination des subventions non imposables aux grandes entreprises (par exemple, la défalcation des frais de repas et de divertissement, des dépenses de lobbying, etc.), que même le FMI a qualifiées d'excessivement généreuses; l'adoption d'un impôt minimum sur les grandes entreprises pour s'assurer que toutes celles qui font des profits paient leur juste part du fardeau fiscal et ne disposent plus de mesures fiscales aussi favorables; l'application d'un impôt sur les profits exceptionnels, en commençant par les six grandes banques nationales qui ont déclaré des bénéfices supérieurs à six milliards de dollars en 1996 seulement; l'élimination des exemptions sur les gains en capital et des crédits d'impôt pour dividendes, qui accordent un traitement fiscal particulier aux riches investisseurs; enfin, l'introduction d'un impôt sur la richesse, mesure que presque tous les autres pays de l'OCDE ont déjà instaurée. Toutes ces mesures permettront de réformer en profondeur le système de subvention aux grandes entreprises.

Afin de mettre un frein à la spéculation excessive sur les marchés financiers et d'augmenter ses recettes, le Canada devrait instituer un impôt sur les transactions financières (ITF). Un tel impôt ne s'appliquerait pas seulement aux opérations effectuées sur les marchés des actions, des obligations et des changes, mais aussi aux options, aux contrats à terme et aux dérivés.

L'ITF permettrait au moins à Ottawa d'amorcer un contrôle de la spéculation sur les marchés des changes à une époque d'économie de casino. Un débat est en cours sur ce que devrait être l'assiette de cet impôt au Canada et pour savoir si elle serait assez importante pour justifier un tel impôt. Cependant, plusieurs pays, tels la Grande-Bretagne, la Suisse et le Japon, ont déjà adopté un impôt national de ce genre.

Afin d'éviter qu'à coup sûr les investisseurs ne placent leurs capitaux à l'étranger, l'ITF s'appliquerait à tous les résidents canadiens et à leurs entreprises affiliées, quel que soit le lieu de la transaction. En instituant un tel impôt sur les transactions financières, le Canada serait bien placé pour jouer un rôle crucial dans la négociation d'un accord international pour l'adoption d'un « impôt Tobin » sur les transactions financières internationales (ainsi nommé en l'honneur de James Tobin, Prix Nobel d'économie). En fait, sans l'instauration d'un impôt modeste sur les transactions financières internationales, les investisseurs pourraient continuer de transférer leurs capitaux dans les paradis fiscaux à l'étranger.

La reprise du contrôle de nos finances publiques exige aussi que l'on mette au point une politique monétaire autonome. Après tout, les grandes entreprises ont réussi à faire pression sur la Banque du Canada pour qu'elle jugule en priorité l'inflation en maintenant des taux d'intérêt élevés, lesquels ont eux-mêmes engendré l'augmentation de la dette. Ottawa devrait ordonner immédiatement à la Banque du Canada de poursuivre sa récente politique de maintien, à court terme, de faibles taux d'intérêt nominaux, mais aussi de prendre des mesures décisives pour que les taux baissent à plus long terme. Pour influer sur les taux d'intérêt à long terme, la Banque du Canada pourrait, entre autres, être à nouveau active sur les marchés financiers et y acheter, pour son propre compte, les obligations à long terme et les bons du Trésor du gouvernement canadien.

En abaissant les taux d'intérêt à long terme, le gouvernement pourrait augmenter ses recettes et réduire le fardeau de la dette nationale grâce à des remboursements d'intérêts moins élevés. Si l'on va dans ce sens, la banque centrale doit revenir à son rôle premier et instituer une nouvelle politique monétaire. Après tout, la Banque du Canada n'a pas reçu pour unique mission de juguler l'inflation. À sa création, la législation stipulait qu'elle était aussi responsable de l'emploi et de la santé financière du pays.

Parallèlement à ce processus, il faudrait aussi diminuer la proportion de la dette publique détenue par les banques privées. Comme nous l'avons déjà vu, les six grandes banques nationales ont récemment profité de la crise de l'endettement du pays pour acheter de l'État des obligations exemptes de risque, ajoutant, du même coup, des dizaines de milliards de dollars à la dette publique. Comme il a été proposé ci-dessus, la Banque du Canada devrait renverser cette tendance et pénétrer à nouveau le marché pour acheter des obligations d'État en très grande quantité. Dans ce cas, le gouvernement canadien n'aurait aucun intérêt à payer sur l'argent emprunté à sa propre banque.

Pour que ces mesures soient efficaces, il faudrait, cependant, remettre en vigueur l'obligation, pour les banques privées, les sociétés de fiducie et les autres institutions financières, de détenir une réserve à la banque centrale, pratique qui a été abandonnée en 1991. En réinstituant cette obligation, non seulement on renforcerait la capacité de la Banque du Canada d'acheter les obligations d'État sur les marchés financiers, mais on contrôlerait également la croissance générale de la masse monétaire et, par conséquent, toute tendance inflationniste qui pourrait autrement découler de ces changements.

Toutes ces mesures, cependant, ne serviront à rien si on ne force pas les banques et les autres institutions financières à mieux répondre aux besoins des citoyens dans leurs collectivités. En fait, il faudrait mettre au point des mécanismes par lesquels les citoyens pourraient évaluer les activités des banques et des autres institutions financières et mesurer jusqu'à quel point elles satisfont les besoins de la collectivité. Par exemple, on pourrait réévaluer, renouveler ou abroger la charte que le Parlement délivre aux banques pour leur permettre d'exercer leurs activités. Cet examen porterait sur les réinvestissements dans la collectivité, l'octroi de prêts hypothécaires et la satisfaction des autres besoins de la collectivité.

John Dillon propose que, tout comme le CRTC renouvelle régulièrement les licences de radiodiffusion après avoir examiné les activités de chacune des stations, on instaure un système semblable pour les banques. Bien que le CRTC ne soit peut-être pas le meilleur exemple à donner, en raison du fouillis bureaucratique qui ralentit son travail, rien ne s'oppose à la mise au point d'un mécanisme par lequel les citoyens pourraient évaluer les activités des institutions financières dans la collectivité et dans la région. Il conviendrait de prendre des mesures similaires à l'endroit de la Banque du Canada afin qu'elle soit tenue de rendre des comptes au sujet de sa politique monétaire, à la fois au Parlement et à toutes les régions du pays.

La production économique

Toute plate-forme de rechange doit, bien entendu, avoir pour élément central un plan de relance économique nationale. En se conformant aux priorités énoncées plus haut, il faudrait, en tout premier lieu, développer le potentiel des citoyens en leur fournissant de vrais emplois dans les secteurs stratégiques de l'économie. C'est là que se précise et se concrétise le passage d'un modèle de domination des entreprises à un modèle démocratique de planification et de développement.

Ottawa devra abandonner la stratégie économique des entreprises selon laquelle le monde est composé de « gagnants » et de « perdants », une approche qui consiste à faire sortir du rang certaines entreprises afin qu'elles excellent dans l'économie mondiale (par exemple, Northern Telecom). Il devra plutôt opter pour une stratégie économique qui mette en place et coordonne les réseaux de production dans les secteurs clés de l'économie canadienne.

Gindin et Robertson, par exemple, ont proposé de réunir les entreprises en réseaux de production dans chacun des grands secteurs industriels (soit la transformation, l'exploitation des ressources et l'agriculture), auxquels d'autres secteurs clés viendraient se joindre à leur tour (les milieux financiers, les services, les communications, les transports et autres). Ces réseaux de production pourraient faciliter l'élaboration de projets en vue d'accroître la productivité destinée tant à satisfaire les besoins nationaux qu'à faciliter les exportations.

En misant sur le développement des capacités de production de la population, Ottawa peut alors bien mieux coordonner une politique de création d'emplois. Chaque réseau de production devrait s'engager à faire régner la démocratie sur les lieux de travail en veillant à ce que les travailleurs prennent part aux décisions qui touchent la production et l'investissement. Dans la mesure du possible, il faudrait aussi faciliter l'accès des travailleurs et des collectivités à la propriété des entreprises.

De toute évidence, on ne peut pas laisser les grandes entreprises et les banques se charger de cette sorte de planification et de développement économiques. Celles-ci fondent leurs décisions d'investissement sur la maximisation des profits, ce qui entraîne souvent une fuite des capitaux et un épuisement proportionnel des ressources nécessaires au respect des priorités de développement économique, social et écologique du pays. Ottawa (en collaboration avec les provinces) devra plutôt ouvrir la voie en lançant un plan de développement économique national qui encouragera les grandes entreprises à bien définir leurs décisions d'investissement et de production. La tâche sera d'autant plus facile que l'État réorganisera l'économie en fonction des réseaux de production.

La coopération des entreprises clés est indispensable dans les secteurs stratégiques de l'économie. Bien qu'Ottawa ait certainement besoin de perfectionner ses talents de négociateur pour traiter avec les grandes entreprises (nationales et étrangères), il a tout de même quelques bons atouts dans sa manche. Après tout, le Canada demeure l'un des meilleurs endroits pour investir à long terme. Cependant, si les grandes entreprises veulent avoir accès aux ressources naturelles, au marché de consommation, à une main-d'œuvre compétente et à un climat relativement sûr et stable pour l'investissement, alors elles devront se conformer à certaines normes et à certaines conditions économiques, sociales et écologiques. Pour en arriver là, Ottawa devra se doter de nouveaux outils qui lui permettront d'exercer un contrôle démocratique sur le développement économique. L'Alternative budgétaire pour le gouvernement fédéral a déjà souligné un certain nombre de possibilités.

D'abord, il faudra instaurer un nouveau programme national d'investissement public pour stimuler la création d'emplois. Ce programme pourrait s'appuyer largement sur le secteur public et faire appel à la participation des gouvernements fédéral, provinciaux, territoriaux et municipaux. La reconstruction de l'infrastructure sociale et écologique du pays serait prioritaire et se ferait alors à l'aide de produits et de services canadiens.

Par l'intermédiaire de ce programme, l'Alternative budgétaire propose d'investir dans différents secteurs de développement prioritaires : réseaux de transport public, construction de logements sociaux et de coopératives d'habitation, systèmes d'aqueduc et d'égout, réduction et recyclage des déchets, rénovation des édifices publics, achat d'ordinateurs pour les bibliothèques publiques et les bureaux de poste, services de garderie à but non lucratif dans la collectivité, centres de soins aux aînés et services d'aide aux femmes battues.

Ce type d'investissement public créerait de nouveaux emplois dont pourraient profiter, en premier, les jeunes, les assistés sociaux et les prestataires de l'assurance-emploi. On pourrait orienter les programmes de formation vers les jeunes à risque, les femmes, les minorités visibles, les personnes handicapées et les autochtones. La portion fédérale du programme pourrait être financée à même un pourcentage des nouvelles recettes publiques générées par la réforme de l'impôt sur les grandes sociétés et par l'introduction de l'impôt sur les transactions financières.

Une stratégie d'investissement public de cette sorte devrait s'assortir d'un plan d'action coordonné, qui redirigerait l'investissement vers les réseaux de production, en vue de les renforcer et de créer des emplois. De 1991 à 1993 seulement, le capital privé canadien a investi environ 60 milliards de dollars à l'étranger, alors que, durant la même période, les institutions financières canadiennes perdaient des milliards de dollars qu'elles avaient injectés dans des fusions improductives et la spéculation immobilière.

Une bonne stratégie économique exige que l'on veille à ce qu'une partie importante de ce capital canadien reste au pays afin d'y être réinvesti. Dans ce but, l'Alternative budgétaire pour le gouvernement fédéral propose de créer une banque de développement des entreprises qui offrirait des prêts à faible taux d'intérêt ou des capitaux propres aux gens d'affaires du pays qui se lancent dans de nouveaux investissements au Canada. Cette banque constituerait un bon outil politique permettant d'encourager les gens d'affaires canadiens à investir dans de nouvelles industries créatrices d'emplois et reliées aux réseaux de production, en leur fournissant des capitaux à moindre coût, afin de compenser les gains plus élevés qu'ils auraient pu retirer en investissant ailleurs sur le marché mondial. Les revenus de l'impôt sur les bénéfices exceptionnels pourraient financer la banque elle-même. Afin d'empêcher les grandes entreprises rentables de réduire considérablement leurs effectifs, on devrait aussi prévoir la mise en place d'un système de pénalité fiscale.

D'autres instruments de politique, comme les efforts axés sur la recherche et le développement et la réorganisation du temps de travail, pourraient aussi servir à appuyer les stratégies d'investissement public et privé. La performance des entreprises canadiennes dans le domaine de la recherche et du développement est peu reluisante, puisqu'elles ont investi moitié moins que leurs voisines américaines. Pour combler un tel manque, il faudra qu'Ottawa ajoute du mordant à son programme par ailleurs généreux d'aide à la recherche et au développement (R&D). Il devra notamment accroître les investissements publics dans la recherche et la diffusion de la technologie, par l'intermédiaire du Conseil national de recherches, de plusieurs ministères fédéraux, des universités et des instituts technologiques, et instaurer diverses mesures fiscales et financières afin d'inciter les grandes entreprises à investir beaucoup plus dans la R&D de leur secteur, en fonction des priorités des différents réseaux de production.

En même temps, une meilleure répartition des heures de travail favoriserait grandement la création d'emplois et l'utilisation de la capacité productive de la population. Si on limite les heures supplémentaires dans le secteur public et qu'on encourage la réduction volontaire de celles-ci dans le secteur privé, on peut en faire profiter ceux qui n'ont pas d'emploi ou qui sont sous-employés, créant ainsi des emplois et une meilleure qualité de vie pour tous. On pourrait redéfinir les programmes existants, telle l'assurance-emploi, afin qu'ils permettent aux travailleurs de s'inscrire à des programmes de formation et de retourner sur les bancs d'école en vue d'accroître leurs capacités de production, tandis qu'on pourrait améliorer les régimes de retraite afin d'encourager les départs en préretraite ou la retraite progressive, ce qui offrirait aux jeunes d'autres débouchés.

Cette stratégie nationale ne sera toutefois efficace que si elle s'accompagne de mesures qui facilitent la participation des citoyens et qui leur permettent de mieux contrôler la situation. Il faut donner la priorité au développement économique communautaire (DEC), qui fait appel à la population pour produire des biens et des services destinés au marché local. En plus de subventionner le DEC, l'État pourrait demander aux succursales locales des banques et des sociétés de fiducie de consentir des prêts à des taux d'intérêt peu élevés, dans le cadre de projets de développement économique communautaire. Le total de ces prêts pourrait être équivalent à un pourcentage de la somme des prêts consentis annuellement aux clients commerciaux habituels de ces institutions.

Dans bien des cas, les réseaux de production régionaux pourraient proposer leur collaboration pour la conception des plans de DEC, en concentrant peut-être leurs efforts sur les entreprises dont la collectivité ou les travailleurs sont propriétaires. L'établissement de conseils d'emploi composés de personnes élues stimulerait la participation des citoyens et l'investissement régional. Ces conseils auraient pour mandat de réviser tous les plans et toutes les propositions concernant les investissements publics et privés dans leur région, afin de s'assurer qu'ils visent à favoriser la création d'emplois aussi bien qu'à augmenter les capacités de production des travailleurs. Il faudra, bien sûr, définir les critères appropriés pour élire le conseil et obtenir une représentation adéquate des différents secteurs de la collectivité.

La sécurité sociale

Lorsqu'elle établira son programme de reconstruction nationale, la gauche démocratique devra principalement définir comment elle envisage de rebâtir le système de sécurité sociale. Les grandes entreprises, en ne payant pas leurs impôts, ont diminué les recettes publiques et, en faisant pression sur les gouvernements pour qu'ils sabrent dans les dépenses consacrés aux programmes sociaux, elles ont contribué au démantèlement d'une bonne partie de notre système social. Pis encore, aujourd'hui, elles se bousculent pour s'approprier les secteurs les plus lucratifs de nos programmes sociaux et de nos services publics, au fur et à mesure qu'ils sont privatisés.

Contrairement à la croyance populaire, le Canada est très en retard sur la plupart des pays de l'OCDE dans le domaine des dépenses sociales nationales. En moyenne, les pays européens consacrent 23 % de leur PNB aux régimes de sécurité sociale, alors que le Canada se limite à moins de 14 % à ce chapitre. Le Transfert canadien en matière de santé et de programmes sociaux (TCSPS) du gouvernement Chrétien, en particulier, a porté un coup mortel au système qui a été édifié tout au long des 60 dernières années pour offrir aux Canadiens une protection sociale minimale.

Au moment d'élaborer une plate-forme de reconstruction dans ce domaine, il faut bien se rappeler que ce que nous réclamons ici est « la productivité sociale du capital ». En d'autres mots, on demande aux grandes entreprises d'investir dans l'avenir social des Canadiens. Il ne s'agit pas uniquement d'une obligation morale, mais aussi d'une nécessité politique, car, sans sécurité sociale, les grandes entreprises ne peuvent pas espérer la stabilité politique.

Il faut agir immédiatement pour élaborer un programme et une stratégie destinés à empêcher d'autres privatisations et une mainmise accrue des grandes entreprises sur le système de sécurité sociale du Canada. Comme nous l'avons vu, les grandes entreprises américaines du secteur de la santé, à la recherche de profits, veulent s'approprier certains pans du régime public des soins de santé, qui représentera à lui seul un marché de 72 milliards de dollars par année, une fois que ceux-ci seront privatisés. La situation est la même pour les écoles, les collèges et les universités, qui manquent désespérément de fonds et qui forment des partenariats avec les grandes entreprises afin de maintenir leurs recettes budgétaires. En échange, ces établissements offrent à leurs partenaires privés la possibilité d'encadrer et de s'approprier le marché des jeunes ainsi que des secteurs du système public d'éducation, qui représente un marché de 60 milliards de dollars par année.

Et ce n'est pas fini. Bientôt, Bay Street gérera les investissements des fonds de pension canadiens sur le marché boursier, alors que l'Ontario et la Nouvelle-Écosse entreprennent une nouvelle expérience visant à laisser la gestion des prisons à des entreprises privées. La mise sur pied d'une agence de surveillance autonome chargée d'évaluer l'incidence des compressions gouvernementales sur tous les aspects du système social canadien serait un bon moyen de maîtriser ces nouvelles tendances. Cette agence aurait aussi pour mission d'identifier les grandes entreprises qui ont ou qui pourraient avoir dans leur ligne de mire les services sociaux et publics du pays, ainsi que leur machine politique et les mécanismes des différents accords de libre-échange (l'ALE, l'ALENA, l'OMC et l'Accord sur le commerce intérieur) qui les laissent accéder à ces marchés. Cette information servirait alors de point de départ à des mesures législatives en vue de contrer la progression des privatisations et l'étendue de la mainmise des entreprises sur le Canada.

De toute évidence, avant d'imposer de telles mesures de redressement, Ottawa devra élaborer un plan pour stopper et inverser l'érosion financière du régime de sécurité sociale du Canada. En ce sens, l'Alternative budgétaire pour le gouvernement fédéral propose de créer un Fonds national d'investissement social pour remplacer le TCSPS. Ce fonds comprendrait plusieurs volets : un fonds destiné aux soins de santé pour rétablir le niveau de financement du fédéral nécessaire à l'instauration d'un régime d'assurance-maladie fondé sur les cinq principes de la *Loi canadienne sur la santé* ; un fonds de soutien au revenu qui remplacerait le régime d'assistance publique qu'Ottawa a sabordé en imposant le TCSPS ; un fonds pour l'éducation postsecondaire afin de renflouer et d'améliorer le financement fédéral accordé à l'enseignement supérieur ; un fonds pour financer l'établissement d'un programme national de garderies publiques ; un fonds pour injecter des capitaux dans la construction de logements sociaux et la mise sur pied de coopératives d'habitation ; un fonds de pension afin de sauvegarder et d'améliorer la sécurité de la vieillesse et les prestations du Régime de pensions du Canada pour les personnes âgées ; enfin, un fonds pour l'assurance-emploi afin que les chômeurs reçoivent les prestations dont ils ont besoin et auxquelles ils ont contribué au moyen de leurs cotisations.

Tous ces régimes réunis sont au cœur du régime de sécurité sociale du Canada et seraient financés à même les sommes actuellement affectées à ces programmes et à même les recettes provenant à la fois de la réforme de l'impôt des sociétés et du nouvel impôt sur les transactions financières, selon les termes du Fonds national d'investissement social.

Comme le souligne l'Alternative budgétaire pour le gouvernement fédéral, le Fonds national d'investissement social permettra au Canada de s'aligner sur les normes sociales européennes au cours des cinq années à venir. La mise en place de cette stratégie ne pose aucun problème sur le plan financier et n'alourdirait pas le fardeau fiscal du pays, à condition que l'on applique, du même coup, les diverses solutions qui ont été exposées en détail un peu plus haut et qui aideront à remettre sur les rails les finances publiques du pays. Un financement adéquat de ces programmes fondamentaux permettra à Ottawa de maintenir des normes pancanadiennes de sécurité sociale.

Si le gouvernement fédéral rétablissait des normes de financement adéquat pour ces programmes, il allégerait ainsi les pressions fiscales sur les provinces, ce qui permettrait à celles-ci de consacrer à nouveau les sommes nécessaires aux programmes qui relèvent de leur compétence, comme l'éducation publique et l'aide sociale, éléments cruciaux de tout le système social du Canada. Toutefois, la reconstruction de ces programmes sociaux doit s'accompagner d'une couverture universelle plus efficace. Dans le cas du régime d'assurance-maladie, par exemple, l'Alternative budgétaire pour le gouvernement fédéral propose d'y inclure un plan national d'assurance-médicaments, ce qui rendrait le programme des soins de santé plus efficace. Sur le plan des soins de santé offerts à la collectivité, il faudrait tout mettre en œuvre pour la création de cliniques de santé communautaires.

La reconstruction du régime de soins de santé du Canada sur des assises démocratiques ne serait pas complète si on ne s'attaquait pas, de manière concertée, à la pauvreté et à la division des classes. Au cours des dernières années, un taux de chômage élevé, combiné au démantèlement des programmes sociaux et au transfert massif de la richesse, en raison de notre régime d'impôt régressif, a grandement contribué à l'escalade honteuse de la pauvreté au Canada. Deux nouvelles solitudes s'affrontent dans notre société : l'une composée de gens relativement aisés, très mobiles, ayant un emploi à temps plein assuré ; l'autre composée de gens relativement pauvres ayant des emplois précaires à temps partiel ou pas d'emploi du tout. Entre les deux, le fossé ne cesse de s'élargir.

Le fonds de soutien au revenu de l'Alternative budgétaire pour le gouvernement fédéral s'avère indispensable pour combler ce fossé. En combinant avec d'autres mesures les dispositions en matière de création d'emplois, de formation, de soins de santé, de logement social, de garde d'enfant, de réforme du régime de retraite des aînés, d'élévation du salaire minimum, on pourrait attaquer de front les nouvelles réalités de la pauvreté. L'Alternative budgétaire fixe des objectifs bien précis pour réduire à la fois la pauvreté et le chômage. Cependant, pour réaliser de tels programmes, il faut se doter d'outils sociaux et économiques bien intégrés, doublés d'une stratégie à multiples facettes.

Il faudrait redoubler d'efforts pour combler le fossé qui divise chaque jour un peu plus « l'élite » et « la classe désavantagée », et qui est causé par le transfert massif des richesses. Dans une autre plate-forme, on pourrait, bien sûr, prévoir la mise en place d'un régime fiscal progressif pour les particuliers en augmentant les taux d'imposition sur les revenus très élevés. Par exemple, simplement en portant le taux d'imposition sur les revenus élevés de 29 % à 34 %, selon le taux en vigueur avant les réformes fiscales du gouvernement

Mulroney au milieu des années 1980, on arriverait à freiner le transfert des richesses.

L'instauration d'un « salaire de solidarité » aurait peut-être des retombées plus symboliques et plus efficaces. Nous avons vu qu'il existe un fossé considérable entre les rémunérations des PDG de nombreuses entreprises et le salaire moyen que ces dernières versent à leurs employés, bien souvent le rapport étant de 100 pour 1. Le Canada, en tant que société, pourrait fixer un salaire de solidarité selon un rapport de 20 pour 1 au maximum. Bien qu'il puisse s'avérer difficile de légiférer sur un salaire de solidarité répondant à ces exigences, on pourrait prendre des mesures pour réduire ou refuser toute déduction d'impôt aux entreprises qui dépasseraient ce rapport.

De toute façon, il est impossible de rebâtir le système de sécurité sociale du Canada sans renforcer les liens entre le secteur public et l'économie sociale. Nous l'avons vu plus haut, on pourrait prévoir d'autres mesures afin d'assurer un financement adéquat des activités qu'exercent les réseaux de citoyens qui sont établis dans la collectivité et qui servent la cause du développement social — que ce soit les maisons d'hébergement pour femmes battues, les cuisines communautaires, les centres culturels et les centres de jeunes, ainsi que les groupes de lutte contre la pauvreté.

Du même souffle, on pourrait instaurer un système de conseils de sécurité sociale régionaux dont les membres seraient des citoyens élus ayant pour mandat d'évaluer et d'améliorer la mise en œuvre des programmes offerts dans leur région. Ces conseils régionaux pourraient, tout particulièrement, surveiller et garantir le respect des normes nationales dans l'application des programmes sociaux et être attentifs à toute velléité des entreprises à but lucratif de s'approprier les programmes sociaux ou les services publics de leur région. Ces conseils seraient tout indiqués, grâce à leurs connaissances acquises sur le terrain, pour faire des propositions concrètes aux gouvernements fédéral et provinciaux en vue de parfaire les programmes sociaux.

Le développement durable

Toute plate-forme de rechange visant à relancer l'économie du Canada et la société canadienne doit prévoir un plan de développement durable. Pour certains écologistes, l'expression « développement durable » est un paradoxe. Après tout, comment peut-on parler de développement durable quand, dans les faits, la plupart des problèmes écologiques de la planète sont dus à notre modèle contemporain de développement industriel ? Si notre objectif est de tendre vers une économie verte, en quoi consisterait un modèle de développement à la fois durable et bon pour l'écologie et comment l'appliquerait-on ?

Dans ce cas aussi, le modèle des entreprises entre en conflit avec le modèle démocratique. Le modèle de développement des entreprises est bien la cause principale de l'expansion industrielle et de la croissance économique à outrance qui ont mené la planète au bord d'un désastre écologique.

Le modèle économique qu'il nous faut concevoir doit s'inspirer d'une vraie démocratie afin de renverser cette tendance et de favoriser des formes de développement durable. Ce modèle pourrait donc, notamment, encourager la production économique qui réduit l'utilisation de matériaux, des ressources et de l'énergie et qui recycle les déchets de fabrication d'une production à l'autre. On ne cessera pas d'utiliser les combustibles fossiles et les autres ressources non renouvelables dans la production économique, mais on peut fixer des objectifs pour réduire leur utilisation et faciliter la transition vers des ressources plus renouvelables à long terme. Ce processus sera d'autant plus facile à appliquer que le pouvoir des entreprises sera soumis à un modèle démocratique.

Si le gouvernement fédéral veut appliquer une stratégie efficace de développement durable en ce sens, il devra commencer par se réapproprier son pouvoir de surveillance et de mise en application des normes écologiques dans tout le pays. Nous l'avons vu, des compressions de 33 % à Environnement Canada, y compris une

diminution du quart de ses effectifs, en plus d'une réduction de 40 %
du personnel du Service canadien des forêts, ainsi que d'autres compressions semblables au ministère des Ressources naturelles, à Pêche
et Océans de même qu'à la Direction des parcs nationaux de Patrimoine Canada, ont excessivement affaibli les pouvoirs de surveillance du gouvernement fédéral, et plus encore l'application des
normes écologiques nationales.

Une plate-forme de rechange devrait donc prévoir une stratégie
visant non seulement à ramener le financement à son niveau antérieur, mais aussi à réorganiser le travail d'Environnement Canada
afin que, en collaboration avec Ressources naturelles Canada et
d'autres ministères fédéraux, cet organisme assure le respect des
normes nationales en environnement. Une telle entreprise devrait se
faire dans l'optique d'un développement durable à long terme. Il
faudrait, par exemple, renforcer les régimes de réglementation relatifs à l'environnement au moyen d'une vaste gamme d'outils stratégiques (nouveaux et anciens), notamment ceux qui permettraient
que le marché absorbe la plupart des coûts de production écologiques (et sociaux).

Au moment de pourvoir Environnement Canada et les autres
ministères du personnel dont ils ont besoin pour accomplir leur
mission, il ne faudrait pas oublier les jeunes. Les fonds à cette fin
pourraient provenir directement d'une série d'impôts verts destinés
à susciter une plus grande sensibilisation à l'environnement *(voir ci-
dessous)*. En fait, une modeste augmentation des taxes sur l'essence
pourrait réduire l'utilisation des combustibles fossiles dans les véhicules à moteur et apporterait des revenus supplémentaires qui permettraient de financer la plupart de ces changements.

Le Canada, dans sa politique de développement durable, devrait
accorder la priorité absolue aux problèmes provoqués par le réchauffement de la planète en respectant son engagement, pris au Sommet
de la Terre à Rio, en 1992, de réduire les émissions de gaz carbonique.
Non seulement le Canada n'a fait aucun progrès dans ce domaine
pour respecter les objectifs fixés pour l'an 2000, mais s'il continue

d'émettre des gaz dans l'atmosphère au même rythme, il dépassera alors de 10 % ces objectifs, et de 34 % en l'an 2020.

Plusieurs secteurs sont à l'origine des émissions de gaz à effet de serre, dont les secteurs pétrolier et gazier, pour 35 %, les industries non énergétiques (comme les entreprises forestières), pour environ 40 %, et l'utilisation domestique, à l'origine des 25 % restants. Il faut donc concerter une attaque sur les trois fronts, en commençant par la réduction des émissions produites par les combustibles fossiles.

L'Alternative budgétaire pour le gouvernement fédéral propose une série de mesures, dont l'imposition de frais atmosphériques nationaux aux entreprises qui émettent du gaz carbonique. Les frais s'appliqueraient à chaque tonne de carbone contenue dans les sources d'énergie utilisées pour la production. L'Alternative budgétaire propose aussi d'instaurer des normes d'économie d'essence sur tous les véhicules à moteur et de débloquer des fonds pour la recherche sur l'utilisation de carburants non fossiles comme l'hydrogène et l'éthanol ainsi que sur l'utilisation de véhicules électriques.

Dans cette foulée, il faudra que le gouvernement durcisse son action contre les émissions de gaz à effet de serre en légiférant sur la conservation, les énergies renouvelables et la gestion des déchets. Si le Canada veut assumer ses responsabilités et s'attaquer aux problèmes du réchauffement de la planète et des changements climatiques, il doit alors absolument mettre en œuvre une politique nationale de conservation des forêts, surtout en ce qui concerne les régions à forêt boréale.

La responsabilité dans le domaine des forêts au Canada incombe en grande partie aux provinces, et il faudra très vite conclure des ententes de conservation fédérales-provinciales ainsi que de nouvelles alliances entre les travailleurs forestiers et les écologistes afin d'édifier des communautés véritablement durables.

En outre, le Canada devra se tourner de plus en plus vers les sources d'énergie de remplacement, comme l'énergie éolienne, l'énergie solaire, la biomasse, ou énergie verte, et les piles à combustible.

Pour l'instant, le pays ne tire de ces sources que 6 % de sa consommation d'énergie, mais l'Alternative budgétaire pour le gouvernement fédéral propose de porter ce taux à 15 % d'ici l'année 2010 en suggérant qu'Ottawa offre des avantages fiscaux aux industries et aux particuliers pour faciliter la transition.

À l'appui de ces mesures, de nouveaux programmes devraient subventionner le transport ferroviaire en ville et en banlieue comme solution de rechange à l'utilisation de véhicules à moteur, ainsi que des programmes de rénovation de l'habitation dont nous avons parlé pour les stratégies de création d'emplois.

Afin d'encourager l'emploi de meilleures méthodes de gestion des déchets, l'Alternative budgétaire pour le gouvernement fédéral propose une variété de mesures fiscales, notamment un impôt sur les produits dangereux comme le mercure et une redevance sur l'élimination des déchets dangereux. En ce qui concerne l'assainissement des sites d'extraction à la fin de leur exploitation, les entreprises qui les ont exploités devraient verser une caution ou payer une redevance pour couvrir les frais de nettoyage et de remise en état.

Cependant, pour que le gouvernement fédéral mette en œuvre un tel plan d'action visant à sensibiliser le secteur économique à l'environnement du pays, il devra d'abord se doter de nouveaux outils pour traiter avec les grandes entreprises dans les secteurs de l'industrie et des ressources. Il faudrait que le ministère des Ressources naturelles revoie ses priorités afin qu'elles tiennent compte de ce plan d'action et des exigences du développement durable, au lieu d'obéir d'abord aux directives des grandes entreprises pétrolières, minières ou forestières. Afin d'avoir un meilleur contrôle sur ces questions, le gouvernement devrait créer un organisme autonome qui surveillerait les activités des grandes entreprises et de leurs appareils politiques et qui concevrait des outils servant à renforcer, de façon efficace, les priorités en matière d'environnement.

Un tel organisme pourrait, par exemple, scruter et dévoiler les « noirs » desseins des grandes entreprises qui se prétendent écologiques mais dont les activités nuisent à l'environnement. Il pourrait aussi surveiller et repérer les activités outre-mer des grandes sociétés minières canadiennes et définir des outils qu'Ottawa pourrait utiliser pour faire respecter les normes écologiques en matière de développement durable à l'étranger. Cet organisme pourrait aussi servir à établir avec précision si les nouveaux traités de libre-échange (ALENA, APEC, OMC) permettent ou non aux grandes entreprises (nationales et étrangères) de contourner les normes écologiques et, le cas échéant, proposer les mesures correctives qui s'imposent.

Prises dans leur ensemble, ces options politiques et stratégiques faciliteront la transition de l'économie canadienne vers un développement durable, en fonction d'un modèle démocratique et non pas d'un modèle qui serait celui des entreprises. Pour mener à bien ces transformations, toutefois, il faut avoir bien tracé les objectifs et le calendrier des programmes qu'il faudra mettre en place au cours des 5 à 10 années à venir. La participation directe des citoyens est nécessaire pour surveiller et évaluer les progrès de l'industrie et de l'État en ce sens.

On pourrait, par conséquent, instaurer des conseils de développement durable à l'échelle régionale. À certains égards, ils ressembleraient aux conseils de conservation qui ont été instaurés dans certaines provinces au cours des années 1970 et 1980 et qui exerçaient une bonne influence sur l'orientation des politiques écologiques des provinces. Les membres de ces conseils seraient des citoyens élus, qui seraient sensibilisés à l'écologie et qui auraient pour mandat de revoir et d'évaluer les plans de développement industriel et des ressources dans leur région, afin de veiller à ce que ceux-ci respectent les normes écologiques. Bien sûr, il faudrait prévoir des procédures afin de statuer sur les cas de non-respect des normes. Il faudrait aussi tenter d'obtenir des fonds publics pour ce secteur de l'économie sociale, par le moyen des mécanismes mentionnés précédemment.

* * *

En fin de compte, tous les éléments importants de cette plate-forme de rechange — la souveraineté politique, les finances publiques, la production économique, la sécurité sociale, le développement durable — forment les composantes de base d'un État remanié en vue de satisfaire les besoins de développement élémentaires de ses citoyens et de respecter leurs droits démocratiques. Une fois de plus, il faut se souvenir qu'il s'agit d'un processus de longue haleine qui pourrait bien s'étendre sur les 10 à 15 années à venir. Après tout, nous sommes encore pris dans les filets de la contre-révolution qui réinvente allègrement le rôle et les priorités de l'État de telle manière que les citoyens voient s'effriter peu à peu leur pouvoir sur leur avenir économique, social et écologique.

Sans aucun doute, la tâche de reconstruction nationale prendra la forme d'un combat à la fois long et ardu. Il faudra revitaliser la volonté gouvernementale et restaurer la confiance de l'opinion publique. C'est pourquoi les citoyens concernés doivent consacrer le temps et l'énergie nécessaires à la reconstruction du mouvement politique de la gauche démocratique de ce pays. Si une plate-forme de rechange englobant les éléments essentiels dont nous avons parlé plus haut doit devenir le point de ralliement d'une telle revitalisation, alors elle doit être façonnée en s'inspirant d'une vision qui redonnera aux citoyens l'énergie, la confiance et l'espoir voulus pour reprendre en main leur destinée.

Ce processus exige d'entreprendre des démarches réfléchies pour nouer et cultiver des alliances internationales. Un gouvernement national ne peut, à lui seul, réaliser la plupart des plates-formes politiques dont nous avons parlé plus haut sans avoir établi, parallèlement, des alliances stratégiques avec les mouvements et les gouvernements correspondants dans d'autres pays. Après tout, les PDG de la mondialisation font tout pour que ce nouveau règne des entreprises ait une envergure mondiale.

Pour démanteler certains des mécanismes dominants des grandes entreprises dans les régimes de libre-échange comme ceux de l'ALENA et de l'OMC ou dans ceux d'institutions financières comme la Banque mondiale ou le FMI — ce qui est essentiel dans le type de reconstruction nationale que nous voulons mener à bien — il faut accorder la priorité absolue à l'élaboration de stratégies et d'alliances internationales.

En même temps, il faut clairement comprendre que le démantèlement de l'État protecteur des entreprises et la poursuite d'un programme de reconstruction dans ces conditions entraîneront certainement des mesures de rétorsion. Le Canada des affaires et les entreprises transnationales qui ont des intérêts dans l'économie canadienne ne se laisseront pas retirer leurs pouvoirs, leurs privilèges et leurs profits sans réagir. Le gouvernement des États-Unis et les gouvernements des pays membres du G7 non plus.

Il faudra donc s'attarder à élaborer une stratégie de transition viable. Combinée aux contre-mesures qu'Ottawa pourra prendre pour compenser les mesures de rétorsion des entreprises, cette stratégie devra prévoir des façons de préparer les Canadiens aux ondes de choc qui pourraient s'ensuivre. Un élément crucial de ce plan consisterait à établir des alliances stratégiques, non seulement avec les secteurs et groupes clés du pays, mais aussi avec les mouvements de citoyens et les gouvernements d'autres pays partageant la même idéologie et avec lesquels on peut espérer nouer des liens de solidarité indéfectibles.

Cette attitude permettrait de jeter les bases d'une nouvelle politique étrangère et de redessiner l'aide et les stratégies commerciales internationales. Même si cela semble difficile (sinon impossible) à première vue, des contre-tendances importantes et encourageantes vont se développer dans un proche avenir. Déjà, des mouvements syndicaux et des mouvements sociaux progressistes au Canada ont forgé leurs propres liens de solidarité internationale, qui s'avéreront utiles pour déterminer et reconnaître ces tendances progressistes dans d'autres pays.

Postface

De nombreux lecteurs trouveront que le plan d'action décrit dans les deux derniers chapitres exige un effort surhumain, sinon irréalisable. Après tout, n'est-il pas vrai que les grandes multinationales contrôlent presque chaque aspect de notre vie, notre lieu de travail, notre alimentation, nos habitudes de consommation, nos loisirs, et jusqu'à notre vote. À présent, cet ensemble de forces économiques puissantes est au cœur même de notre histoire, ayant pris la forme de machines politiques qui façonnent la destinée des populations et des pays de la planète.

Comment les Canadiens pourront-ils résister à une domination de cette sorte et de cette ampleur, exercée par les entreprises? Les mouvements de citoyens peuvent-ils vraiment s'opposer, à défaut de les démanteler, aux mécanismes qui appuient les règles édictées par les grands patrons de notre pays? Existe-t-il une seule chance de pouvoir élaborer et mettre en place de nouvelles institutions, comme celles dont nous avons parlé, en vue d'instaurer un contrôle démocratique?

Pour pouvoir répondre à ces questions, il nous faut comprendre la nature de cette domination et nous demander si nous sommes prêts à y faire face. Décrite, dans ce livre, comme un coup d'État tranquille, cette prise de pouvoir n'a pas entraîné une véritable opération militaire. Pourtant, on peut faire certains rapprochements. Les machines politiques des entreprises correspondent en quelque sorte à des armées d'occupation dotées de toute la technologie de pointe : leur façon d'envahir des territoires jusqu'alors non occupés, comme les soins de santé, l'éducation, la sécurité sociale, les services publics, de mobiliser leurs troupes sur le terrain (par exemple les travailleurs, les fournisseurs, les clients et les actionnaires) ou de déployer leur « artillerie » politique (centres de recherche, lobbyistes, cabinets d'avocats, experts en relations publiques, donations aux partis, publicité politique, etc.) en est une bonne illustration.

De façon remarquable, c'est là l'image dont Ursula Franklin, militante pour la paix depuis de longues années et universitaire de renom, s'est récemment servie pour décrire ce qui se passe au Canada. Mme Franklin soutient que la fin de la guerre froide n'a pas pour autant entraîné l'élimination de la guerre ni du recours aux tactiques militaires, mais que ce sont des sphères économiques comme le commerce et la finance qui sont devenues les champs de bataille modernes. Selon elle, la population est le nouvel « ennemi », subissant une « guerre économique », tandis que les territoires d'occupation modernes sont « le patrimoine commun ». Par cette dernière expression, elle désigne les espaces publics, non ouverts au profit, qui sont la propriété commune des citoyens d'une société démocratique, notamment l'éducation, les soins de santé, la culture et l'environnement. Selon Ursula Franklin, les Canadiens vivent actuellement sous un régime d'occupation de style militaire avec un gouvernement fantoche qui dirige le pays pour le compte des grands patrons et de leurs « armées de négociants ».

Il s'agit de savoir comment on peut maintenant apprendre à organiser la résistance sous l'occupation militaire. Selon Mme Franklin, tout comme les Français lors de l'occupation nazie pendant la Seconde Guerre mondiale, nous avons endossé aujourd'hui le rôle de « collaborateurs » auprès des agents de l'occupation industrielle. Désireux de protéger nos familles, nous collaborons avec l'occupant, à maintes occasions, afin de survivre. Toutefois, comme les Français l'ont fait à l'époque, nous devons commencer à organiser la résistance.

Pour ce faire, explique Ursula Franklin, nous devons mettre au point des stratégies qui ralentiront l'avance de l'occupant et permettront de mettre fin à sa progression sur tous les fronts. Et même s'il est impossible d'identifier formellement les occupants industriels, contrairement au cas d'un occupant en uniforme, nous devons trouver des moyens de les déceler et de dénoncer publiquement leurs tactiques.

En fait, nous savons déjà, pour en avoir discuté dans les chapitres précédents, que notre tâche consiste à identifier, à démasquer et à dévoiler les principales grandes entreprises qui, avec leurs machines politiques, font maintenant la pluie et le beau temps en matière de politiques publiques, tant à Ottawa que dans les provinces (chapitre 5). Toutefois, organiser la résistance en conséquence signifie qu'il faut clairement en établir les fondements. Les résistants qui ont combattu l'occupation nazie savaient qu'ils se battaient pour défendre les droits démocratiques et la liberté de leurs compatriotes. À notre tour, nous devons prendre conscience de l'oppression que nous font subir les multinationales en foulant aux pieds les droits démocratiques et les libertés du peuple canadien. C'est donc en toute connaissance de cause qu'il nous faut organiser une longue résistance.

Bien préparés, nous pourrons nous opposer à la mainmise des grandes entreprises sur le Canada. Il faut s'attendre, bien sûr, à ce que de nombreux individus ne croient tout simplement pas que nous sommes dans un pays occupé. En conséquence, si nous voulons organiser la résistance face à l'occupant et à l'État fantoche, nous devons aider la population à y voir clair dans le jeu politique actuel des entreprises. Les citoyens doivent savoir qu'on les a dépossédés de leurs droits et libertés. Mackenzie, Papineau, Riel et McPhail, chacun à leur époque, s'étaient déjà attelés à cette tâche en créant leur propre mouvement démocratique de résistance contre la domination des grandes entreprises. Sans cette prise de conscience de l'existence d'une dictature des grandes sociétés, la population ne ressentira pas le besoin impérieux de combattre pour défendre sa dignité humaine et ses droits démocratiques. Elle continuera, tout simplement, de nier l'évidence.

Aujourd'hui, dans le monde entier, on note des signes encourageants d'une montée de la résistance populaire contre l'oppression exercée par les grandes entreprises. La population s'organise afin de défendre ses droits et libertés. En Inde, des fermiers ont réussi à bouter hors du pays les franchises de Poulet frit Kentucky. Au Mexique, des paysans ont mis sur pied le mouvement El Barzón, qui permet au peuple de tenir tête aux banques et aux institutions financières. En Corée du Sud, les travailleurs mènent un combat de rue pour s'opposer à la répression de leurs droits par l'État au service des grandes entreprises. En France, les travailleurs du secteur public se sont mobilisés contre les compressions dans les dépenses sociales, pratiquées au nom de la réduction du déficit. Au Chili, des travailleurs et des collectivités entières manifestent contre les pratiques abusives des sociétés minières appartenant à des intérêts étrangers. Au Nouveau-Mexique, des groupes qui défendent l'environnement et la justice économique livrent bataille à Intel et à d'autres sociétés d'électronique. En Amérique du Nord et en Europe, des citoyens se sont mobilisés pour protester contre le recours à la manipulation génétique dans la fabrication d'aliments. Aux Philippines, des foules ont formé des barrages humains afin d'afficher leur opposition au Sommet des dirigeants de l'APEC. À Vancouver, des étudiants ont manifesté contre le Sommet de l'APEC qui y a été organisé l'année suivante, avant d'être victimes d'une brutale intervention policière.

Ici même, au Canada, certains signes ne trompent pas : des groupes de citoyens commencent à réagir et à montrer du doigt les grandes entreprises. Des parents et des enseignants manifestent leur opposition aux « partenariats » qui se créent entre le secteur privé et l'école. Des personnes militant pour la sauvegarde du régime de soins de santé dénoncent l'entrée de sociétés à but lucratif dans les hôpitaux ou dans d'autres services de soins médicaux. Le public se tourne vers le gouvernement pour qu'il mette fin au phénomène de la concentration des médias entre les mains des grandes entreprises au Canada et a amorcé une campagne contre la privatisation de la Société Radio-Canada. Des manifestations ont eu lieu pour protester contre le fait que six grandes banques canadiennes ont refusé de réinvestir leurs profits faramineux dans les collectivités ou pour dénoncer publiquement les cinq grandes entreprises qui ont procédé au plus grand nombre de licenciements au pays. Les résidents d'un quartier ont entrepris une campagne en vue d'empêcher Wal-Mart de s'établir près de chez eux. Des citoyens ont érigé un barrage pour protester contre les coupes à blanc effectuées par l'un des géants de l'exploitation forestière. La population voit son attention attirée par des projets d'exportation d'eau douce ou s'oppose à la destruction de marais à des fins industrielles. On dévoile le nom des entreprises et les stratégies qui se cachent derrière des institutions mondiales comme l'Organisation mondiale du commerce, la Banque mondiale et le Fonds monétaire international, ou encore on dénonce les nouveaux accords commerciaux comme l'ALENA et l'APEC. On élabore et on présente des Alternatives budgétaires visant à mettre un frein au pouvoir des grandes sociétés et à favoriser une plus grande participation de la population.

Il faudra du temps pour arriver à relier entre elles ces différentes campagnes et à en faire un mouvement cohérent, dans l'optique de ce que nous décrivons aux chapitres 5 et 6. On doit pourtant y voir les signes révélateurs d'une organisation de la résistance populaire.

Toutefois, une telle résistance ne peut s'exprimer que si la population reprend confiance en ses capacités. Toute cette polémique entourant la puissance des grandes sociétés peut avoir un effet paralysant. Pourtant, l'histoire des luttes menées pour la sauvegarde de la démocratie autorise l'optimisme : l'essor que prend le régime de domination des entreprises est un phénomène réversible. Ces sociétés instituées en machines politiques sont loin d'être invincibles. Le régime, tout comme les sociétés, a son talon d'Achille. Qu'il s'agisse de la crainte grandissante de voir éclater la bulle financière gonflée par l'économie de casino, ou de la perspective menaçante d'une série de catastrophes écologiques, ou encore de la montée de l'agitation sociale chez les travailleurs et les citoyens du monde entier, il est clair que la forteresse édifiée par les puissantes multinationales commence à se lézarder. Il faudra pouvoir saisir la balle au bond et, quand les lézardes commenceront à s'élargir, mettre en place les changements requis. Il en va de même pour la mise sur pied de campagnes contre l'exercice d'un pouvoir politique par certaines entreprises. Le tout est de savoir si les mouvements de citoyens peuvent, grâce à leurs expériences respectives, apprendre à reconnaître les faiblesses des grandes sociétés et à en tirer parti pour s'opposer à celles-ci.

Les citoyens militants engagés dans des campagnes contre les grandes sociétés ont absolument besoin d'un espace public pour pouvoir approfondir et partager leurs connaissances sur les rouages des entreprises et pour mettre au point des stratégies communes qui permettront aux forces démocratiques de reprendre le contrôle.

En période d'occupation militaire, les stratèges de la résistance doivent pouvoir se rencontrer, partager leurs expériences, échanger leurs idées, améliorer leurs moyens de communication, renforcer leur engagement et mettre au point des stratégies communes ou complémentaires.

Au cours des cinq années à venir, il faudra prévoir des activités de planification stratégique. Ces activités permettront aux citoyens militants qui s'attaquent aux grandes entreprises sur les trois champs de bataille décrits au chapitre 5 de rencontrer d'autres militants et analystes politiques de secteurs clés de la collectivité, afin de s'attaquer à l'objectif à deux volets décrit précédemment.

L'accès à un tel espace de discussion est donc essentiel, mais l'organisation de conférences, de colloques et de séances d'étude est également importante pour faire de l'éducation populaire sur une plus grande échelle, ainsi que de l'éducation politique au sein de certains organismes et de leurs bases militantes.

Enfin, la résistance au système de domination des grandes entreprises et la lutte pour le retour à une vraie démocratie doivent se mettre à l'heure de la mondialisation au cours du prochain millénaire. Après tout, les multinationales et leurs armées d'occupation sont en action sur toute la planète. La capacité des mouvements de citoyens de mobiliser des forces d'opposition, ici et dans le monde entier, au moyen de luttes populaires, déterminera dans quelle mesure il est possible d'investir l'espace politique et de tenir tête aux puissantes sociétés en vue d'instituer un contrôle démocratique.

Au cours des cinq années à venir, il faudra prendre des mesures pour établir et renforcer la solidarité entre les mouvements syndicaux et sociaux qui prennent part à la résistance. Au nombre de ces mesures figure l'organisation d'activités de planification stratégique sur toute la planète, conformément à la ligne d'action proposée plus haut. En fait, la clé de l'avenir repose sur l'édification d'un mouvement politique démocratique de gauche qui prenne appui sur ce programme, non seulement au Canada, mais dans le monde entier.

Il faut espérer que, à l'aube du XXI⁰ siècle, ce processus conduise à la naissance d'un nouveau système politique dirigé par le peuple.

Sources

1. Canada inc.

La recherche que j'ai effectuée pour décrire l'émergence des grandes entreprises en tant que force politique dominante des 20 dernières années m'a permis de découvrir plusieurs sources de renseignements très utiles. Dans son livre *Canada's Economic Strategy* (McClelland & Stewart, Toronto, 1981), James Laxer décrit quelques stratégies des grandes sociétés canadiennes, à la fin des années 1970 et au début des années 1980. Dans un article qui a fait école, intitulé « The BCNI and the Canadian State » et publié dans *Studies and Political Economy* (automne 1987), David Langille dévoile l'organisation, le programme et la stratégie du Conseil canadien des chefs d'entreprise (CCCE). Stephen Clarkson, dans *Canada and the Reagan Challenge* (James Lorimer & Co., Toronto, 1985), nous fait part de ses réflexions sur le rôle joué par les grandes entreprises et sur leur stratégie au cours des batailles qui ont fait rage autour du Programme énergétique national (PEN) et du Programme de lutte contre l'inflation durant les dernières années du gouvernement Trudeau. John Calvert, dans *Government Limited : The Corporate Takeover of the Public Sector* (Centre canadien de politiques alternatives, Ottawa, 1984), présente une analyse originale et détaillée de certains des thèmes et des sujets abordés dans ce chapitre et les suivants. *One Eyed Kings*, de Ron Graham (Totem Books, Toronto, 1986), fait un bilan détaillé et lucide du lien qui a uni le patronat et les gouvernements Trudeau et Clark. Dans *Straight Through the Heart,* de Maude Barlow et Bruce Campbell (Harper Collins, Toronto, 1996), on trouve certains renseignements et certaines données utiles sur le rôle du CCCE et de ses sociétés membres sous le gouvernement Mulroney. Plusieurs autres ouvrages mettent en lumière les aspects importants de la bataille du libre-échange : *The Quick and the Dead,* de Linda McQuaig (Penguin Books, Toronto, 1991) ; *Canada Under Free Trade,* sous la direction de Duncan Cameron et Mel Watkins (James Lorimer & Co., Toronto, 1993) ; *Free Trade and the New Right Agenda,* de John Warnock (New Star Books, Vancouver, 1987), et *Parcel of Rogues,* de Maude Barlow (Key Porter, Toronto, 1990). Dans son livre *Preston Manning and the Reform Party* (James Lorimer & Co., Toronto, 1991), Murray Dobbin analyse la réapparition du populisme de droite, qu'il relie aux intérêts des grandes entreprises. Dans mon livre précédent, *Behind the Mitre : The Moral Crisis in the Canadian Catholic Church* (Harper Collins, Toronto, 1995), je donne une version sommaire de plusieurs des thèmes traités dans ce chapitre.

Bon nombre des idées et des statistiques mentionnées dans ce chapitre sont tirées de l'ouvrage précité *Canada's Economic Strategy,* de Laxer ; entre autres, les renseignements concernant Powis (p. 38, 41, 42) ; Twaits (p. 38, 39, 40, 41) ; Friedman (p. 28) ; Reisman (p. 30, 31, 32, 33) ; MacLaren (p. 35). Les renseignements touchant l'institut Fraser, la National Citizens Coalition et la Fédération canadienne des contribuables sont extraits du document de travail intitulé « The New Right and How Things Got This Bad », rédigé par Murray Dobbin et présenté à l'assemblée générale annuelle du Conseil des Canadiens. Les données et les citations touchant le PEN, l'Agence d'examen de l'investissement étranger et la Commission de lutte contre l'inflation sont tirées de l'ouvrage précité de Stephen Clarkson *Canada and the Reagan Challenge.* David Langille, dans son ouvrage intitulé *The BCNI and the Canadian State,* déjà cité, ainsi que Murray Dobbin, dans « Thomas d'Aquino : The De Facto PM » (*The Canadian Forum,* novembre 1992), sont les premiers à mettre en relief le programme, les groupes de travail et la stratégie du CCCE. Les données sur le déficit, la dette et les taux d'intérêt sont tirées du travail de recherche de Bruce Campbell publié dans *Straight Through the Heart,* cité au chapitre 2. Les données sur la propriété étrangère proviennent du travail de recherche effectué par David Robinson et présenté dans un feuillet d'information du Conseil des Canadiens intitulé : *Who Owns Canada : Foreign Ownership and Corporate Power*. Les statistiques sur les mises à pied effectuées par les grandes entreprises depuis la signature de l'Accord de libre-échange ont été publiées, pour la première fois, par le *CCPA Monitor* (Centre canadien de politiques alternatives, vol. 2, n° 5, octobre 1995). Dans *The Insiders : Power, Money and Secrets in Ottawa*, de John Sawatsky (McClelland & Stewart, Toronto, 1989), on trouve de l'information sur le rôle que les groupes de pression représentant les grandes sociétés ont joué à Ottawa. La référence aux 25 plus puissants PDG du Canada provient de la liste publiée par le *Globe and Mail* dans son *Report on Business Magazine* de juillet 1996.

2. Au-dessus des nations

J'ai consulté une grande variété de livres importants pour la rédaction de ce chapitre. *When Corporations Rule the World*, de David Korten (Kumarian Press et Berrett-Koehler Publishers, San Francisco, 1995), donne une vision plus détaillée des principaux thèmes abordés dans ce chapitre. *One World, Ready or Not*, de William Grieder (Simon & Schuster, New York, 1997), montre en détail, et de façon colorée, à quelle étape sont parvenus les gestionnaires du monde dans ce qu'il nomme « la logique tordue du capitalisme mondial » (« the manic logic of global capitalism »). Son ouvrage précédent, *Who Will Tell the People* (Simon & Schuster, New York, 1992), a été une source d'inspiration pour une grande partie des analyses présentées dans ce livre. *The Integrated Circus : The New Right and the Restructuring of Global Markets*, de Patricia Marchak (McGill-Queen's University Press, Montréal et Kingston, 1993), contient des informations et des analyses importantes sur les mouvements trilatéraliste et néolibéral. *Global Dreams : Imperial Corporations and the New World Order*, de Richard Barnet et John Cavanagh (Simon & Schuster, New York, 1994), retrace le mouvement et l'expansion des entreprises transnationales dans le monde. Dans *The Case Against the Global Economy*, sous la direction de Jerry Mander et Edward Goldsmith (Sierra Club Books, San Francisco, 1996), on trouve une intéressante série d'articles sur le pouvoir des grandes sociétés et la mondialisation de l'économie, rédigés par des auteurs et des militants du monde entier.

Monocultures of the Mind : Perspectives on Biodiversity and Biotechnology, de Vandana Shiva (Zed Press, Londres, 1993), présente une analyse classique des nouvelles technologies mises en pratique par les grandes sociétés. *The Borderless World : Power and Strategy in an Interlinked Economy,* de Kenichi Ohmae (Harper-Business, New York, 1990), laisse entrevoir le mode de pensée des nouveaux gestionnaires du monde. *The End of Work : The Decline of the Global Labor Force and the Dawn of the Post-Market Era,* de Jeremy Rifkin (G. P. Putnam's Sons, New York, 1995), fait une analyse particulièrement utile de l'économie mondiale à une époque où les emplois se font rares. Nombre des questions abordées dans ce chapitre proviennent d'un document de travail que j'avais préparé pour un forum international sur la mondialisation, qui avait pour thème : *The Emergence of Corporate Rule : And What Can Be Done About It* (Livre blanc sur le FIM, nº 1, San Francisco, 1997).

La description d'Akio Morita mentionnée au début du chapitre est présentée plus en détail dans *Global Dreams,* de Barnet et Cavanagh, et l'on peut retrouver la vision qu'a cet auteur d'un marché mondial sans réglementation dans un article paru sous sa signature dans le numéro de juin 1993 de la revue *Atlantic Monthly* et portant le titre de « Toward a New World Economic Order » (nº 88, p. 92-93). Les statistiques utilisées pour comparer les multinationales et les États-nations ainsi que les 200 plus grandes entreprises sont tirées d'un rapport préparé par Sara Anderson et John Cavanagh, de l'Institute for Policy Studies de Washington (D.C.), en octobre 1996. Les données sur la déréglementation mondiale de l'investissement qui a eu lieu de 1991 à 1994 sont citées dans le *World Investment Report 1995* sur les entreprises transnationales et la concurrence. Les citations de Kenichi Ohmae sont tirées de son livre précité *The Borderless World.* La documentation que l'on trouve dans ce chapitre sur la Commission trilatérale provient en grande partie de l'ouvrage de Patricia Marchak intitulé *The Integrated Circus,* déjà cité (p. 93-114), alors que les citations concernant la gestion démocratique sont tirées du document trilatéraliste sur la crise de la démocratie qu'ont rédigé M. Crozier, S. Huntington et J. Watanuki : *The Crisis of Democracy : Report on the Governability of Democracies to the Trilateral Commission* (New York University Press, New York, 1975).

On peut trouver des renseignements sur la Business Round Table américaine dans le livre précité de Korten intitulé *When Corporations Rule the World* (p. 144-145); en ce qui a trait à la Table ronde des industriels européens, se reporter à « Misshaping Europe : The European Round Table of Industrialists », de A. Doherty et O. Hoedeman, paru dans *The Ecologist*, 24 (4), p. 135-141. Korten donne des renseignements sur les groupes de citoyens utilisés par les grandes entreprises aux États-Unis (p. 143 et 146). Voir également *Masks of Deception : Corporate Front Groups in America*, de M. Magalli et A. Friedman (Essential Information, Washington [D.C.], 1991). Les commentaires sur le Forum économique mondial sont ceux de Madelaine Drohan, parus dans l'édition du 5 février 1996 du *Globe and Mail*. Les renseignements concernant la structure du Forum proviennent de *The Economist* (19 avril 1997) et les propos de Huntington sont rapportés dans une chronique de Tony Hall parue dans le *Canadian Forum* (mai 1997). Les différents commentaires émis par Friedrich Hayek et ses partisans néolibéraux des grandes entreprises, c'est-à-dire Harris, Seldon et Gilder et Kristol, sont tirés de l'ouvrage précité de Patricia Marchak (p. 96-102), y compris les commentaires de Marchak elle-même (p. 95).

L'analyse des régimes transnationaux s'appuie sur une version précédemment élaborée dans mon article intitulé « The Mechanisms of Corporate Rule », paru dans l'ouvrage précité de Jerry Mander et Edward Goldsmith, *The Case Against the Global Economy* (p. 297-309), et revu et mis à jour avec des données du *Global Fortune 500 Report* de 1996. En ce qui concerne les droits sur la propriété intellectuelle, consulter *Biopiracy : The Plunder of Nature and Knowledge*, de Vandana Shiva (South End Press, Boston, 1997). Les propos de Keynes sur l'économie de casino sont tirés de *Turning the Tide : Confronting the Money Traders*, de John Dillon (Centre canadien de politiques alternatives, Ottawa, 1996), tout comme les statistiques servant à comparer les transactions financières quotidiennes et les réserves de la banque centrale. On trouve la description du *big bang* de la Bourse de Londres dans « Electronic Money and the Casino Economy », de Richard Barnet et John Cavanagh, paru dans le livre précité de Mander et Goldsmith (p. 360-374). Dans son ouvrage *One World, Ready or Not*, William Grieder rend compte avec brio du pari conclu entre George Soros et John Major ainsi que d'autres incidents. On trouve l'analyse des programmes d'ajustement structurel de Walden Bello dans son article précité « Structural Adjustment Programs : "Success" for Whom ? », paru dans le livre de Mander et Goldsmith (p. 285-296). Cet article comprend les statistiques données plus loin sur la pauvreté et le remboursement de la dette des pays du Sud. Le Canadien John Mihevic, dans son ouvrage intitulé *The Market Tells Them So : The World Bank and Economic Fundamentalism in Africa* (Penang and Accra, Third World Network, 1995), fait une excellente analyse de l'ajustement structurel. Les commentaires de Jonathan Cahn sont tirés de son article « Challenging the New Imperial Authority : The World Bank and the Democratization of Development », paru dans le *Harvard Human Rights Journal* en juin 1993 (p. 160). La citation de Carla Hills provient du livre précité de David Korten (p. 123). L'analyse faite ici de l'OMC (y compris l'opposition manifestée dans certains pays) est fondée en grande partie sur l'article de Ralph Nader et Lori Wallach, « GATT, NAFTA and the Subversion of the Democratic Process », cité dans l'ouvrage de Mander et Goldsmith (p. 92-108). Martin Khor a fait paraître dans la revue *Third World Resurgence,* dont il est l'éditeur, de nombreux articles sur l'OMC selon la perspective du Third World Network. « The WTO and the Proposed Multilateral Investment Agreement : Implications for Developing Countries and Proposed Positions », de Martin Khor, publié par le Third World Network, 228, Macalister Road, 10400 Penang (Malaisie), analyse l'AMI et l'OMC. Les commentaires de Herman Daly sont tirés de l'ouvrage de Nader et Wallach déjà cité (p. 95). L'article intitulé « An Army of One's Own », paru sous la signature d'Elizabeth Rubin dans le numéro de février 1997 de *Harper's Magazine,* traite d'une tendance récente de grandes entreprises à mettre sur pied des armées en Afrique.

3. Quand les nations capitulent…

Pour la rédaction de ce chapitre, je me suis beaucoup inspiré du livre de Maude Barlow et Bruce Campbell intitulé *Straight Through the Heart : How the Liberals Abandoned the Just Society* (Harper Collins, Toronto, 1995). L'édition de poche parue en 1996 a été mise à jour. Barlow et Campbell y racontent la façon dont les libéraux de l'aile droite ont obtenu et conservé le pouvoir au sein du parti, sous la direction de Jean Chrétien ; et comment les quatre M, qui détenaient les portefeuilles économiques de ce gouvernement (Martin, MacLaren, Manley et Massé), s'y sont pris pour renforcer les intérêts de la grande entreprise au cœur même du programme du parti. Linda McQuaig, dans *Shooting the Hippo : Death by Deficit and Other Canadian Myths* (Viking, Toronto, 1995), fournit un point de vue intéressant sur la dette et le déficit. L'ouvrage d'Edward Greenspon et Anthony Wilson-Smith, *Double Vision : The Inside Story of the Liberals in Power* (Doubleday Canada, Toronto, 1996) offre une autre vision, de l'intérieur celle-là, sur ce qui se passait en coulisses, en particulier au sujet des deux principaux acteurs, Jean Chrétien et Paul Martin. Des articles tirés de nombreuses revues et de divers journaux m'ont donné des indices supplémentaires qui m'ont permis de compléter mon analyse. Edward Greenspon, du *Globe and Mail,* et Mark Kennedy, du *Ottawa Citizen,* en particulier, ont rédigé un certain nombre d'articles contenant des renseignements très utiles pour la rédaction de ce chapitre.

Dans un texte intitulé « Political Discourse in the Eighties », traitant du discours politique des années 1980 et paru dans l'ouvrage publié sous la direction d'Alan Gagnon et Brian Tanguay et intitulé *Canadian Parties in Transition* (Nelson Canada, Scarborough, 1989, p. 64-82), Duncan Cameron établit une distinction entre les libéraux « des affaires » et les libéraux « de l'aile gauche ». On trouve la version de Barlow et Campbell dans *Straight Through the Heart,* déjà cité (p. 8-9). Le document du CCCE intitulé « A Ten Point Growth and Employment Strategy for Canada », paru en 1994, décrit la plate-forme de l'organisme. Les données sur le financement, par les grandes sociétés, de la campagne des libéraux, en 1993, proviennent de l'ouvrage précité de Barlow et Campbell (p. 57) et les données sur les dons que ces dernières ont consentis aux libéraux, en 1994, fondées sur la recherche de Bruce Campbell, ont été publiées dans le *CCPA Monitor* (Centre canadien de politiques alternatives, vol. 2, n° 10, avril 1996). Les données de 1994 sur le report des impôts des grandes sociétés sont tirées de *Unfair Shares : Corporations and Taxation in Canada,* produit conjointement par la Coalition ontarienne pour la justice sociale et la Fédération du travail de l'Ontario. Le plan d'action du ministère des Finances que Martin, Nicholson et Dodge ont élaboré est tiré de l'ouvrage précité de Barlow et Campbell (p. 120 et suiv.), et l'on trouve dans *Double Vision,* de Greenspon et Wilson-Smith, déjà cité (p. 207-209 et suiv.), des détails sur le rôle qu'a joué Marcel Massé. *Straight Through the Heart* et *Double Vision* relatent, en détail, le désaccord qui divisait Martin et Axworthy. Les déclarations de l'analyste principal de Moody's, à Wall Street, et les données sur la préparation du budget fédéral de Paul Martin, en 1995, sont extraites de *Shooting The Hippo*, de Linda McQuaig, déjà cité (p. 43-46), tout comme la déclaration de Tom Kierans (p. 41).

Le témoignage de Duncan Cameron est inscrit dans le mémoire du Centre canadien de politiques alternatives adressé au Comité parlementaire sur les finances, en février 1995. L'analyse de Statistique Canada sur les raisons qui ont conduit le Canada à l'endettement, reprise par plusieurs, a été tout d'abord publiée dans l'*Observateur économique canadien* sous la plume de H. Mimoto et P. Cross et sous le titre « La croissance de la dette fédérale » (p. 3.1-3.18), en juin 1991. *Turning the Tide* (p. 45-49), ouvrage précité de John Dillon, traite, de façon concise mais très utile, des diverses études sur l'accroissement de la dette canadienne. La référence au Dominion Bond Rating Agency provient de l'ouvrage du DBRS intitulé *The Massive Federal Debt : How Did It Happen ?* (Dominion Bond Rating Agency, Toronto, 1995). *Unnecessary Debts*, de Lars Osberg et Pierre Fortin (Lorimer, Toronto, 1996), fournit une analyse récente des causes de la dette canadienne ; dans leur ouvrage *Les 10 Mythes sur le déficit* (Centre canadien de politiques alternatives, Ottawa, 1996), Duncan Cameron et Ed Finn donnent un point de vue plus accessible au grand public. C'est dans un article du magazine *MacLean's* (11 mars 1996) sur l'emploi que j'ai trouvé les exemples de mises à pied effectuées par les grandes entreprises en 1995, ainsi que les citations de Jean Chrétien et de John Manley. J'ai fait ma propre analyse des données contenues dans le *Financial Post Top 500* pour établir la liste des 15 entreprises qui ont procédé au plus grand nombre de licenciements de 1988 à 1994. Les chiffres sur le report des impôts des grandes sociétés proviennent de *Unfair Shares* (1996), déjà cité, et les statistiques sur les flux d'investissements étrangers de 1988 à 1994 sont issues d'une analyse sur l'investissement direct et en portefeuille entre le Canada et les États-Unis qu'a effectuée John Dillon, de l'Ecumenical Coalition on Economic Justice, de Toronto. Le *Financial Post*, dans son édition du 9 mai 1996, révélait qu'une étude menée par Revenu Canada cette année-là indiquait que les sociétés ne déclaraient pas entièrement les transferts qu'elles effectuaient à destination des paradis fiscaux outre-mer.

Barlow et Campbell décrivent, dans leur ouvrage précité (p. 117-118, 180-189), la bataille qui s'est déroulée autour du livre vert de Lloyd Axworthy sur la réforme de la politique sociale et son remplacement par la *Loi sur le transfert canadien en matière de santé et de programmes sociaux*. Dans « Restructuring in Health Care : A Global Enterprise » (document de travail, Conseil des Canadiens, 1995), Colleen Fuller identifie certaines des grandes sociétés qui sont prêtes à faire le pas et à s'emparer de pans entiers du régime public de soins de santé du Canada. Les statistiques sur les mesures fédérales de déréglementation et de privatisation de l'environnement sont tirées de l'ouvrage précité de Barlow et Campbell (p. 215-216) et les propos de McLellan ont été publiés par le *Financial Post*, dans son édition du 16 septembre 1995. Toute l'histoire entourant la dernière série de négociations avant la signature de l'ALENA par le gouvernement Chrétien est racontée dans l'ouvrage précité de Greenspon et Wilson-Smith (p. 37-42, 46-48, 89-92). Les données relatives aux contrats d'Équipe Canada s'appuient sur l'analyse que j'ai faite à partir de documents obtenus du cabinet du premier ministre et traitant de chacune de ses missions commerciales. Les propos de Joan Speers sont tirés de son témoignage officiel lors des audiences tenues par un comité du Congrès américain, témoignage relaté, en premier lieu, dans des rapports du Public Citizen, à Washington (D.C.). Les données sur les importations et les exportations canadiennes sont parues dans un article du *Toronto Star*, sous la plume de David Crane.

4. Quand les grandes entreprises mènent le bal...

Ce chapitre ne fait référence à aucun livre ni à aucun document d'information particulier. J'ai tenté d'y définir, de façon un tant soit peu expérimentale, les nouvelles réalités politiques du système de domination des grandes sociétés. J'ai néanmoins puisé à un grand nombre de sources importantes. Les citations de John Saul sont tirées de sa série de conférences Massey sur *The Unconscious Civilization* (House of Anansi Press, Concord, 1995), en particulier du chapitre ayant pour thème « From Corporatism to Democracy » (p. 85-96). L'analyse que font Richard Grossman et Frank Adams quant à la manière dont les grandes sociétés ont pris le contrôle des tribunaux et du système judiciaire aux États-Unis est résumée dans leur article intitulé « Exercising Power over Corporations Through State Charters » et publié dans l'ouvrage précité de Jerry Mander et Edward Goldsmith, *The Case Against the Global Economy*

(p. 374-389). Voir également leur brochure intitulée *Taking Care of Business* (Charter, Cambridge [Mass.], 1993). Les réflexions de Michael Mandel sur l'utilisation que font les grandes entreprises de la Charte des droits et libertés en vue de protéger leurs « droits de citoyens » sont tirées de son article intitulé « Rights, Freedoms, and Market Power : Canada's Charter of Rights and the New Era of Global Competition », paru dans l'ouvrage publié sous la direction de Daniel Drache et Meric S. Gertler, *The New Era of Global Competition : State Policy and Market Power* (McGill-Queen's University Press, Montréal et Kingston, 1991). David Boyd, du Sierra Legal Defense Fund, a entrepris des recherches plus poussées sur la façon dont les grandes entreprises ont acquis le statut de citoyen en vertu de la loi canadienne et sur la façon dont elles ont utilisé le système judiciaire canadien pour mettre de l'avant leur programme. Les commentaires de William Grieder sur la citoyenneté des grandes entreprises sont tirés de son article « "Citizen" G. E. », paru dans l'ouvrage précité de Mander et Goldsmith (p. 323-335). Je tire les données sur les revenus des grandes entreprises dominantes du rapport annuel du *Business Report Magazine* du *Globe and Mail*, de juillet 1996, et la référence aux sociétés de lobbying d'Ottawa embauchées pour représenter les grandes entreprises à Washington, du livre de Korten, cité plus haut.

Le point de vue de Robert Cox sur le rôle de l'État dans la nouvelle économie mondiale est mis en évidence dans *Production, Power and World Order* (New York, 1987) et la critique virulente de Leo Panitch, « Globalization and the State », est présentée dans le livre *Between Globalism and Nationalism* (Merlin Press, Londres, 1994), publié sous la direction de Ralph Miliband et Leo Panitch. Le manuel de David Osborne et Ted Gaebler qui traite de la transformation de la fonction publique sur le mode du secteur privé s'intitule *Reinventing Government : How the Entrepreneurial Spirit is Transforming the Public Sector* (Plume, New York, 1993). On trouve des détails sur l'Accord sur le commerce intérieur dans l'ouvrage précité de Barlow et Campbell (p. 221-223). Diana Ralph, André Régimbald et Nérée St-Amand (dir.), dans le livre publié sous leur direction et intitulé *Open for Business : Closed to People* (Fernwood Publishing, Halifax, 1997), étudient la manière dont les grandes sociétés ont pris le contrôle du gouvernement Harris en Ontario. Il n'a pas été possible de faire ici une analyse approfondie de ce qui se passe dans les provinces ; toutefois, cet ouvrage sur l'Ontario contient plusieurs articles pertinents, dont un que j'ai moi-même rédigé et qui a pour titre « The Transnational Corporate Agenda Behind the Harris Regime ». Marjorie Griffin-Cohen, dans le *CCPA Monitor* (Centre canadien de politiques alternatives, vol. 2, n° 7, novembre 1995), indique la chronologie des compressions fédérales de 1985 à 1995. J'ai trouvé les statistiques décrivant le déclin majeur de l'ensemble des activités économiques du gouvernement fédéral dans le *CCPA Monitor* (Centre canadien de politiques alternatives, vol. 3, n° 6, décembre 1996-janvier 1997) sous la signature de Larry Brown. L'analyse du transfert des richesses entre les États et les banques est tirée de la documentation que l'économiste Jim Stanford a préparée, en juin 1996, en prévision de la campagne des Travailleurs canadiens de l'automobile.

Les réflexions de Michael Lind sur l'oligarchie économique et les classes sociales sont extraites de son article « To Have and Have Not : Notes on the Progress of the American Class War », publié dans le numéro de juin 1995 de *Harper's Magazine*. On trouve le commentaire d'Ed Finn dans son article « Under Corporate Rule » (CCPA, Ottawa, 1996), aux pages 24-26. La liste des milliardaires canadiens a été publiée dans l'ouvrage précité *Unfair Shares* (1997). Les statistiques sur le transfert des richesses que l'on trouve ici proviennent d'une étude parue dans le *CCPA Monitor* (vol. 1, n° 9, mars 1995). Les comparaisons entre les rémunérations des PDG et celles des travailleurs proviennent aussi du *CCPA Monitor* (vol. 3, n° 3, juillet-août 1996). L'annexe IV contient les plus récentes statistiques sur les rémunérations des PDG. L'ouvrage de James Winter intitulé *Democracy's Oxygen : How Corporations Control the News* (Black Rose Books, Montréal, 1997) propose une excellente analyse globale du rôle des médias dans la fabrication du consentement (on y trouve également des tableaux indiquant qui sont les propriétaires des médias et qui siège aux conseils d'administration à structure mixte). Les données et les commentaires rapportés dans cette section sont extraits d'un résumé du texte de Winter publié dans le *CCPA Monitor* (vol. 3, n° 6, novembre 1996). Il est possible d'obtenir, auprès d'Ekos Research, l'étude de 1994 sur les valeurs et les attitudes des Canadiens dont il est question dans ce chapitre.

En ce qui a trait à la mainmise des grandes entreprises sur l'éducation, le livre de Maude Barlow et Heather-Jane Robertson intitulé *Class Warfare* (Key Porter, Toronto, 1994) représente l'ouvrage de référence canadien. Le *CCPA Education Monitor,* publication trimestrielle du Centre canadien de politiques alternatives, fait le point régulièrement sur ce qui se passe au sein de notre système public d'éducation au chapitre de la pénétration des grandes entreprises et des questions de technologie.

Les commentaires de George Soros sont tirés de son article qui traite de la menace capitaliste, « The Capitalist Threat », publié dans *The Atlantic Monthly* en février 1997. Les réflexions d'Ed Finn sur la ploutocratie proviennent de son article sur les jeux du cirque romains « Bread and Circuses », publié dans *Under Corporate Rule,* cité plus haut (p. 16-18). On trouve les pensées philosophiques de Benjamin Barber sur la tyrannie des grandes sociétés et la démocratie dans son livre intitulé *Jihad vs. McWorld : How the Planet is Both Falling Apart and Coming Together and What This Means for Democracy* (Times Books, New York, 1995), à la page 220.

5. Le plan d'action des citoyens

Le document des Travailleurs canadiens de l'automobile qui a pour titre « Recapturing the Agenda » et celui du Conseil des Canadiens intitulé « A Citizens' Agenda » proposent quelques idées de départ pour réaffirmer, face à la tyrannie du patronat, les droits démocratiques des travailleurs et de toute la population. C'est ce qui constitue le thème général de ce cinquième chapitre. Les citations sur les soulèvements populaires de 1837 sont tirées de l'ouvrage de l'historien Stanley B. Ryerson intitulé *Unequal Union : Confederation and the Roots of Conflict in the Canadas, 1815-1873* (Progress Books, Toronto, 1975). Voir en particulier les chapitres 3, 4 et 5, ainsi que le chapitre 20 où l'auteur parle de la lutte de Riel pour acquérir l'autonomie. Les renseignements sur les projets de l'institut Fraser sont extraits de *Towards the New Millennium : A Five-Year Plan for the Fraser Institute.* Les données sur les projets d'investissement dans la santé et l'éducation sont citées dans *Investment Opportunity in the Education Industry,* de Lehman Brothers (9 février 1996).

Plusieurs ressources méritent d'être mentionnées. Elles pourraient s'avérer précieuses pour les mouvements de citoyens au moment de définir leurs priorités et d'établir leur stratégie concernant le système de domination des entreprises. Entre autres, *TNCs and India : An Activists' Guide to Research and Campaigns on Transnational Corporations,* de Jed

Greer et Kavaljit Singh (Public Interest Research Group, New Dehli, 1975) apporte une perspective intéressante dans un contexte international ; *A Troublemaker's Handbook*, de Dan La Botz (Labor Notes Book, Detroit, 1991), renferme certaines études de cas utiles et des conseils judicieux sur les campagnes contre les grandes sociétés, à l'intention des organismes syndicaux et communautaires. *Exposing the Facts of Corporate Rule*, publié sous la direction de David Langille (Jesuit Centre for Social Faith, Toronto, 1997), contient une liste à jour de ressources ; le *CCPA Monitor* (Centre canadien de politiques alternatives, Ottawa), édité chaque mois par Ed Finn, présente régulièrement des articles traitant du pouvoir des grandes sociétés et de la façon de mener une campagne ; et j'ai moi-même préparé, en collaboration avec des collègues mêlés de près au Forum international sur la mondialisation, *The Emergence of Corporate Rule : And What Can Be Done About It* (IFG Publication, San Francisco, 1996), outil de travail à l'intention des mouvements sociaux.

Aux outils de recherche et de campagne dont il est question dans les annexes I et II viennent s'ajouter les ressources et les outils que divers groupes ont commencé à élaborer pour la tenue de campagnes sur plusieurs fronts. Dans le premier champ de bataille, on voit, par exemple, que le Réseau canadien d'action a mis au point un ensemble de données pratiques destinées aux militants des campagnes contre les grandes sociétés sur le thème de la création d'emplois ; la Coalition ontarienne pour la justice sociale a produit trois outils comme *Unfair Shares* pour les campagnes centrées sur l'impôt des grandes entreprises. Les Travailleurs canadiens de l'automobile et la Coalition œcuménique pour la justice économique ont produit des documents qui pourraient servir dans les campagnes menées contre les banques et contre le rôle que celles-ci jouent dans la spéculation financière. Dans le deuxième champ de bataille, on constate que la Coalition canadienne de la santé a déjà, dans sa ligne de mire, certaines grandes entreprises de soins de santé lucratives qui pourraient éventuellement faire l'objet de campagnes (le livre que prépare Colleen Fuller sur le sujet viendra renforcer cette action). La publication *Education Monitor,* du CCPA, est en train de devenir l'une des principales ressources pour la préparation des campagnes contre les entreprises qui s'amorcent au sein du système public d'éducation. Le regroupement Campagne pour la radiodiffusion publique a des ressources et offre des outils pour les campagnes dirigées contre les principaux magnats de la presse écrite et électronique. L'organisme Low Income Families Together (LIFT) de Toronto a préparé, pour sa part, une bande dessinée qui traite des projets des grandes entreprises et de leurs retombées sur la politique sociale et sur les personnes pauvres du pays. En ce qui concerne le troisième champ de bataille, des groupes comme Greenpeace et le Rainforest Action Network ont organisé d'importantes campagnes touchant le secteur forestier, tandis que le Sierra Legal Defense Fund s'est lancé dans quelques poursuites judiciaires de grande enver- gure. D'autres groupes comme le Sierra Club du Canada, l'Association canadienne du droit de l'environnement et le Syndicat canadien des com- munications, de l'énergie et du papier concentrent davantage leurs cam- pagnes sur le pouvoir des grandes sociétés.

6. Le retour à la vraie démocratie

Pour rédiger ce chapitre, j'ai puisé à plusieurs sources documentaires importantes. La monographie de Sam Gindin et David Robertson ayant pour titre *Democracy and Productive Capacity : Notes Towards an Alternative to Competitiveness* (publications du CCPA, Ottawa, 1991) m'a aidé à élaborer la structure de base d'une plate-forme politique qui pourrait ser- vir de solution de rechange. L'article de Colin Hines et Tim Lang, « The New Protectionism », paru dans l'ouvrage précité de J. Mander et E. Gold- smith, *The Case Against Global Economy* (p. 485-494), préconise une approche quelque peu semblable à la mienne. Les commentaires de Leo Panitch et de Greg Albo sur la démocratisation de l'État sont rapportés dans le livre intitulé *A Different Kind of State ? Popular Power and Demo- cratic Administration* (Oxford University Press, Toronto, 1993), publié sous la direction de Gregory Albo, David Langille et Leo Panitch. Le livre reprend, en partie, une conférence de trois jours sur le thème de l'admi- nistration démocratique dans les années 1990 (« Democratic Adminis- tration in the 1990s »), qui a eu lieu à l'université York en 1991. L'article de Panitch est intitulé « A Different Kind of State » et celui d'Albo, « Demo- cratic Citizenship and the Future of Public Management ». À consulter aussi, dans ce volume, l'article de Hilary Wainwright intitulé « A New Kind of Knowledge for a New Kind of State », et celui de David Langille, « Putting Democratic Administration on the Political Agenda ». Les

Documents de l'Alternative budgétaire pour le gouvernement fédéral 1997, publiés conjointement par le Centre canadien de politiques alternatives et CHOICES!, une coalition pour la justice sociale, présentent un certain nombre d'autres outils politiques que l'on pourrait intégrer à un programme d'action en vue de démanteler les mécanismes régissant la domination des entreprises et d'en créer de nouveaux, pour que la démocratie reprenne ses droits. Cette publication regroupe « Alternative budgétaire pour le gouvernement fédéral de 1997 », le document qui a servi de cadre à l'élaboration de ce budget, le texte des discussions qu'ont tenues des économistes à l'occasion d'une table ronde et une série de rubriques d'information. L'ouvrage précité de John Dillon, *Turning the Tide*, favorise également la réflexion sur des stratégies financières de remplacement, et celui de Paul Leduc Browne, *Love in a Cold World?* (Publications du CCPA, Ottawa, 1996), ainsi que certains de ses articles non publiés ont été utiles pour déterminer les liens qui peuvent exister entre un secteur public revitalisé et l'économie sociale. Pour obtenir un aperçu beaucoup plus précis et détaillé des contradictions et des faiblesses de l'économie mondiale d'aujourd'hui, se reporter au livre déjà cité de William Grieder, *One World, Ready or Not*.

Dans les *Documents de l'Alternative budgétaire pour le gouvernement fédéral*, on trouve le détail des propositions au chapitre des outils politiques reliés aux composantes de notre plate-forme de rechange. En ce qui a trait aux « finances publiques », se reporter aux sections traitant de « politiques macroéconomique et fiscale » incluses dans les propositions budgétaires (p. 7-12), dans le document cadre (p. 56-62) et dans la partie sur les recettes projetées (p. 34-38), ainsi qu'à celle traitant de fiscalité (p. 341-368). Pour ce qui touche à la « production économique », se reporter aux sections traitant de la création d'emplois dans les propositions budgétaires (p. 13-16), dans le document cadre (p. 63-72), dans le document d'information d'Andrew Jackson (p. 293-311) et dans les projets de développement économique communautaire (p. 124-129). En matière de « sécurité sociale », consulter les différentes composantes de la politique sociale (par exemple, le fonds national pour le soutien du revenu, les soins de santé, la garde d'enfants, l'enseignement postsecondaire, l'assurance-emploi, les revenus de retraite) dans les propositions budgétaires (p. 17-28) et dans le document cadre (p. 107-140), ainsi que le document d'information sur les régimes de retraite publics rédigé par

Monica Townsend et Bob Baldwin (p. 313-340). Pour ce qui est du « développement durable », voir les sections sur l'environnement (p. 148-152) et sur la fiscalité (p. 360-361). Quel que soit l'outil politique auquel on aura recours, il faut avant tout déterminer la façon et le moyen de le concevoir et de le mettre en pratique, afin d'amoindrir le pouvoir des grandes sociétés et d'exercer un plus grand contrôle démocratique.

Deux ouvrages récents sont à signaler pour les références au NPD qu'ils contiennent. Il s'agit de *In Search of a New Left,* de James Laxer (Viking, Toronto, 1996), et de *Under Siege : The Federal NDP in the Nineties,* d'Ian McLeod (James Lorimer & Co., Toronto, 1994). Ian Robinson, dans son livre *North American Trade As If Democracy Mattered* (Publications du CCPA, Ottawa, 1993), offre une excellente perspective quant à ce que pourrait être une politique commerciale prodémocratique.

Postface

Les réflexions d'Ursula Franklin sur la notion d'occupation militaire sont tirées de son exposé intitulé « Global Justice — Chez Nous » et présenté à l'occasion d'un congrès sur le thème de la justice mondiale *(Ten Days for Global Justice),* le 1er février 1997.

Outils de recherche sur les entreprises

Dans le chapitre 5, nous avons dit qu'il était nécessaire que des groupes de citoyens et des individus mettent au point de nouveaux outils pour s'opposer à l'action politique que mènent les grandes entreprises. De toute évidence, il faut surtout se préoccuper de développer la recherche et de savoir comment mener des enquêtes sur les activités des grandes sociétés que les citoyens prendront pour cibles.

Il y a bien des façons de faire de la recherche sur les entreprises ; toutefois, il s'agit ici de présenter brièvement une méthode qui peut s'avérer très utile aux groupes de citoyens locaux ou à des organismes provinciaux ou nationaux, en leur permettant de repérer les sociétés qui exercent un rôle politique. Cette méthode de recherche est assortie de quelques outils pertinents et de ressources appropriées. (*Nota :* Plusieurs sources ont été consultées pour la rédaction de ce guide, dont *Qui empoche les profits ?*, publié par le Syndicat canadien de la fonction publique.)

Pour démarrer

Quel que soit le type de recherche entreprise dans le but d'amener le changement social, il importe que celle-ci ait pour point de départ les questions et les politiques qui touchent nos collectivités et notre quotidien. Ainsi, au chapitre 5, nous avons parlé de trois champs de bataille. Il y a bien des chances pour que les grandes luttes qui se livreront sur ces trois champs de bataille durent plusieurs années, et les grandes entreprises y joueront un rôle déterminant en ce qui concerne le choix des priorités et des orientations du gouvernement.

Les entreprises, qu'elles aient leur siège ici ou à l'étranger, auront une influence décisive sur la tournure des événements dans bien des secteurs stratégiques, et ce, peu importe ceux auxquels nous accorderons la priorité : création d'emplois ou soins de santé ; déficits gouvernementaux ou enseignement public ; marchés agricoles ou gestion des déchets ; aide sociale ou travail obligatoire ; préservation des forêts ou conservation des stocks de poissons ; sécurité alimentaire ou logement social ; mesures commerciales ou développement international ; développement des collectivités ou armement militaire.

Quelle que soit la bataille que nous livrons, ce qui compte, c'est de bien viser une ou deux entreprises.

On n'effectue pas une recherche sur une société dont les actions sont cotées en Bourse de la même façon qu'une recherche sur une entreprise détenue par des particuliers. Contrairement à la première, une entreprise détenue par des particuliers ne vend pas d'actions sur le marché boursier. Il est indispensable d'établir cette distinction dès le départ. La loi, par exemple, oblige les sociétés cotées en Bourse à tenir certains renseignements à la disposition du public (rapports annuels, bilans, etc.), alors que cette obligation ne s'applique pas aux secondes.

Dans le même ordre d'idées, il est important de savoir si les sociétés visées ont leur siège social au Canada ou s'il s'agit de filiales d'entreprises étrangères. Ces distinctions sont primordiales au départ parce qu'elles permettront de déterminer quels outils serviront optimalement à la recherche en fonction du genre d'entreprise concerné. Qu'une société soit cotée en Bourse ou détenue par des particuliers, qu'elle soit canadienne ou étrangère, ce qui nous intéresse, c'est son rôle politique.

Quand on connaît le nom exact de la société sur laquelle on veut enquêter, l'endroit de son siège social et son lieu principal d'exploitation, on est prêt à entreprendre la collecte de renseignements. On peut approcher des gens qui y travaillent ou bien qui habitent à côté pour leur demander ce qu'ils savent de cette société. Si l'entreprise que l'on a choisie est active dans le milieu des affaires de la collectivité, les pages des journaux consacrées aux affaires peuvent être une bonne source d'information. L'entreprise visée est une société transnationale? Alors, il ne faut surtout pas hésiter à communiquer avec d'autres groupes nationaux ou internationaux de son réseau, car ils peuvent fournir des renseignements à son sujet.

Attention, avant d'aller plus loin, on doit d'abord établir une méthode et une stratégie de recherche qui correspondent aux priorités que l'on s'est fixées pour l'organisation de la campagne.

Définir ses priorités

Le chapitre 5 nous a montré que différentes options s'offrent à nous en matière de campagnes contre les grandes entreprises. Toutefois, notre objectif, dans ce livre, est surtout de s'attaquer au rôle politique de ces dernières, ce qui exige une méthode de recherche faisant appel à divers outils. Vous trouverez ci-dessous une stratégie de recherche en six points qui pourra vous être utile dans la collecte de renseignements sur l'entreprise visée.

1. Profil organisationnel. Il vaut mieux connaître la structure de la société visée et déterminer quelles sont ses activités principales. Parmi les renseignements à receuillir, citons l'historique de l'entreprise, son organigramme, la rémunération totale de son PDG, le nom des membres de son conseil d'administration et celui du propriétaire. S'il s'agit d'une filiale, où est le siège social? Si la société est cotée en Bourse, qui sont les principaux actionnaires? Dans le cas d'une entreprise détenue par des particuliers, la propriété est-elle dans les mains d'une seule personne ou d'une famille? On peut aussi examiner la façon dont sont réparties les différentes divisions de l'entreprise, comme leur nombre, leur emplacement, les activités de chacune des divisions, y compris celles des filiales étrangères. Ce profil devrait également fournir des données sur le rang qu'occupe l'entreprise dans l'industrie (selon sa production ou sa part du marché), sur ses principaux canaux de distribution ainsi que, le cas échéant, sur toute fusion ou acquisition.

2. Profil stratégique. Selon les secteurs stratégiques que l'on veut viser par sa campagne (emploi, soins de santé, sécurité alimentaire, enseignement public, conservation des forêts, pauvreté, répartition de la richesse, autres préoccupations écologiques, garde d'enfants ou travail obligatoire), il ne faut pas manquer d'établir un profil de l'entreprise en fonction de l'enjeu politique. Ce profil devrait fournir une analyse de la position adoptée par l'entreprise sur les questions de politique publique, ainsi que définir le palier de gouvernement (fédéral, provincial ou municipal) responsable de l'élaboration de cette politique et recenser les gestes que l'entreprise a déjà faits en vue de promouvoir ses intérêts auprès des instances gouvernementales.

3. *Profil politique.* Dès que l'on s'est fait une idée précise des intentions de l'entreprise en matière de politique publique, il faut passer à l'étape suivante, qui consiste à mettre la main sur l'appareil politique dont cette entreprise se sert pour promouvoir ses intérêts. Il est alors indispensable de déterminer quel cabinet d'avocats ou quelle agence de relations publiques sont au service de l'entreprise et de réunir l'information pertinente, puis de trouver quels liens politiques unissent les administrateurs de la société et les ministres ou les hauts fonctionnaires, qui représente l'entreprise dans des comités consultatifs gouvernementaux et dans des associations professionnelles ou commerciales comme le CCCE, la chambre de commerce, etc. L'une des caractéristiques de ce profil est d'indiquer si la société a fait de la propagande politique, quelle qu'en ait été la forme, et les montants (le cas échéant) de ses contributions à un parti politique, ou à des partis politiques (lesquels, quand?) et aux caisses électorales des partis.

4. *Profil commercial.* Une bonne connaissance des activités et des pratiques commerciales de la société est essentielle afin de bien repérer les points faibles possibles. Ce profil doit comprendre des renseignements sur les créanciers de l'entreprise, sur ses sources de financement (par exemple: banques, sociétés de fiducie, compagnies d'assurances) et sur ses investisseurs ou ses actionnaires principaux. Un tableau du chiffre d'affaires de la société, au pays et à l'étranger, de ses profits et de son actif, de son endettement, de ses nouvelles émissions d'actions et de ses activités étrangères aurait également son utilité. Du point de vue stratégique, il ne faut pas négliger de tracer un profil des principaux marchés, clients, fournisseurs et concurrents de la société.

5. *Profil communautaire.* On devra aussi établir un profil des relations qu'entretient l'entreprise avec le reste de la collectivité et de son influence sur celle-ci. Outre l'information concernant les relations de l'entreprise

avec ses travailleurs et la communauté où elle exerce ses activités, il serait utile d'obtenir un minimum de renseignements sur ses antécédents en matière de relations de travail (syndicats, méthodes de négociations collectives, programmes d'indemnisation des employés, santé et sécurité au travail, etc.), de respect de l'environnement (par exemple, lutte contre la pollution), de protection du consommateur (antécédents au chapitre de la sûreté de ses produits, méthodes de commercialisation et prix) et de droits de la personne (en particulier dans les pays où règnent des régimes répressifs).

6. *Profil juridique.* Finalement, si l'on veut que le profil de l'entreprise ou d'un groupe d'entreprises soit complet, il est nécessaire de connaître avec précision son statut juridique. Pour fonctionner légalement au Canada, les sociétés doivent détenir une charte ou un certificat délivré par le gouvernement fédéral ou celui d'une province. En communiquant avec le siège social de l'entreprise, on devrait être en mesure de trouver l'endroit où celle-ci est enregistrée (c'est-à-dire au niveau fédéral ou provincial). Une fois ce renseignement obtenu, on peut demander une copie de la charte ou du certificat au ministère fédéral ou provincial concerné (voir la liste des sources provinciales ci-dessous). Dans la foulée de cette recherche, on peut tenter de savoir s'il existe une loi ou une procédure en vertu de laquelle le gouvernement peut révoquer la charte ou le certificat d'une entreprise qui aurait outrepassé son statut juridique et ses responsabilités ou qui n'aurait pas respecté les clauses essentielles. Aux États-Unis, la procédure conduisant à la révocation de la charte d'une entreprise s'appelle un statut *quo warranto*.

Procéder à la recherche

Bien sûr, on pourrait allonger la liste des renseignements à inclure dans ces profils. Cependant, pour l'instant, ce qui importe est de montrer comment un groupe de citoyens peut avoir accès à ce genre de renseignements. Peut-être n'y avez-vous pas songé, mais votre bibliothèque municipale ou le centre de documentation de votre localité pourrait bien être le point de départ de vos recherches. La plupart des bibliothèques de taille moyenne possèdent une section où l'on trouve des répertoires d'entreprises et d'autres renseignements sur les grandes entreprises. Votre bibliothécaire devrait connaître le genre de documentation dont l'établissement dispose sur place. Si vous ne trouvez pas ce que vous cherchez, vous devriez pouvoir consulter le fichier d'autres bibliothèques grâce aux réseaux informatisés. À toutes fins utiles, voici une liste des principales sources que vous pourriez consulter.

a) Répertoires des entreprises. Divers répertoires d'entreprises contiennent certains des renseignements généraux sur les sociétés qui vous aideront à dresser ces profils. Par exemple, le *Canadian Key Business Directory* publie chaque année des données sur les principales entreprises du Canada. Des répertoires du même genre existent en Ontario, au Québec, en Colombie-Britannique, en Alberta, en Saskatchewan, au Manitoba et pour les provinces maritimes. On y trouve des renseignements généraux sur le chiffre d'affaires de l'entreprise, le nombre de ses employés, le nom de ses gestionnaires, etc. D'autres répertoires, comme *Who Owns Whom,* sont encore plus détaillés et fournissent, par exemple, des renseignements sur les liens existant entre les propriétaires de différentes sociétés. Dans le *Financial Post Directory of Directors* figure le nom de toutes les personnes qui siègent au conseil d'administration des sociétés.

b) Rapports annuels. Les rapports annuels contiennent des renseignements généraux particulièrement utiles pour tracer les profils organisationnel et commercial de l'entreprise. S'il s'agit d'une société cotée en Bourse, elle est obligée de publier un rapport annuel que l'on peut se procurer gratuitement en téléphonant au service chargé des relations avec les investisseurs. Si l'entreprise visée appartient à des particuliers, il est possible de recueillir des renseignements généraux auprès du ministère responsable de « l'enregistrement des sociétés » ou de « la consommation » de la province d'attache de l'entreprise. Vous trouverez plus loin la liste de ces ministères provinciaux et leurs numéros de téléphone. Quand vous présenterez vos demandes, demandez également une copie des discours que le président-directeur général et d'autres gestionnaires de la société ont prononcés. Ils peuvent contenir des renseignements sur la vision récente de l'entreprise qui peuvent être précieux pour l'élaboration de vos profils d'orientations politiques.

c) Journaux et revues. Vous pouvez aussi trouver bien des renseignements sur l'entreprise que vous avez visée dans les journaux et les revues. L'*Index des périodiques canadiens* est un répertoire trimestriel des articles de revues et de journaux canadiens. C'est un outil efficace pour retrouver des articles qui traitent de l'entreprise visée, de son PDG ou de son conseil d'administration. On peut également consulter d'autres publications comme l'*Index de la Presse canadienne* ou l'*Alternative Press Index*. Si votre bibliothèque dispose d'un système informatique avec CD-ROM, il vous sera peut-être possible de consulter la base de données informatisées appelée « Canadian Business and Current Affairs » (CBCA). Chacun de ces répertoires devrait vous permettre de retracer des articles que vous pourrez ensuite vous procurer par l'intermédiaire de votre bibliothèque.

d) Dossiers judiciaires. Si l'entreprise visée a été impliquée dans une poursuite judiciaire quelconque, les dossiers judiciaires peuvent s'avérer une véritable mine de renseignements. Ces dossiers fournissent le résultat de l'enquête approfondie qu'une autre personne a menée avant vous. Les documents déposés en cour par les adversaires de l'entreprise peuvent quelquefois contenir de l'information très intéressante sur les activités de l'entreprise, sa politique, sa façon d'agir et d'autres renseignements connexes difficiles à obtenir ailleurs. L'accès à ces dossiers peut être difficile, mais, en consultant un avocat favorable à votre cause, vous pourrez trouver des moyens d'effectuer la recherche et d'obtenir l'information désirée, si elle est publique.

e) Ressources humaines. Par ailleurs, des particuliers ou des groupes de gens ont peut-être, sur l'entreprise visée, des renseignements que vous ne trouverez nulle part ailleurs. Des conversations ou une correspondance avec des gens ayant travaillé pour l'entreprise ou ayant enquêté à son sujet peuvent vous apporter des faits supplémentaires ou vous diriger vers d'autres sources. Des journalistes peuvent avoir rédigé des articles sur l'entreprise ; d'anciens employés peuvent en avoir long à dire et être disposés à parler ; des représentants d'associations professionnelles peuvent être prêts à répondre à des questions précises ; des avocats qui ont été mêlés à des poursuites judiciaires contre l'entreprise, des experts-conseils du secteur industriel ou des analystes en investissements peuvent accepter de partager avec vous des renseignements sur les activités de la société ; des professeurs ou des étudiants en administration ont peut-être effectué des études de cas sur l'entreprise visée ; d'autres intervenants du monde des affaires (concurrents, fournisseurs, etc.) peuvent être disposés à parler ; et bien sûr on peut interroger les citoyens des communautés où l'entreprise a son lieu d'affaires principal.

f) Commission des valeurs mobilières. Si l'entreprise visée est située aux États-Unis et qu'il s'agit d'une entreprise cotée en Bourse, il est possible d'obtenir de l'information par l'intermédiaire de la U.S. Securities and Exchange Commission (SEC). Le rapport le plus intéressant, que l'on peut se procurer par l'entremise de la SEC, est connu sous le nom de *10-K Report* et passe en revue de manière approfondie les activités commerciales des entreprises. Un coup de téléphone au service des relations avec les investisseurs de l'entreprise visée devrait vous permettre d'obtenir, sans frais, un exemplaire du *10-K Report* de la SEC. Vous pouvez également rechercher « SEC Reports » sur Internet (http ://www.sec.gov — choisir « Edgar database », puis choisir « search Edgar archives », sélectionner « quick forms lookup » puis le formulaire désiré et entrer le nom de la société). Si vous n'avez besoin que du rapport annuel d'une société américaine cotée en Bourse, vous pouvez en faire la demande au service des relations avec les actionnaires de la société ou communiquer avec le service du registre public des rapports annuels au 1 800 426-6825.

Dites-vous bien qu'entreprendre une recherche sur une société n'est pas toujours facile. Comme pour n'importe quelle recherche, il faut de la patience, de la persévérance, de la politesse (en général) et une grande ouverture d'esprit afin de ne pas rater toute piste ou source susceptible d'être utile. Il est primordial de ne pas perdre de vue les profils stratégiques que vous tentez d'établir pour votre démarche.

Les grandes entreprises aiment rarement que l'on mette le nez dans leurs affaires ; ne l'oubliez jamais tout au long de votre recherche. Il est fort possible qu'elles refusent de coopérer et qu'elles essaient même de vous mettre des bâtons dans les roues. Quoi que vous fassiez, ne lâchez pas prise. Vous souhaiterez peut-être adopter différentes approches pour établir des contacts directs avec l'entreprise. Comme tout bon chercheur, vous devriez consigner par écrit vos sources de renseignements en prenant note des dates et du nom des gens avec lesquels vous vous êtes entretenu (en faisant preuve de discrétion, bien sûr, si les renseignements vous ont été confiés sous le sceau du secret ou de façon officieuse).

On peut mener ce genre de recherche en groupe ou seul. Cependant, la recherche en groupe peut donner de meilleurs résultats si les membres de l'équipe sont acquis à la cause et sont disciplinés. Vous trouverez ci-dessous une liste plus complète des répertoires regroupant les grandes entreprises et des outils pouvant servir à la collecte de renseignements sur l'entreprise que vous avez visée.

Liste de ressources

(*Nota :* La plupart des sources citées ci-dessous proviennent de *Qui empoche les profits ?*, un guide pour la recherche sur les grandes entreprises préparé par le Syndicat canadien de la fonction publique.)

Sources canadiennes

Blue Book of Canadian Business — 1996 : on y trouve le profil d'environ 4 000 grandes sociétés canadiennes dont les revenus s'élèvent à plus de 10 millions de dollars et qui comptent 500 employés ou plus ; publié par Canadian Newspaper Services.

Canadian Key Business Directory : répertoire annuel regroupant plus de 20 000 entreprises (voir référence ci-dessus) ; publié par Dun and Bradstreet Canada.

Financial Post Directory of Directors 1997 : liste, par ordre alphabétique, des directeurs (ou des administrateurs) et de toutes leurs fonctions au sein de l'entreprise.

Financial Post Survey of Industrials : répertoire annuel donnant des renseignements sur l'investissement de 2 700 grandes entreprises manufacturières et industrielles ; publié par Financial Post Datagroup.

National Services Directory : répertoire annuel contenant des renseignements sur 15 000 entreprises de services ; publié par Dun and Bradstreet Canada. Il contient le même genre d'information que les répertoires précédents, surtout sur des entreprises de services.

Report on Business Canada Company Handbook : contient des renseignements financiers détaillés, de courts exposés sur des industries, des nouvelles à jour sur les entreprises et des renseignements concernant la situation boursière des 520 plus grandes entreprises canadiennes ; publié par Globe Information Services (*Globe and Mail*).

Who Owns Whom ? 1997 : le volume 2, consacré à l'Amérique du Nord, est très utile pour connaître les liens existant entre les propriétaires des grandes sociétés du Canada et des États-Unis ; publié par Dun and Bradstreet International.

* L'édition de juillet du *Report on Business Magazine* publié par le *Globe and Mail* contient habituellement la liste des 1 000 plus grosses entreprises canadiennes, classées par ordre d'importance, ainsi qu'une section intitulée « The Power Book » contenant certains tableaux utiles.

Sources américaines

Hoover's Handbook of American Business : ouvrage de base répertoriant les 755 plus grandes entreprises américaines. On y trouve la liste des plus grandes sociétés, la liste de celles qui comptent le plus d'employés, les profils de l'industrie, les indices boursiers et le profil des sociétés ; publié annuellement, en deux volumes.

Standard & Poor's Register of Corporations, Directors and Executives : publication en trois volumes répertoriant quelque 55 000 entreprises américaines cotées en Bourse ou appartenant à des particuliers.

Ward's Business Directory of U.S. Private and Public Companies : répertoire en sept volumes regroupant quelque 120 000 entreprises dont 90 % sont détenues par des particuliers. On y trouve des renseignements généraux.

* Consulter également le rapport intitulé *Fortune Global 500 Report*, publié chaque année, habituellement en août, par *Fortune Magazine*. Il contient un palmarès mondial des plus grandes entreprises transnationales, établi selon l'industrie, le rendement, les revenus, les profits réalisés, l'actif, le nombre d'employés et d'autres facteurs.

Services informatiques

Certaines bibliothèques offrent les services informatiques mentionnés ci-dessous. Demandez à votre bibliothécaire de vous aider.

Dialog — On-Line Service : contient plus de 450 bases de données sur un vaste éventail de sujets, y compris des renseignements sur les sociétés et sur leur situation financière, les affaires publiques et gouvernementales. Service administré par Southam News et Knight-Rider. Ce service n'est pas gratuit.

Lexis-Nexus — On-Line Service : probablement la plus grande base de données accessible pour les recherches de texte intégral. Contient des fichiers sur des milliers de journaux, revues, périodiques professionnels, rapports de sociétés et comptes rendus judiciaires. Certaines bibliothèques y sont abonnées. Le service peut être onéreux.

Multinational Monitor On-Line : vaste base de données contenant des articles et d'autres renseignements sur des sociétés transnationales spécifiques. Analyses effectuées dans une optique syndicale, écologiste, sociale, et du point de vue des droits de la personne. (http://www. essential.org/monitor/monitor.html).

Corporate Watch : service en ligne donnant accès à de la documentation issue de mouvements de citoyens participant à des campagnes contre les grandes sociétés, aux États-Unis et ailleurs dans le monde.

Sources des gouvernements provinciaux

Tous les gouvernements provinciaux ont un ministère ou un bureau auprès duquel les entreprises appartenant à des particuliers et faisant des affaires dans la province sont obligées de s'enregistrer officiellement. La liste suivante indique le nom des bureaux provinciaux et leur numéro de téléphone :

- Colombie-Britannique : Ministry of Finance and Private Property Registration, tél. : (604) 775-1041.
- Alberta : Corporate Registration Office, tél. : (403) 427-2311.
- Saskatchewan : Corporations Branch, tél. : (306) 787-2962.
- Manitoba : Companies Branch, tél. : (204) 945-2500.
- Ontario : ministère de la Consommation et du Commerce, tél. : 1 800 268-1142.
- Québec : Inspecteur général des institutions financières, tél. : (514) 873-5324.
- Nouveau-Brunswick : ministère de la Justice, division des Affaires, tél. : (506) 453-2703.
- Nouvelle-Écosse : Business & Consumer Services, tél. : (902) 424-7579.
- Île-du-Prince-Édouard : Provincial Affairs & Attorney General — Corporate Division, tél. : (902) 368-4550.
- Terre-Neuve : Registry of Deeds & Companies — Commercial Registration Division, tél. : (709) 729-3317.

Annexe II

Outils de campagne
contre les entreprises

Les méthodes et les outils que nous avons examinés à l'annexe I prépareront le terrain à l'action contre l'entreprise visée. Le chapitre 5 a montré qu'il existe bien des façons de mettre sur pied une campagne de citoyens destinée à s'attaquer aux grandes entreprises. Toutefois, ce qui nous intéresse dans cette partie, c'est de concevoir un nouveau genre de campagne d'opposition à ces entreprises qui constituent de véritables machines politiques capables de redéfinir et de réorienter les stratégies économiques, sociales et écologiques du pays.

Le chapitre 4 décrit les principales caractéristiques des entreprises devenues des machines politiques. Il nous faut maintenant considérer ce qu'entraîne une nouvelle conception des outils de base destinés aux mouvements de citoyens afin de les aider à lutter contre le pouvoir politique des entreprises. Voici quelques suggestions d'étapes à suivre qui, combinées aux outils et aux ressources mentionnés précédemment, peuvent vous aider à y parvenir.

La détermination des objectifs

Nous l'avons vu au chapitre 5, il est essentiel que les mouvements de citoyens amorcent une série de campagnes contre les entreprises au cours des cinq prochaines années. L'objectif précis consiste à créer un climat politique propice au démantèlement des rouages du pouvoir des entreprises. En près de 20 ans, les entreprises et leurs alliés ont réussi à faire du gouvernement l'ennemi public numéro un. Il s'agit, à court terme, pour parvenir à un changement social, d'inverser maintenant cette perception et de s'attaquer en premier lieu aux entreprises qui déterminent les prises de décisions gouvernementales.

Autrement dit, nos campagnes devront servir à démontrer que ce sont les grandes sociétés qui dirigent le pays, et non pas les gouvernements élus par le peuple. Pour cela, il faut mettre au point des campagnes qui dévoilent les activités politiques des entreprises sur les trois principaux champs de bataille définis au chapitre 5. Il faut dénoncer les entreprises qui tirent les ficelles en matière d'économie, de programmes sociaux et d'environnement.

Évidemment, chaque action devra porter précisément sur un enjeu politique majeur comme l'emploi, les soins de santé, l'éducation, les médias, les régimes de retraite, l'agriculture, les pêcheries, les forêts, le logement, le commerce, la culture ou les finances publiques. Chacune de ces luttes devra permettre de démasquer et de dénoncer les entreprises qui se cachent derrière les stratégies gouvernementales.

Nous devons organiser des campagnes qui montreront du doigt le pouvoir politique de ces entreprises et lui enlèveront toute légitimité. On peut par exemple braquer les projecteurs sur les entreprises qui sont devenues de « supercitoyens » au détriment de la population et qui maintenant dirigent le pays en s'adjoignant les services de lobbyistes puissants et en achetant leurs propres gouvernements et leurs propres politiques. Peu importe l'enjeu de la lutte, il est important d'organiser les campagnes de manière à dévoiler au grand jour et à discréditer le régime actuel de domination des entreprises. Pour que nos stratégies portent des fruits, il faudra déployer une créativité intense.

Ces campagnes contre les entreprises doivent être élaborées dans une optique de mobilisation populaire. Il ne s'agit pas seulement de mettre sur pied des campagnes qui attireront de plus en plus de personnes, il faut aussi inculquer aux citoyens un sens profond de la souveraineté populaire, sur lequel ils s'appuieront pour reprendre possession des droits démocratiques que les grandes sociétés leur ont dérobés. C'est pourquoi il est essentiel de mettre en lumière le rôle de ces grandes entreprises qui ont pris le contrôle du pays.

Pour ce faire, il faut identifier chacun des acteurs, le pouvoir et l'influence qu'il exerce ainsi que la nature des fonds en jeu. Ces campagnes doivent aussi rétablir la confiance du public en l'avenir en lui démontrant que les citoyens peuvent avoir suffisamment de poids pour tenir tête avec succès aux machines politiques. Cela suppose qu'on utilise les bonnes tactiques et qu'on dissèque chaque entreprise visée pour être en mesure de faire des choix stratégiques.

Le choix des tactiques

On a imaginé toutes sortes d'outils tactiques à utiliser dans les actions contre les entreprises. Évidemment, le choix de ces outils dépend surtout du but visé par la campagne et de la capacité des intervenants de les employer efficacement. On peut faire appel à la plupart des tactiques classiques, mais il conviendrait de les raffiner.

Les organisations ont chacune leur champ d'action particulier. Il est probable, par exemple, que seul un syndicat puisse utiliser le recours à la grève pour exercer une pression économique sur une entreprise. Par contre, d'autres mouvements de citoyens peuvent avoir recours au boycottage de produits de consommation ou porter leur cause devant les tribunaux. L'expérience a démontré qu'un choix judicieux des outils tactiques multipliait l'efficacité des campagnes.

Pour mener à bien notre action, nous avons à notre disposition au moins trois outils principaux.

1) La contestation des statuts. La poursuite judiciaire a été et continue d'être un outil tactique important pour les mouvements de citoyens. Toutefois, pour faire opposition aux activités politiques des entreprises, il convient d'adopter une nouvelle approche. S'attaquer au statut d'une entreprise devant les tribunaux, c'est pointer son mandat et ses véritables pouvoirs et pas seulement les abus particuliers qu'elle a commis. Si l'on effectue des recherches sur la charte ou le certificat d'enregistrement délivré à une entreprise par le gouvernement fédéral ou celui d'une province, il est possible d'évaluer son activité et d'entreprendre des démarches en vue de faire révoquer sa charte ou de la faire modifier.

L'évaluation de l'activité de l'entreprise pourrait porter sur ses antécédents au chapitre des questions politiques en jeu et sur la façon dont elle s'y est prise pour influencer les décisions gouvernementales. Aux États-Unis, il existe des bases législatives et juridiques très claires sur lesquelles les mouvements de citoyens peuvent s'appuyer pour contester le statut d'une entreprise. Au Canada, il reste beaucoup à faire pour établir de façon claire des bases de ce genre.

2) *Le lobbying politique.* Il est probable qu'un des principaux éléments d'une stratégie d'action destinée à perturber ou à démanteler les rouages du pouvoir politique d'une entreprise sera de demander au gouvernement d'agir. Le lobbying est essentiel, ne serait-ce que pour faire contrepoids au pouvoir politique de l'entreprise. Du point de vue tactique, le lobbying politique permettrait non seulement d'obtenir l'appui du gouvernement aux demandes faisant l'objet de l'action, mais aussi de dévoiler les ressorts politiques de l'entreprise et ses liens avec les structures gouvernementales.

L'objectif stratégique, dans ce cas, consisterait à susciter un différend et un conflit entre l'entreprise et le gouvernement. Il faudrait utiliser des tactiques de lobbying qui dévoileraient les principales entreprises et instances politiques en jeu et il faudrait préparer méticuleusement les interventions auprès du gouvernement en étant bien conscient des limites imparties à l'État au service de l'entreprise. Malgré tout, si l'on veut être efficace, le lobbying politique doit faire partie des tactiques utilisées pendant une campagne, surtout si les mouvements de citoyens ne veulent pas se retrouver pris au piège d'un gouvernement obsédé par l'élaboration de stratégies de changement social.

3) *L'action directe.* Le recours à une forme d'action directe non violente est un outil tactique important pour soulever la population. Il peut s'agir de manifestations, d'occupations, de barrages et d'autres formes de désobéissance civile. Au début des années 1990, par exemple, des fermiers et des paysans indiens ont entrepris des campagnes d'action directe contre les abus commis par le géant céréalier Cargill, tout comme l'a fait le mouvement des concierges pour la justice aux États-Unis.

À Clayoquot Sound, dans l'île de Vancouver, des écologistes canadiens ont mis sur pied une action directe non violente durant leur campagne d'opposition aux coupes à blanc intensives de MacMillan Bloedel dans les forêts à boisement ancien. En fait, l'action directe est un excellent moyen de mobilisation de la population contre le pouvoir politique des entreprises lorsqu'il s'agit de défendre un principe moral bien défini : dans ce cas-ci, les droits des citoyens et la démocratie que bafouent les grandes sociétés.

Cependant, pour être en mesure de réaliser une action directe, il faut disposer de troupes bien entraînées et disciplinées ainsi que de bons outils de relations publiques et médiatiques.

Utiles fort probablement pour l'organisation de campagnes contre les visées politiques des grandes sociétés, les trois tactiques décrites ci-dessus peuvent cependant être assorties à d'autres conçues spécialement pour exercer une pression sur des points cruciaux. En voici quelques-unes.

• *L'action judiciaire.* Outil de réserve, la poursuite judiciaire permet d'obtenir des injonctions et des ordonnances de la cour afin d'arrêter les abus continuels des grandes entreprises visées. On pourrait également y avoir recours pour susciter de nouvelles mesures législatives réglementant (ou interdisant) les activités des entreprises en tant que machines politiques. Le recours collectif est une autre forme d'action que les mouvements de citoyens peuvent entreprendre (par exemple, le recours collectif contre Texaco pour les dommages causés à la santé et à l'environnement dans la région amazonienne de l'Équateur et le cas soulevé ici, au Canada, par le Conseil des Canadiens et le Syndicat canadien des communications, de l'énergie et du papier contre l'entreprise Hollinger de Conrad Black).

• *Le boycottage des consommateurs.* Un boycottage bien organisé pourrait faire partie des tactiques d'une campagne contre l'action politique des entreprises. Il faudrait qu'il soit bien clair, cependant, que ce sont les « citoyens » et non pas seulement les « consommateurs » qui agissent. Par ailleurs, la marque du produit boycotté devrait être suffisamment connue pour que ce genre d'action ait une incidence sur les ventes et les profits de l'entreprise visée. S'il s'agit de surcroît d'une société transnationale, il est essentiel de pouvoir organiser un boycottage international.

• *L'intervention auprès des actionnaires.* La proposition de résolutions à l'occasion de l'assemblée générale annuelle des actionnaires d'une entreprise et la mobilisation d'autres actionnaires (particuliers et entreprises) pour appuyer ces résolutions (au moyen de votes par procuration) est une tactique permettant de soulever les questions et les problèmes politiques engendrés par les activités des entreprises. C'est aussi un moyen de pression que l'on peut exercer sur les bailleurs de fonds des entreprises, leurs fournisseurs et leurs clients importants. Lors de l'assemblée générale annuelle des actionnaires d'une entreprise, il est possible également de remettre en cause l'image de cette dernière. Mais il s'agit surtout là d'un outil de réforme à n'utiliser que comme complément à d'autres tactiques, en mettant l'accent, encore une fois, sur l'action que mènent les « citoyens », et non simplement les « investisseurs ».

Il faudra sans doute bien fourbir et affûter les outils de campagne choisis, afin de les rendre efficaces et de nous permettre d'affronter avec brio les enjeux politiques qui nous attendent à l'ère de la tyrannie des grandes entreprises.

La formation d'une culture

Peu importe la tactique que l'on choisira, ce qui compte, c'est de bâtir une « culture de la résistance » à long terme. Nous ne devons pas hésiter à puiser abondamment dans la culture populaire pour diffuser notre message de lutte auprès d'un vaste public et pour ancrer cette lutte au tréfonds de l'esprit des citoyens, à long terme. Cela implique, entre autres, de chercher dans notre culture des exemples de certains héros, des légendes et des valeurs véhiculées par des mouvements de résistance populaire passés.

Il faudra faire preuve d'esprit créatif en recourant à certains instruments d'éducation populaire comme les affiches, les jeux et les divertissements. Michael Moore, alors qu'il faisait campagne contre une entreprise, a montré combien humour, satire et sens du ridicule sont essentiels dans ces situations. Dans des films comme *Roger and Me* et des livres comme *Downsize This!*, Moore suscite la réflexion, tout en faisant rire et en provoquant la colère face à ce que les grandes entreprises et leurs PDG font subir quotidiennement aux gens.

Voici quelques exemples d'utilisation d'instruments de culture populaire :

• *Affiches et autocollants.* Des affiches comme celle qui visait à dévoiler la face cachée de la domination des entreprises *(Exposing the Face of Corporate Rule)* publiée par le Jesuit Centre for Social Faith and Justice et qui présente la photo des 10 plus importants PDG du Canada ; ou

« Mediasaures », diffusée dans le cadre de la « Campagne pour la liberté de la presse et de la radiodiffusion » *(Campaign for Press and Broadcasting Freedom)*, qui caricaturait des magnats de la presse comme Conrad Black; ou encore des timbres que le Syndicat des travailleurs et travailleuses des postes a émis sur des thèmes comme la voracité des entreprises ou les pertes d'emplois.

• *Élections rocambolesques.* Sur une idée de Michael Moore, pourquoi ne pas organiser une campagne où les gens indiqueraient sur un coupon-réponse le nom des PDG qui détiennent le vrai pouvoir politique et décident des stratégies, au lieu de voter pour des candidats politiques aux élections? Les mouvements de citoyens pourraient établir une liste de candidats représentant les entreprises canadiennes et la rendre publique en vue de perturber les élections fédérales et provinciales, puisque ce sont les moyens financiers et le pouvoir des sociétés qui déterminent les seuls vrais gagnants.

• *Cartes à échanger.* Semblables aux cartes de hockey ou de baseball, les cartes à échanger pourraient présenter des photos et des statistiques sur les plus importantes entreprises du pays. Le Syndicat canadien de la fonction publique, par exemple, a émis une série de cartes sous le thème « Qui empoche les profits? » et sur lesquelles figure de l'information sur les sociétés qui tentent de prendre le contrôle des soins de santé, de l'éducation et des services municipaux.

• *Affichages publics.* Autre idée empruntée à l'imagination débridée de Michael Moore, celle qui consiste à poser des affiches dénonçant les entreprises ultra-subventionnées sur les poteaux téléphoniques et les édifices publics de toute la ville. Sur ces affiches pourrait figurer la photo des PDG des principales entreprises qui reçoivent des subventions et des crédits d'impôt du gouvernement tout en ne payant que peu d'impôts sur leurs profits sans cesse croissants. Des statistiques pourraient mettre en évidence le thème de l'« aide aux entreprises dépendantes ».

• *Bandes dessinées.* Les bandes dessinées et les illustrés sont toujours un moyen efficace de communiquer avec la population. Une collection de bandes dessinées populaires, par exemple, où l'escroquerie du déficit serait décrite comme « le vol du siècle au Canada », ou dans laquelle les bras politiques de plusieurs grandes sociétés seraient présentés comme effectuant « le plus grand casse du pays », permettrait de donner à ces questions complexes une forme explicite et attrayante.

• *Contre-annonces.* Une façon de contrer la publicité politique des grandes compagnies est de les « battre sur leur propre terrain ». C'est devenu la spécialité du groupe Ad Busters qui produit des messages « contrepublicitaires » à la télévision et dans les revues ainsi que des « contre-annonces » pour répondre aux annonces qu'insèrent les entreprises dans les publications et les panneaux-réclames. Ces « empêcheurs de tourner en rond de la culture », qui s'inspirent d'un réseau mondial d'artistes, de militants et d'éducateurs, s'évertuent à faire paraître moins « géniales » les images commerciales qui, à coups de milliards de dollars, font la promotion des grandes sociétés.

• *Théâtre de rue.* Le théâtre populaire est probablement le meilleur moyen de montrer la politique sous un jour satirique, humoristique ou ridicule. Le statut de supercitoyen détenu par certains des PDG les plus importants du pays et leur machine politique pourraient être le sujet pittoresque d'un spectacle de rue.

Toutes ces suggestions ne sont que quelques-uns des moyens que vous pourriez utiliser pour ancrer votre campagne dans la culture populaire. Dans la mesure du possible, ces stratégies pourraient se construire en collaboration avec des artistes et des organisateurs de spectacles locaux. Il faut bien se rappeler que la tâche principale de ces campagnes contre les sociétés consiste à modifier les valeurs et les attitudes du peuple canadien, c'est-à-dire à changer sa culture politique. C'est pourquoi la culture populaire doit être utilisée à bon escient.

La force de frappe

Nous devons aussi organiser nos campagnes de façon à démontrer que les mouvements de citoyens peuvent jouer de leur influence politique et économique sur les grandes sociétés. Ray Rogers, organisateur syndical de longue date et fondateur de Corporate Campaign aux États-Unis, préconise que, avant d'entreprendre une campagne, nous disséquions le pouvoir de l'entreprise visée. À propos de ses recherches sur le PDG, les membres du conseil d'administration et les cadres supérieurs d'une entreprise, il déclare : « Je fais une recherche approfondie de façon à comprendre quel niveau d'influence ils exercent réellement sur les autres institutions avec lesquelles ils sont en contact, sur leurs relations politiques, etc. Ensuite, je transpose tous ces renseignements sous forme de tableau, ce qui me permet de voir où se trouve réellement le pouvoir. »

Si l'on suit cette stratégie, on découvre que l'entreprise visée reçoit souvent l'appui d'autres sociétés et institutions qui peuvent, à leur tour, être les cibles d'une campagne globale. On peut les repérer d'après les éléments suivants : *a) le financement de l'entreprise* — déterminer les banques, les sociétés de fiducie ou les compagnies d'assurances qui financent l'entreprise visée (et qui peuvent être représentées au conseil d'administration de celle-ci) ; *b) les clients de l'entreprise* — déterminer deux ou trois des principaux clients qui pourraient être, à leur tour, la cible d'un boycottage ; *c) les fournisseurs de l'entreprise* — déterminer les principales sociétés qui fournissent à l'entreprise visée ressources, matériel et services (prendre note des points vulnérables et de la concurrence existante) ; *d) les investisseurs de l'entreprise* — déterminer les principales sociétés actionnaires (si l'entreprise visée est une société publique). Ne pas oublier bien sûr d'indiquer qui fait le lien entre l'entreprise et le milieu politique, c'est-à-dire le nom des agences qui s'occupent des relations publiques de l'entreprise ou qui sont responsables du lobbying, ainsi que les liens unissant l'entreprise, les ministres et les hauts fonctionnaires.

Plusieurs de ces institutions, et des particuliers qui en font partie, pourraient servir de levier stratégique pour exercer des pressions sur l'entreprise visée et son pouvoir politique. Comme le dit Rogers : « L'étape suivante consiste à déterminer la force qui permettra de mener à bien le plan d'action. Cette force repose sur les gens et sur l'argent. Qui peut-on mobiliser ? » Existe-t-il des alliances de syndicats ou des groupes communautaires qui détiennent des comptes en banque ou des polices d'assurance substantiels et à qui l'on pourrait demander de retirer leurs fonds et de les réinvestir ailleurs ? Y a-t-il des organismes alliés qui sont en relations d'affaires avec les fournisseurs ou les clients de l'entreprise visée et qui pourraient, à leur tour, exercer des pressions ?

Quelles mesures pourriez-vous envisager pour mettre sur pied des groupes de citoyens que les questions soulevées par votre campagne préoccupent et qui les inciteraient à participer activement aux pressions exercées sur les institutions financières, les fournisseurs et les clients ? Que faut-il faire pour dévoiler au grand public le rôle politique joué par l'entreprise et les liens de celle-ci avec les milieux gouvernementaux, de façon à rendre intenable l'association des deux parties ?

En bref, les mouvements de citoyens peuvent parvenir à créer un contrepoids en disséquant les activités des entreprises visées et en mettant au point des manœuvres qui leur permettront de « diviser pour mieux régner ». Dans le type de campagne qui nous intéresse, il est important, à court terme, d'exercer ce genre de pression ; toutefois, il faut faire bien attention à ce que cela ne devienne pas l'unique but de la campagne. La force d'opposition que l'on génère doit être fonction des objectifs et des principes globaux des stratégies de la campagne, dont le but ultime est de créer un climat qui conduira ultérieurement au démantèlement du pouvoir des grandes sociétés. Plus encore, pour mettre au point des stratégies efficaces en vue de construire une opposition à la plupart des entreprises visées, il faudra nouer des liens internationaux avec des mouvements de citoyens et des institutions alliées d'autres pays.

L'utilisation des médias

Une bonne stratégie médiatique est un élément essentiel de toute action dirigée contre une société. Pour la plupart des grandes entreprises, l'image publique est d'une importance capitale, et une campagne négative à leur égard pourrait leur nuire considérablement. Plus encore, une bonne stratégie médiatique est indispensable si l'on veut susciter dans la population la conscience et la volonté politiques qui permettront de mettre fin, un jour, au règne des entreprises.

Par conséquent, lorsque vous organiserez votre campagne, il faudra apporter un soin particulier à contacter des journalistes qui pourraient s'intéresser à votre lutte ou y être sympathiques. Pour mener votre recherche, vous devrez dresser la liste des journalistes qui travaillent dans les journaux, les postes de radio et de télévision et les sensibiliser aux activités entreprises dans le cadre de votre campagne. Vous pourriez nommer un membre de votre équipe qui est très au courant des enjeux de la campagne et lui donner la responsabilité d'entretenir des relations suivies avec les médias. Cette personne devrait organiser des séances d'information pour les journalistes, elle devrait les aviser des activités prévues, préparer des communiqués de presse clairs et concis ainsi que des trousses d'information à certaines occasions, et faire le suivi et l'analyse des médias après le déroulement des activités.

Toutefois, même la mieux conçue des stratégies peut se révéler insuffisante. Il est assez facile de trouver des journalistes intéressés, sympathiques à votre cause, et de les tenir informés (bien que, dans certaines villes, cela s'avère une tâche de plus en plus ardue), mais il est tout aussi facile à l'éditeur ou au rédacteur en chef qui vérifie tout ce qui sort de la salle de rédaction de jeter le travail du journaliste à la poubelle. Au fur et à mesure que les médias d'information passent aux mains d'un nombre toujours plus restreint de sociétés, la diffusion des messages touchant les campagnes de citoyens, surtout celles qui sont dirigées contre les entreprises, devient de plus en plus problématique. Et que dire lorsqu'un fanatique d'extrême droite comme Conrad Black détient et contrôle certains des principaux médias du pays.

Comme nous l'avons vu au chapitre 5, la gauche démocratique doit mettre au point un plan concerté en vue de prendre le contrôle de certains des organes de communication stratégiques du pays. Une façon d'y parvenir serait de déterminer et de réunir un pourcentage (disons 5 %) des fonds de pension des travailleurs (évalués à environ 400 milliards de dollars) pour constituer un fonds d'investissement collectif. On pourrait par exemple réinvestir cet argent (soit 20 milliards de dollars) dans l'achat de chaînes de journaux, de stations de radio ou de télévision situées dans des endroits stratégiques. Étant donné qu'il s'agirait là d'activités à but lucratif, il n'y a aucune raison pour que les travailleurs n'obtiennent pas, sur ces investissements, un rendement raisonnable qui serait versé à leur fonds de pension.

Pour faire un pas dans cette direction, le mouvement syndical devrait d'abord entreprendre une étude de faisabilité en vue de déterminer comment rediriger les fonds de pension des travailleurs à cette fin, puis étudier les différents médias stratégiquement bien placés au pays pour faire notre choix. Ce processus exige de bâtir une argumentation solide en vue d'obtenir l'assentiment des travailleurs et de leur démontrer que leur fonds de pension pourrait être réinvesti au service de la population plutôt qu'à ses dépens et offrir tout à la fois un rendement raisonnable.

À première vue, l'obstacle peut sembler insurmontable. Il n'en demeure pas moins que les actions qu'il nous faut entreprendre sur trois champs de bataille distincts, au cours des cinq prochaines années, seront extrêmement difficiles à mener si nous ne prenons pas, en même temps, des mesures concertées en vue d'accéder (à défaut de les contrôler) à certains médias et à certains instruments de communications stratégiquement bien placés. Nous pouvons mener, dans les années qui viennent, plusieurs campagnes importantes sur ces champs de bataille, mais si nous n'avons pas les moyens nécessaires pour que notre message atteigne la majorité des Canadiens, nous avons peu de chance de susciter dans la population la conscience et la volonté politiques requises pour démanteler le pouvoir des grandes entreprises et rétablir au Canada une véritable démocratie (comme nous l'avons vu au chapitre 6).

La responsabilité de ce plan d'action n'incombe pas seulement aux syndicats. D'autres institutions progressistes, notamment des organismes professionnels et religieux, détiennent également des fonds de pension dont une partie pourrait être investie à des fins sociales dans le sens de ce que nous avons vu précédemment.

Liste des ressources

Voici quelques documents ainsi que le nom de certaines organisations canadiennes ou américaines qui peuvent vous être utiles pour mettre au point votre campagne.

Documents

The Emergence of Corporate Rule and What to Do about it : ensemble d'outils de travail préparé à l'intention des mouvements sociaux, présenté par Tony Clarke et ses associés, au Forum international sur la mondialisation, à San Francisco. Fournit une structure pour la préparation de campagnes contre le contrôle exercé par les entreprises dans un contexte mondial. Offert à prix coûtant par le Conseil des Canadiens, 251, avenue Laurier Ouest, bureau 904, Ottawa (Ontario) K1P 5J6.

CCPA Monitor : publication mensuelle du Centre canadien de politiques alternatives, publiée par Ed Finn. Elle renferme, sur les questions reliées à la domination des entreprises, de l'information à jour et des statistiques importantes qui seront utiles à la préparation de campagnes. Offerte à prix coûtant par le CCPA, 251, avenue Laurier Ouest, bureau 804, Ottawa (Ontario) K1P 5J6.

Under Corporate Rule : recueil de 35 000 mots, regroupant des articles, des éditoriaux et des mémoires, publié sous la direction d'Ed Finn, du CCPA, qui dévoile la nature et la portée des projets des grandes sociétés et propose aux Canadiens des façons de s'y opposer. Offert à prix coûtant par le CCPA, 251, avenue Laurier Ouest, bureau 804, Ottawa (Ontario) K1P 5J6.

Exposing the Facts of Corporate Rule : ensemble de ressources visant à susciter la prise de conscience et l'action, produit par le Jesuit Centre for Social Faith and Justice. L'ensemble comprend des ouvrages comme *Getting Started on Corporate Rule in Canada, How Business Leaders See The World* et *Banking 'n' Justice* ainsi que divers outils et diverses ressources pratiques. Pour l'obtenir, communiquer avec David Langille, Jesuit Centre for Social Faith and Justice, 947, Queen Street, Toronto (Ontario) M4M 1J9.

Unfair Shares — Corporations and Taxation in Canada : recueil des plus récentes données sur les impôts payés par les sociétés et les reports d'impôts, les PDG les mieux payés, les Canadiens les plus riches et la part des recettes fédérales provenant des sociétés. Contient d'excellentes statistiques pour mener des recherches sur les sociétés ou entreprendre des campagnes. Publié annuellement par la Coalition ontarienne pour la justice sociale et la Fédération du travail de l'Ontario, 15, Gervais Drive, Don Mills (Ontario) M3C 1Y8.

Corporate Power and the American Dream : ensemble d'instruments d'atelier préparé par le Labor Institute de New York. Même si la documentation porte entièrement sur des données américaines, les instruments peuvent être utiles pour la formation en ateliers de travailleurs et de groupes de citoyens de tout genre. Offert à prix coûtant par le Labor Institute, 853 Broadway, room 2014, New York, NY 10003, USA.

A Troublemaker's Handbook : publication de Labor Notes rédigée par Dan La Botz. Elle contient les études de cas de diverses campagnes organisées par le mouvement syndical aux États-Unis. Offerte à prix coûtant par Labor Notes, 7435 Michigan Avenue, Detroit, Michigan 48210, USA.

TNCs and India : An Activists' Guide to Research and Campaign on Transnational Corporations : préparé par Jed Greer et Kavaljit Singh pour le Public Interest Research Group. C'est un outil très utile pour la préparation de stratégies de campagnes, dirigées en particulier contre les entreprises transnationales. Offert à prix coûtant par le Public Interest Research Group, 142, Maitri Apartments, Plot No. 28, I.P. Extension, Delhi — 110 092, India.

Multinational Monitor : mensuel contenant des articles, des entrevues et des études de cas reliés aux enjeux que présentent le pouvoir des grandes sociétés et les campagnes entreprises contre celles-ci aux États-Unis et ailleurs dans le monde. Très utile pour la mise sur pied de campagnes. Offert à prix coûtant par le Multinational Monitor, 1530 P Street, Washington, D.C. 20005, USA.

Boycott Quarterly : donne un compte rendu des boycottages en cours contre les grandes sociétés et leurs produits. Présente des rapports sur les campagnes, allant du boycottage contre Shell au Nigeria jusqu'à Daioshawa, en Alberta. Disponible auprès du Center for Economic Democracy, P.O. Box 30727, Seattle, WA 98103-0727, USA.

Organismes canadiens

(Courte liste des mouvements de citoyens ayant entrepris des activités de campagne contre des entreprises.)

Réseau canadien d'action (emploi et impôt des sociétés), communiquer avec Mandy Rocks, ACN, 251, avenue Laurier Ouest, bureau 804, Ottawa (Ontario) K1P 5J6 — tél. : (613) 563-1341.

Travailleurs canadiens de l'automobile (secteur bancaire et secteur de l'automobile), communiquer avec Jim Stanford, TCA, 205 Placer Court, Willowdale, Ontario M2H 3H9 — tél. : (416) 497-4110.

Syndicat canadien de la fonction publique (prise de contrôle par les grandes entreprises des services de soins de santé et des services publics), communiquer avec Jim Turk, SCFP, 21, rue Florence, Ottawa (Ontario) K2P 0W6 — tél. : (613) 237-1590.

Conseil des Canadiens (entreprises et démocratie, en particulier les entreprises de presse), communiquer avec David Robinson, Conseil des Canadiens, 251, avenue Laurier Ouest, bureau 904, Ottawa (Ontario) K1P 5J6 — tél. : (613) 233-2773.

CODEV (principalement les entreprises minières), communiquer avec Jim Raider, CODEV, 2929 Commercial Drive, Suite 205, Vancouver, B.C. V5N 4C8 — tél. : (604) 708-1495.

Greenpeace (principalement les entreprises forestières et d'autres sociétés qui menacent l'environnement), 185 Spadina Avenue, Suite 600, Toronto, Ontario M5T 2C6 — tél. : (416) 597-8408.

Polaris Institute (renforcement de la capacité des mouvements de citoyens qui s'opposent au règne des entreprises), 4, avenue Jeffrey, Ottawa (Ontario) K1K 0E2 — tél. : (613) 746-8374.

Sierra Legal Defence Fund (principalement les poursuites judiciaires contre les entreprises qui nuisent à l'environnement, y compris la contestation des statuts), communiquer avec David Boyd, SLDF, Suite 214, 131 Water Street, Vancouver, B.C. V6B 4M3 — tél. : (604) 685-6518. Bureau de Toronto : 106 Front Street East, Suite 300, Toronto, Ontario M5A 1E1 — tél. : (416) 368-7533.

Task Force on Churches and Corporate Responsibility (campagnes s'adressant aux actionnaires), 129 St. Clair Avenue West, Toronto, Ontario M4J 4Z2 — tél. : (416) 923-1758.

Organismes américains

(Voici les noms de quelques organismes américains possédant de l'information et de l'expérience sur les activités à entreprendre dans le cadre de campagnes contre les sociétés.)

Corporate Campaigns Inc. (mise au point de stratégies de campagnes syndicales et communautaires contre les entreprises), communiquer avec Ray Rogers, 51 East 12th Street, 10th Floor, New York, NY, 10003, USA — tél. (212) 979-8320.

Friends of the Earth (outils éducatifs et surveillance des retombées des activités des entreprises sur l'environnement), 1025 Vermont Avenue, Suite 300, Washington, DC 20005, USA — tél. (202) 783-7400.

Labor Institute (programmes de formation pour les militants syndicaux et communautaires), 853 Broadway, Suite 2014, New York, NY 10003, USA — tél. : (212) 674-3322.

National Labor Committee (surveillance des activités des entreprises américaines outre-mer et de leur respect des droits de la personne et des travailleurs), 15 Union Square, Suite 524, New York, NY 10003, USA — tél. : (212) 242-0700.

Program on Corporate Law and Democracy (activités visant à « repenser les entreprises et la démocratie », y compris la contestation des statuts des entreprises). Communiquer avec Richard Grossman, POCLAD, 211.5 Bradford Street, Provincetown, MA 02657, USA — tél. : (508) 487-3151 ou Ward Morehouse, POCLAD, Suite 3C, 777 United Nations Plaza, New York, NY 10017, USA — tél. : (212) 972-9877.

Interfaith Center for Corporate Responsibility (organisation, au sein des Églises, de campagnes visant les actionnaires), 487 Riverside Drive, Suite 566, New York, NY

Annexe III

Guide des principaux acteurs
du monde des affaires

Les organisations patronales et leurs groupes de soutien

Le lecteur trouvera ci-dessous le profil de certaines grandes associations de gens d'affaires, d'instituts de recherche et de groupes « de façade » composés de citoyens. Ces profils s'inspirent d'une description objective préparée à l'origine par David Langille et Asad Ismi du Jesuit Centre for Social Faith and Justice.

Alliance des manufacturiers et des exportateurs canadiens (AMEC)

Récemment, l'Association des manufacturiers canadiens a fusionné avec l'Association des exportateurs canadiens pour former l'Alliance. L'AMEC représente maintenant 3 000 manufacturiers, entreprises de services et exportateurs de toutes tailles et de toutes catégories. L'Alliance dispose d'un budget de fonctionnement de 6,5 millions de dollars. Son président, Stephen Van Houten, expose le point de vue de ses membres au grand public et aux gouvernements.

Pendant plus de 100 ans, l'AMC a été le plus ardent défenseur de la politique nationale canadienne qui offrait des protections tarifaires aux

fabricants du Canada central. La continentalisation progressive et la libéralisation du commerce l'ont conduite à revoir sa position au début des
années 1980. Ses membres sont à présent des partisans acharnés du libre-
échange, ils voient d'un bon œil les politiques qui leur permettront d'augmenter la compétitivité de leurs produits sur les marchés mondiaux, c'est-
à-dire celles qui signifient la réduction des salaires et des avantages
sociaux des travailleurs canadiens.

Conseil canadien des chefs d'entreprises (CCCE)

Le CCCE a vu le jour en 1976, à l'instigation de chefs d'entreprise
soucieux d'exercer plus d'influence sur un État qui, selon eux, avait pris
beaucoup d'ampleur et intervenait trop. Ils ont formé une organisation
de 150 présidents-directeurs généraux, représentant les plus grandes
entreprises transnationales, de façon à pouvoir « contribuer personnellement à l'élaboration des politiques publiques et influer sur les priorités
nationales ». Le fait que ces entreprises détiennent des actifs totalisant
1 500 milliards de dollars, qu'elles aient un chiffre d'affaires annuel de
400 milliards de dollars et qu'elles emploient environ 1,3 million de Canadiens permet d'expliquer pourquoi elles forment maintenant le groupe
de pression le plus puissant et le plus influent du pays. Le principal porte-
parole et président de l'Association, Tom d'Aquino, dirige un effectif de
14 personnes à Ottawa.

Le Conseil revendique le titre de principal porte-parole des entreprises canadiennes pour les questions concernant les politiques publiques, au pays et à l'étranger. Il veut avant tout contribuer à l'édification
d'une économie forte, à l'adoption de mesures sociales « progressistes » et
à l'instauration d'institutions politiques « saines ». En réalité, en ne perdant pas des yeux son objectif premier, qui est de réduire le rôle et la taille
de l'État, le CCCE a aidé à soutenir la lutte contre l'inflation, à réduire les
dépenses publiques et à maintenir les profits des grandes entreprises.

Association des banquiers canadiens (ABC)

L'ABC a été créée en 1891 pour servir les banques à charte au Canada.
Comme la plupart des associations industrielles canadiennes, elle fournit
de l'information à ses membres, se consacre à la recherche et à la défense

de leurs intérêts et leur offre des services d'éducation et de soutien opérationnel. L'actuel président de l'ABC est Raymond Protti.

Chambre de commerce du Canada (CCC)

La Chambre de commerce du Canada, établie en 1925, est la plus grande association de gens d'affaires du pays. Elle compte 170 000 membres, y compris 500 chambres de commerce ou bureaux de commerce locaux, près de 100 associations professionnelles et commerciales et plusieurs milliers d'entreprises qui sont directement représentées à l'échelon national. L'actuel président de la CCC est Tim Reid.

La Chambre de commerce du Canada, de par sa taille et la diversité de ses membres, prétend représenter la communauté canadienne des affaires, mais les choses se compliquent quand il s'agit de réunir un consensus sur des questions courantes. Pour maintenir un équilibre entre les intérêts divergents de tous ses membres, la CCC doit souvent adopter des positions facilement prévisibles fondées sur le plus petit dénominateur commun. Quoi qu'il en soit, quand ses positions coïncident avec celles du CCCE et de l'AMEC, les exigences en matière de politiques de cette « bande des trois » déterminent le programme politique du pays.

Association canadienne des courtiers en valeurs mobilières (ACCOVAM)

À titre d'association nationale de l'industrie de l'investissement canadienne, l'ACCOVAM représente quelque 118 entreprises ayant un effectif de plus de 24 000 personnes. Elle a également pour tâche de réglementer l'industrie et de contrôler les activités de ses membres. L'ACCOVAM a pour mission officielle de favoriser l'efficacité des marchés financiers en encourageant l'épargne et l'investissement et en assurant l'intégrité du marché boursier.

Groupes de recherche

Institut C. D. Howe

L'institut C. D. Howe doit son nom au Canadien bien connu, devenu « ministre de tout » dans l'Ottawa d'après-guerre, qui s'est surtout illustré en utilisant des investissements américains afin de faire prospérer l'industrie canadienne. Bien qu'il prétende former un groupe de recherche indépendant, cet institut représente immanquablement le point de vue de l'élite des milieux d'affaires. Ses membres proviennent presque exclusivement de Bay Street et ses administrateurs sont issus des plus grandes entreprises canadiennes, dont la compagnie d'assurances Sun Life et les sociétés Noranda et Alcan.

L'institut C. D. Howe se concentre principalement sur les questions économiques, mais dernièrement, il a aidé à mener l'assaut contre les programmes sociaux canadiens. Il a joué un rôle prépondérant dans la vague de panique provoquée par le déficit, en soutenant avec véhémence que le problème provenait des dépenses publiques plutôt que des taux d'intérêt élevés. Le président et directeur général actuel de l'institut C. D. Howe, Tom Kierans, dispose d'un budget annuel de près de deux millions de dollars et est fort respecté dans les locaux du *Globe and Mail*.

Institut Fraser

Bien des années après sa création à Vancouver en 1974, l'institut Fraser était considéré comme un groupe de recherche radical d'extrême droite, assez éloigné de la communauté politique. Toutefois, depuis que la tendance politique générale tire vers la droite, cet institut a ouvert un bureau à Toronto et a commencé à se retrouver au cœur des débats sur les politiques publiques. Si l'on en croit son fondateur et porte-parole bien connu, Michael Walker, l'institut Fraser se voue à « la recherche sur l'utilisation des marchés, la façon dont ils fonctionnent et celle dont ils échouent ».

L'institut Fraser est présent dans la recherche économique et sociale, il publie des livres et des bulletins, surveille les informations télévisées pour s'assurer du « bon équilibre des émissions » et réussit particulièrement bien à attirer les élèves de niveau secondaire et les étudiants pour qu'ils prennent part à ses programmes sur l'économie de marché. En plus d'avoir 22 employés, il peut engager des diplômés universitaires du monde entier qui se chargeront de faire valoir les positions d'extrême droite sur le libre-échange, la fiscalité, les dépenses publiques, les soins de santé et les droits des autochtones.

L'institut Fraser dispose d'un budget annuel de 2,35 millions de dollars, dont les fonds proviennent des dons, déductibles du revenu imposable, de plus de 2 500 personnes, entreprises et organismes de charité.

Groupes « de façade » composés de citoyens

National Citizens' Coalition (NCC)

La National Citizens' Coalition se targue d'avoir plus de 40 000 partisans, mais aucun membre adhérent. Elle revendique la liberté et la responsabilité de l'individu, un rôle restreint pour le gouvernement et une défense forte, mais elle ne possède pas de structure démocratique. La NCC est indépendante de tous les partis politiques, elle ne recherche ni n'accepte aucun don de l'État mais tire son financement des riches gens d'affaires.

La NCC encourage la privatisation et la sous-traitance, les référendums réclamés par les citoyens, la réforme des régimes de retraite des députés et des fonctionnaires fédéraux, le libre-échange, la compression des dépenses publiques, la réforme du Sénat et le recours aux forces du marché dans les domaines de la santé, de l'éducation et de l'aide sociale. Elles s'oppose à la syndicalisation « forcée » et à l'équité salariale et les considère comme des violations des libertés civiles.

Fédération des contribuables canadiens (FCC)

La FCC prétend promouvoir l'utilisation efficace et responsable des deniers publics en jouant le rôle de chien de garde auprès du gouvernement et en tenant les contribuables informés au chapitre du « gaspillage » et des « impôts élevés ». La Fédération pointe les « intérêts spéciaux » comme étant à l'origine de l'augmentation galopante des dépenses qui conduit elle-même à de « constants déficits annuels » et à une « dette publique provoquant la progression du chômage », qui fait mal à « la majorité silencieuse » (les contribuables). Comme solution, la FCC propose de contrôler les dépenses publiques au moyen de lois qui garantiraient l'équilibre du budget et la protection des contribuables.

Au nombre de ses réalisations, la Fédération compte 20 grands rallyes des contribuables, d'un bout à l'autre du Canada, qui visaient à inciter les Canadiens à la vigilance en matière de fiscalité ; elle a dévoilé les « régimes de retraite lucratifs » des politiciens provinciaux et favorisé l'adoption de lois en faveur d'un budget équilibré et de la protection des contribuables en Alberta et au Manitoba.

Forum

Forum des politiques publiques (FPP)

Cet organisme d'Ottawa a été fondé en 1987 pour favoriser la participation du secteur privé à l'élaboration des politiques publiques, pour encourager l'efficacité dans la fonction publique et une compréhension mutuelle des dirigeants gouvernementaux, de ceux du monde des affaires, des syndicats et du milieu universitaire. Jodi White en est l'actuelle présidente, et le président de l'organisme est David Zusman.

Pour les membres de ce forum, établir une plus grande coopération et chercher à atteindre un plus grand consensus dans la réforme de la fonction publique reviennent à imprégner le gouvernement des valeurs, des besoins et des priorités des grandes sociétés. Le FPP consacre ses fonds, dont environ 70 % lui viennent des entreprises, à l'organisation de conférences, de colloques et de banquets au cours desquels il récompense les journalistes, les fonctionnaires et les dirigeants syndicaux qui ont le plus fidèlement servi la cause des grandes entreprises.

Annexe IV

Données sur les entreprises

Les tableaux suivants fournissent le profil de certaines des plus importantes entreprises et contiennent des données auxquelles nous avons fait référence dans les chapitres précédents.

Les 25 PDG les plus puissants du Canada — 1996		
Président-directeur général	Entreprise	Revenus en 1995
1. M. Kempston Darkes	General Motors du Canada**	30,9 milliards $
2. Lynton R.Wilson	BCE inc.**	24,9 milliards $
3. Mark Hutchins	Ford du Canada ltée	19,1 milliards $
4. John Cleghorn	Banque Royale du Canada**	15,3 milliards $
5. G. Yves Landry	Chrysler Canada ltée	13,7 milliards $
6. Al Flood	CIBC	13,2 milliards $
7. Galen Weston	George Weston	12,9 milliards $
8. Peter Godsoe	Banque de Nouvelle-Écosse	12,1 milliards $
9. Matthew Barrett	Banque de Montréal**	12,1 milliards $
10. Jean Monty	Northern Telecom ltée**	10,8 milliards $

11. John D. McNeil	Cie d'assurance-vie Sun Life du Canada**	10,6 milliards $
12. Khalil Barsoum	IBM Canada ltée	10,3 milliards $
13. Richard Currie	Loblaws Cos. ltée	9,9 milliards $
14. Edgar Bronfman Jr	La Compagnie Seagram ltée	9,9 milliards $
15. Robert B. Peterson	Compagnie pétrolière Impériale ltée**	9,4 milliards $
16. Jacques Bougie	Alcan Aluminium ltée**	9,4 milliards $
17. Dominic D'Alessandro	La Financière Manuvie	8,9 milliards $
18. Allan Kupcis	Hydro-Ontario	8,7 milliards $
19. Richard Thomson	Banque Toronto-Dominion	8,7 milliards $
20. Brian Levitt	Imasco ltée**	8,7 milliards $
21. David Kerr	Noranda inc.**	8,7 milliards $
22. John T. McLennan	Bell Canada	8,2 milliards $
23. David O'Brian	Canadien Pacifique ltée**	8,1 milliards $
24. Yvon Martineau	Hydro-Québec	7,7 milliards $
25. Michael Brown	The Thomson Corporation	7,6 milliards $

Source : Report on Business Magazine, Globe and Mail, juillet 1996.
** Membres du comité d'orientation du CCCE.

Les 50 PDG les mieux rémunérés du Canada — 1996			
Président-directeur général	Entreprise	Rémunération 1996*	Variation de la rémuné- ration en %
1. Laurent Beaudoin	Bombardier inc.	19 100 317 $	+ 1 335
2. Michael Brown	The Thomson Corp.	11 389 268 $	+ 155
3. Francesco Bellini	BioChem Pharma	9 993 104 $	+ 2 042
4. William Holland	United Dominion inc.	8 925 640 $	+ 192
5. Gerald Schwartz	Onex Corp.	8 375 505 $	+ 166
6. William Stinson	Canadien Pacifique ltée	8 301 983 $	+ 648
7. Charles Childers	Potash Corp. (Sask.)	7 729 256 $	+ 124
8. Pierre Lessard	Metro-Richelieu inc.	7 345 600 $	+ 57
9. Jean Monty	Northern Telecom	6 437 804 $	+ 188
10. Edward Newall	Nova Corp. (Alberta)	6 350 750 $	+ 283
11. Wayne McLeod	CCL Industries inc.	5 312 369 $	+ 779
12. L. Bloomberg	First Marathon inc.	5 060 000 $	+ 56
13. John Hunkin	CIBC Wood Gundy	4 903 991 $	+ 507
14. Anthony Fell	RBC Dominion Scc.	4 802 000 $	+ 139
15. Frank Hasenfratz	Linamar Corp.	4 607 737 $	+ 1
16. Richard Harrington	Thomson Newspaper	4 480 434 $	+ 182
17. Robert Shultz	Midland Walwyn inc.	4 438 783 $	+ 390
18. Matthew Barrett	Banque de Montréal	3 876 074 $	+ 54
19. William Ardell	Southam inc.	3 844 032 $	+ 405
20. William Casey	Coca-Cola	3 048 630 $	+ 168
21. Donald Walker	Magna International	3 024 650 $	− 16
22. Brian Steck	Nesbitt Burns Corp.	2 964 583 $	+ 17
23. Al Flood	CIBC	2 932 075 $	+ 54
24. Stephen Hudson	Newcourt Credit Group	2 908 644 $	− 31
25. Peter Godsoe	Banque de Nouvelle-Écosse	2 856 004 $	+ 45

26. Rainer Paduch	Instar Internet inc.	2 855 686 $	
27. Richard Thomson	Banque Toronto Dominion	2 793 191 $	− 17
28. Colim Macaulay	Rio Algom	2 636 420 $	+ 232
29. Norman Keevil	Teck Corp.	2 580 600 $	+ 225
30. John Cleghorn	Banque Royale	2 570 775 $	+ 13
31. Stephen Bachand	La Société Canadian Tire ltée	2 493 586 $	0
32. Michael Sopko	Inco ltée	2 471 798 $	− 33
33. Richard Currie	Loblaws Cos. ltée	2 400 000 $	0
34. Edgar Bronfman	La Compagnie Seagram ltée	2 381 762 $	− 6
35. Bernard Michel	Cameco Corp.	2 334 861 $	+ 76
36. Hollis Harris	Air Canada	2 247 193 $	+ 68
37. Lynton Wilson	BCE inc.	2 201 483 $	+ 31
38. G. Cheesbrough	Scotia McLeod	1 981 600 $	
39. Gerald Pencer	Cott Corp.	1 969 699 $	− 85
40. Hank Swartout	Precision Drilling Corp.	1 966 328 $	+ 287
41. Galen Weston	George Weston ltée	1 900 000 $	+ 92
42. Elias Vamvakas	TLC Laser Center	1 894 198 $	+ 780
43. Douglas Hotby	West Int'l Com (WIC)	1 854 827 $	+ 87
44. Gordon Arnell	Brookfield Properties	1 792 007 $	+ 189
45. Brian Levitt	Imasco ltée	1 780 198 $	− 3
46. James Bryan	Ressources Gulf Canada ltée	1 768 853 $	+ 65
47. Peter Munk	TrizecHahn Corp.	1 722 550 $	+ 35
48. Israel Asper	Canwest Global	1 664 660 $	+ 24
49. Ken McCready	TransAlta Corp.	1 576 457 $	+ 240
50. Reto Braun	Moore Corp. ltée	1 558 606 $	+ 4

Source : Report on Business, Globe and Mail, 12 avril 1997.

*La rémunération totale du président-directeur général comprend : *a*) le salaire de base + *b*) une prime annuelle ou une prime de rendement à long terme ou les deux + *c*) la différence entre la valeur des parts acquises par le PDG et le prix du marché au moment de l'achat + *d*) toute forme de rémunération, allant de la prime de départ jusqu'à la cotisation à un club (plus, éventuellement, d'autres montants, étant donné que les entreprises sont autorisées à ne pas déclarer certains avantages indirects pouvant atteindre 50 000 $).

Nota :

a) On ne retrouve pas dans ce tableau certains hommes d'affaires importants comme Frank Stronach, président de Magna Corporation, qui, en 1995, a battu tous les records avec une rémunération totale de 47 226 100 $ (le montant déclaré pour 1996 est de 20,6 millions de dollars), et Conrad Black, président de Hollinger inc., dont la rémunération déclarée pour 1995 s'élève à 18 399 875 $.

b) Le tableau n'indique pas non plus les rémunérations versées aux PDG de plusieurs filiales canadiennes de grandes entreprises américaines, dont Maureen Kempston Darkes, PDG de General Motors du Canada ltée ; Mark Hutchins, ancien PDG de Ford du Canada ltée ; Yves Landry, PDG de Chrysler Canada ltée et Khalil Barsoum, PDG de IBM Canada ltée.

c) Peter Munk, à titre de PDG de TrizecHahn et également de Barrick Gold, a empoché, en 1996, une rémunération combinée de 3 176 308 $, ce qui le placerait en vingtième position des 50 PDG les mieux rémunérés.

Entreprises canadiennes ayant causé le plus grand nombre de pertes d'emplois de 1988 à 1994		
Entreprise	Total des compressions 1988-1994	Classement selon le chiffre d'affaires
1. Canadien Pacifique	49 000	14
2. Imasco	26 553	10
3. K-Mart	20 510	106
4. Ford du Canada ltée	13 200	3
5. Noranda	13 000	16
6. Sears Canada	10 690	30
7. Hydro-Ontario	10 147	7
8. Abitibi-Price	9 919	67
9. Stone Container	9 061	122
10. General Motors du Canada ltée	7 230	1
11. Domtar	6 891	65
12. Alcan Aluminium ltée	6 500	6
13. Dofasco	6 202	61
14. Provigo	5 700	17
15. Cinéplex Odéon	4 800	184

Source : The Financial Post Top 500, 1995.

Impôts différés des entreprises canadiennes		
Entreprise	Impôt différé (montant dû)	Somme due en
1. La Compagnie Seagram ltée	2 163 000 000 $ US	1996
2. Bell Canada	2 039 400 000 $	1995
3. BCE inc.	1 889 000 000 $	1995
4. Canadien Pacifique ltée	1 287 200 000 $	1995
5. Compagnie pétrolière Impériale ltée	1 150 000 000 $	1995
6. Alcan Aluminium	979 000 000 $ US	1995
7. Pan Canadian Petroleum	933 700 000 $	1995
8. Chrysler Canada ltée	896 000 000 $	1995
9. Shell Canada ltée	852 000 000 $	1995
10. Petro-Canada	621 000 000 $	1995
11. Noranda inc.	613 000 000 $	1995
12. Ressources énergétiques Norcen ltée	467 200 000 $	1995
13. Anderson Exploration	462 942 000 $	1995
14. Home Oil Corporation	438 500 000 $	1994
15. Alberta Energy Co.	423 900 000 $	1995
16. Westcoast Energy	396 000 000 $	1995
17. Suncor	381 000 000 $	1995
18. IPL Energy	373 100 000 $	1995
19. The Thomson Corporation	357 000 000 $ US	1995
20. Dofasco	353 900 000 $	1995
21. Quebecor	349 047 000 $	1995
22. MacMillan Bloedel	339 000 000 $	1995
23. Anglo-Canadian Tel.	334 100 000 $	1995
24. H.J. Heinz Co. (Canada)	319 936 000 $	1995
25. Cominco	312 587 000 $	1995

Source : Base de données du *Report on Business* d'*InfoGlobe* en date du 10 janvier 1997. Une liste plus complète de toutes les entreprises devant plus de 5 millions de dollars d'impôts figure dans *Unfair Shares : Corporations and Taxation in Canada*, 1997.

Entreprises ayant le plus contribué à la caisse du Parti libéral fédéral en 1994			
Groupe SNC-Lavalin	81 414 $	BCE inc.	39 636 $
Scotia McLeod	66 310 $	Coopers & Lybrand	38 337 $
Wood Gundy	65 897 $	KPMG Peat/Marwick/Thorne	37 733 $
Rogers Group	61 560 $	Power Corporation	37 379 $
Bombardier inc.	61 074 $	Unitel	36 133 $
Richardson Greenshield	55 432 $	Ernst & Young	34 400 $
John Labatt ltée	50 000 $	Glaxo Canada inc.	33 997 $
CIBC	49 340 $	Nova Corporation of Alberta	33 664 $
Banque de Montréal	45 744 $	Molson	32 890 $
RBC Dominion Securities	44 825 $	Compagnie pétrolière Impériale ltée	30 000 $
Banque de Nouvelle-Écosse	44 512 $	R.J. R. Macdonald inc.	30 000 $
Banque Royale du Canada	44 466 $	Canadien Pacifique	29 337 $
Imasco	42 654 $	Spar Aérospatiale ltée	27 654 $
Banque Toronto-Dominion	42 180 $	Dofasco inc.	25 016 $
Toronto-Dominion Securities	40 000 $	Banque Nationale du Canada	25 000 $

Source : Renseignements obtenus auprès du directeur général des élections pour le compte du *CCPA Monitor* (avril 1996).

Nota : En 1995, les sociétés d'investissement financier étaient toujours parmi les principaux bailleurs de fonds du Parti libéral fédéral ; le plus important étant Nesbitt Burns, 88 424 $, suivi de Midland Walwyn, 81 537 $. Wood Gundy a pour sa part versé 66 777 $; KPMG Peat/Marwick/Thorne, 66 087 $; Scotia McLeod, 64 777 $; Richardson Greenshields, 63 450 $; RBC Dominion Securities, 62 851 $ et Toronto-Dominion Securities, 40 000 $. Au nombre des autres importants donateurs pour le Parti libéral se trouvent le Rogers Group of Companies, 69 921 $; Bombardier inc., 62 884 $; La Brasserie Labatt ltée, 59 235 $; Northern Telecom ltée, 56 839 $; SNC-Lavalin inc., 53 705 $; Canadien Pacifique ltée, 48 159 $; et Imasco ltée, 43 423 $.

Les 100 plus grandes puissances économiques en 1995

Caractères ordinaires : PAYS — Caractères italiques : ENTREPRISES

Pays/Entreprise	PIB/Ventes (M $ US)	Pays/Entreprise	PIB/Ventes (M $ US)
1. États-Unis	6 648 013 $	27. *Sumitomo*	*167 662 $*
2. Japon	4 590 971 $	28. *Marubeni*	*161 184 $*
3. Allemagne	2 045 991 $	29. Danemark	146 076 $
4. France	1 330 381 $	30. Thaïlande	143 209 $
5. Italie	1 024 634 $	31. *Ford Motor*	*137 137 $*
6. Royaume-Uni	1 017 306 $	32. Hong Kong	131 881 $
7. Brésil	554 587 $	33. Turquie	131 014 $
8. Canada	542 954 $	34. Afrique du Sud	121 888 $
9. Chine	522 172 $	35. Arabie Saoudite	117 236 $
10. Espagne	482 841 $	36. *Toyota Motor*	*111 139 $*
11. Mexique	377 115 $	37. *Royal Dutch/Shell*	*109 853 $*
12. Fédération de Russie	376 555 $	38. Norvège	109 568 $
13. République de Corée	376 505 $	39. *Exxon*	*107 893 $*
14. Australie	331 990 $	40. *Nissho Iwai*	*97 963 $*
15. Pays-Bas	329 768 $	41. Finlande	97 961 $
16. Inde	293 606 $	42. *Wal-Mart*	*93 627 $*
17. Argentine	281 992 $	43. Pologne	92 580 $
18. Suisse	260 352 $	44. Ukraine	91 307 $
19. Belgique	227 550 $	45. Portugal	87 257 $
20. Autriche	196 546 $	46. *Hitachi*	*84 233 $*
21. Suède	196 441 $	47. *Nippon Tel and Tel*	*82 002 $*
22. *Mitsubishi*	*184 510 $*	48. *AT&T*	*79 609 $*
23. *Mitsui and Co.*	*181 661 $*	49. Israël	77 777 $
24. Indonésie	174 640 $	50. Grèce	77 721 $
25. *Itochu*	*169 300 $*	51. *Daimler-Benz*	*72 253 $*
26. *General Motors*	*168 829 $*	52. *IBM*	*71 940 $*

53. Malaisie	70 626 $	77. Pérou	50 077 $
54. *Matsushita Electric*	*70 454 $*	78. *Kanematsu*	*49 878 $*
55. *General Electric*	*70 028 $*	79. *Unilever*	*49 638 $*
56. Singapour	68 949 $	80. *Nestlé*	*47 767 $*
57. *Tomen*	*67 809 $*	81. *Sony*	*47 619 $*
58. Colombie	67 266 $	82. *Groupe Fiat*	*46 638 $*
59. *Mobil*	*64 767 $*	83. *Groupe VEBA*	*46 278 $*
60. Philippines	64 162 $	84. *NEC*	*45 593 $*
61. Iran	63 716 $	85. *Honda Motor*	*44 090 $*
62. *Nissan Motor*	*62 618 $*	86. *UAP — Union des Assurances*	*43 929 $*
63. *Groupe Volkswagen*	*61 487 $*	87. *Allianz Worldwide*	*43 486 $*
64. *Groupe Siemens*	*60 673 $*	88. Égypte	42 923 $
65. Venezuela	58 257 $	89. Algérie	41 941 $
66. *British Petroleum*	*56 992 $*	90. *Groupe Elf Aquitaine*	*41 729 $*
67. *Bank of Tokyo-Mitsubishi*	*55 243 $*	91. Hongrie	41 374 $
68. *Chrysler*	*53 195 $*	92. *Groupe Philips*	*40 146 $*
69. *Phillip Morris*	*53 089 $*	93. *Fujitsu*	*39 007 $*
70. *Toshiba*	*53 089 $*	94. *Industrial Bank of Japan*	*38 694 $*
71. Irlande	52 060 $	95. *Groupe Deutsche Bank*	*38 418 $*
72. Pakistan	52 001 $	96. *Groupe Renault*	*36 876 $*
73. Chili	51 957 $	97. *Mitsubishi Motors*	*36 674 $*
74. *Nichimen*	*50 882 $*	98. *Du Pont de Nemours*	*36 508 $*
75. Nouvelle-Zélande	50 777 $	99. *Mitsubishi Electric*	*36 408 $*
76. *Tokyo Electric Power*	*50 343 $*	100. *Groupe Hoescht*	*36 407 $*

Sources : Calculs effectués par Sarah Anderson et John Cavanagh de l'Institute for Policy Studies, à partir de données tirées de la revue *Forbes* et du *Rapport sur le développement mondial de 1996* de la Banque mondiale.

Nota : Les chiffres d'affaires des entreprises sont ceux de 1995 ; les PIB des pays sont ceux de 1994.

Annexe V

Traité de la domination des entreprises

L'Accord multilatéral sur l'investissement a pour but de renforcer la DOMINATION MONDIALE DES ENTREPRISES

[Le texte qui suit est un extrait de l'analyse préliminaire du projet officiel de l'AMI, que l'auteur de cet ouvrage a rédigée et qui a été publiée par le Centre canadien de politiques alternatives sous le titre : « The Corporate Rule Treaty ».]

En janvier 1997, les dirigeants gouvernementaux et les chefs des grandes entreprises des pays membres de l'Organisation de coopération et de développement économiques (OCDE) recevaient un projet de texte confidentiel intitulé « Accord multilatéral sur l'investissement : texte et commentaire ». Des consultations et des négociations secrètes ont eu lieu à huis clos au siège de l'OCDE, à Paris. L'intention première était de soumettre un texte pour approbation à la réunion des ministres de l'OCDE, qui devait avoir lieu en mai 1997. Cependant, par la suite, les représentants de l'OCDE ont déterminé qu'il faudrait au moins quatre ou cinq mois de plus, peut-être même huit ou dix, pour que les négociations aboutissent.

Si les pays de l'OCDE adoptent ce projet d'Accord multilatéral sur l'investissement, ils poseront les premières pierres d'une nouvelle structure économique mondiale. Même si, au départ, l'AMI ne s'appliquera qu'aux pays membres de l'OCDE, le traité contiendra une clause d'adhésion permettant aux pays non membres d'y adhérer, à certaines conditions. Les États-Unis ont ainsi entre les mains les outils nécessaires en vue de mettre au point un traité d'investissement « haut de gamme », d'envergure mondiale, sans risquer que des négociations prolongées, entreprises par l'intermédiaire de l'Organisation mondiale du commerce, viennent leur en imposer une version édulcorée.

L'AMI est conçu de façon à établir un ensemble totalement nouveau de règles mondiales sur l'investissement qui accorderont aux entreprises transnationales le « droit » et la « liberté » sans restriction de procéder à tout achat et à toute vente ou de déménager leurs activités quand elles le veulent et où elles veulent dans le monde, sans ingérence gouvernementale.

On pourrait dire que l'ALENA est l'ancêtre de l'AMI. On retrouve dans le projet de l'AMI un grand nombre des modalités initialement incluses dans le code d'investissement de l'ALENA. Même certaines mesures que l'on avait rejetées au cours des négociations finales de l'ALENA sont réapparues dans le traité d'investissement de l'OCDE. *À présent, les 29 pays de l'OCDE sont sur le point d'adopter un code d'investissement ALENA-plus et de préparer ainsi le terrain à la signature d'un traité d'investissement mondial au XXIe siècle.*

Cette nouvelle constitution mondiale n'est sûrement pas conçue pour que les gouvernements démocratiquement élus fassent respecter les droits et libertés des peuples de la terre. Bien au contraire, *il s'agit là d'une charte des droits et libertés à l'usage exclusif des sociétés, d'une charte que garantiront les gouvernements nationaux et qui favorisera la concurrence et l'investissement transnationaux rentables. Elle a pour but de protéger les entreprises, pas les citoyens.* En vérité, avec cette nouvelle constitution mondiale, les pouvoirs des entreprises transnationales supplanteront largement les droits des citoyens et les pouvoirs des gouvernements eux-mêmes.

Ce n'est pas un hasard si les États-Unis, fortement appuyés en cela par le gouvernement libéral du Canada, ont choisi l'OCDE pour y établir un traité d'investissement mondial « haut de gamme » à l'intention des multinationales. *Après tout, 477 des 500 plus grandes entreprises mondiales, soit 95,4 % d'entre elles, sont établies dans les 29 pays membres de l'OCDE.*

Dans les faits, *l'AMI est une déclaration qui confirme la domination des grandes entreprises mondiales.* En tant que tel, il est conçu pour mettre en valeur, à l'échelle mondiale, *les droits, le pouvoir et la sécurité politiques* des entreprises transnationales.

Ce qui suit est une analyse de l'AMI, vu sous ces trois dimensions propres au système de domination des entreprises. Cette analyse est basée sur le projet d'accord, daté du 13 janvier 1997. Il s'agit d'une analyse préliminaire. Pour comprendre en profondeur l'AMI et toutes ses retombées, il est absolument essentiel que des experts en matière de commerce en fassent une étude approfondie. Jetons néanmoins un coup d'œil sur l'ensemble de la question. (*Nota :* l'italique ne sert qu'à faire ressortir le texte.)

Les droits politiques

Les droits politiques des entreprises ne datent pas d'hier. Tout au long du xxᵉ siècle, celles-ci ont acquis tout un éventail de droits politiques, en vertu du droit international et du droit commercial à l'intérieur des pays. En fait, dans la plupart des pays, on a reconnu aux entreprises le statut de « personne » et de « citoyen » bien avant de l'accorder aux femmes et aux peuples autochtones. À l'heure actuelle, il existe un large droit commercial servant à reconnaître et à protéger les droits de propriété et les activités des grandes entreprises.

Les nouveaux régimes de libre-échange (par exemple, l'ALE, l'ALENA, l'OMC) sont ensuite venus renforcer cet appareil juridique en assurant une protection constitutionnelle aux droits et libertés des entreprises transnationales. La promulgation de l'AMI, dans sa forme actuelle, consolidera davantage et augmentera les droits politiques des entreprises. Voici pourquoi :

1. L'AMI a pour but de codifier un ensemble de droits spécialement adaptés aux entreprises en tant qu'investisseurs. Dans ce projet de texte officiel, on considère les entreprises comme des investisseurs ayant un statut juridique équivalent à celui des parties contractantes, en l'occurrence les États-nations membres de l'OCDE. Ce qui signifie que les entreprises transnationales seront traitées comme si elles avaient un statut juridique et des droits politiques égaux à ceux des États membres. Certaines

délégations vont même jusqu'à proposer que *l'AMI applique la même définition aux investisseurs (c'est-à-dire les entreprises) et aux parties contractantes (c'est-à-dire les gouvernements).* Qui plus est, les dispositions prévoyant l'admission et le séjour temporaires d'investisseurs et de personnel clé qui investissent un important capital servent à reconnaître aux entreprises des droits de citoyens d'une classe supérieure.

2. L'AMI cherche à étendre les droits d'investissement des entreprises en donnant un sens beaucoup plus large à cette notion d'investissement. L'AMI entend par ce terme « tout genre d'actif détenu ou contrôlé [...] par un investisseur ». La définition s'étend à « une entreprise [...] à but lucratif ou non », aux « droits dans le cadre de contrats » et aux « droits de propriété intellectuelle » ainsi qu'aux « droits conférés en vertu de la loi ou d'un contrat » (par exemple, concessions, licences, autorisations et permis). Le terme englobe même « les biens immobiliers et autres biens matériels ou immatériels [...] acquis en prévision d'un avantage économique ou à d'autres fins commerciales ou utilisés en ce sens ». Autrement dit, *les droits des investisseurs ou des spéculateurs seront également enchâssés dans ce traité.* En outre, le traité inclut les « investissements de portefeuille » (fonds propres, créances et obligations d'entreprise), soit précisément le type d'investissement qui a contribué à la crise du peso mexicain.

3. En vertu des dispositions de l'AMI relatives au « traitement national » et à « la nation la plus favorisée », les entreprises ou les investisseurs étrangers se verront accorder des droits et des privilèges spéciaux. Non seulement les gouvernements devront accorder aux entreprises étrangères un traitement « non moins favorable » que celui qu'elles réservent aux entreprises de leur propre pays, mais ce traitement devra inclure « l'égalité des chances dans la concurrence ». Étant donné que la norme d'un traitement « non moins favorable » s'appliquera, les pays *pourront traiter les entreprises étrangères mieux que les entreprises de leur propre pays.* Qui plus est, les gouvernements nationaux n'auront pas le droit d'imposer de critères de rendement sur l'investissement des entreprises étrangères (nature des emplois, quotas d'importation ou d'exportation, transferts de technologies, achats sur place, etc.). *Même s'il impose de tels critères de rendement aux entreprises du pays, un gouvernement national ne pourra les appliquer aux entreprises étrangères.*

4. En plus de codifier les droits de propriété, allant des droits des

société pétrolières sur les ressources en hydrocarbures jusqu'à toutes les formes de droits sur la propriété intellectuelle (par exemple, brevets, droits d'auteur, conception industrielle, secret commercial), l'AMI préconise le droit à la libre circulation des capitaux. Le texte indique que toutes les délégations ont été d'accord pour considérer que le libre transfert des profits de l'investissement était crucial pour la protection des investisseurs. Par conséquent, aucun gouvernement n'aura le pouvoir d'imposer des restrictions sur le rapatriement, au siège social, des profits générés dans le pays hôte. Il est également entendu que l'AMI devra « procurer aux investisseurs la garantie absolue d'une indemnisation pour tout investissement faisant l'objet d'une expropriation ». Cela pourra inclure des investissements constitués de droits sur la propriété intellectuelle. Même des mesures fiscales imposées aux sociétés non conformes peuvent être vues comme une « expropriation larvée » *pour laquelle les entreprises seraient en droit d'exiger une indemnisation.*

5. Ces droits d'investisseurs détenus par les grandes sociétés seraient applicables sur tous les territoires politiques, par tous les ordres de gouvernement des pays signataires de l'AMI. Bien que l'on n'ait pas énoncé en détail la façon dont l'AMI s'appliquera aux ordres de gouvernement infranationaux, l'ensemble du texte indique clairement que tous les ordres de gouvernement (fédéral, provincial et municipal) devront respecter des aspects importants des règles d'investissement. De plus, l'AMI reconnaît aux entreprises le droit de poursuivre en justice les gouvernements ou les États et propose, à cette fin, un *mécanisme contraignant de règlement des différends entre l'État et les investisseurs* (voir ci-dessous). Alors que les gouvernements ont la possibilité de poursuivre d'autres gouvernements en vertu des procédures de règlement des différends entre États, ce droit réciproque ne leur est pas accordé quand il s'agit *de poursuivre les entreprises au nom de leurs citoyens.* Ainsi, l'inclusion du mécanisme de règlement des différends entre États et investisseurs amplifie grandement les droits politiques des entreprises.

En fait, le projet de l'AMI vise *un transfert massif des « droits » des citoyens vers les investisseurs* dans la nouvelle économie mondiale. Dans le monde entier, des gens estiment que les gouvernements ne protègent pas leurs droits démocratiques fondamentaux de citoyens (garantis dans la Déclaration universelle des droits de la personne) ni les droits écologiques de la planète (énoncés dans la Charte de la Terre signée lors du Sommet de Rio sur l'environnement). *Au même moment, des traités sur le commerce et l'investissement, tel l'AMI, qui sont devenus les nouvelles structures économiques mondiales, garantissent les droits et libertés des multinationales.* L'équilibre des forces qui a basculé de façon radicale en faveur des grandes entreprises, et ce au détriment des gouvernements, vient encore accentuer ce transfert des droits.

Le pouvoir politique

Encore une fois, tout le monde connaît l'immense pouvoir politique qu'exercent les multinationales sur l'adoption, par les États-nations, de stratégies économiques, sociales et écologiques. Grâce à leurs groupes de recherche et à leur mécanisme de lobbying et de promotion politiques, les entreprises font virtuellement la pluie et le beau temps pour tout ce qui touche les questions politiques de l'heure. La formation de coalitions (par exemple, la Business Round Table, aux États-Unis, et le Conseil canadien des chefs d'entreprises, au Canada) permet aux entreprises d'adopter une approche beaucoup plus systémique et coordonnée afin d'influencer les décisions politiques qui se prennent dans les capitales des États-nations du monde entier.

Ces approches et d'autres mesures connexes comme la privatisation et la déréglementation ont modifié de façon radicale l'équilibre des pouvoirs entre les secteurs public et privé, et, de plus en plus, les entreprises prennent le dessus sur les gouvernements. L'AMI comporte un certain nombre de mesures qui ont pour but de renforcer le pouvoir politique des entreprises.

1. Même si l'AMI n'exige pas des gouvernements qu'ils privatisent les sociétés d'État, il imposera sans aucun doute des conditions plus contraignantes lorsque la propriété et le contrôle d'actifs publics seront transférés à des intérêts privés. L'accord exigera par exemple que *les clauses relatives au « traitement national » et à « la nation la plus favorisée » soient exécutoires dès les premiers stades de la privatisation et aux stades subséquents.* Ce qui revient à dire que, lorsqu'un gouvernement décide de privatiser une société publique, il doit autoriser les entreprises étrangères tout autant que les entreprises nationales à soumissionner. Même si le commentaire qui accompagne le texte laisse entrevoir que ce sujet ne fait

pas encore l'unanimité, l'AMI pourrait être une entrave pour les gouvernements désireux d'appliquer des « dispositions relatives aux actions » en vue d'inciter les travailleurs et les collectivités du pays à se porter acquéreurs de l'entreprise ou de mettre les actions en vente dans le grand public. Il est également entendu que ces nouvelles obligations s'appliqueront aux gouvernements provinciaux et municipaux tout comme au gouvernement fédéral.

2. L'AMI imposera également des contraintes aux gouvernements dans l'administration de leurs entreprises ou monopoles d'État. À l'avenir, ces sociétés publiques et ces monopoles d'État devront, pour exercer leurs activités réglementaires et commerciales, souscrire aux dispositions relatives au « traitement national ». Tous les achats et ventes de biens et services devront avoir un caractère « non discriminatoire ». L'interfinancement et les pratiques « anti-concurrentielles » seront interdits. Comme l'ALENA le prescrit déjà, les sociétés et monopoles d'État ne devront agir « que conformément à des considérations commerciales ». Par exemple, il pourrait être interdit, en vertu de ces dispositions, d'accorder un rabais sur la tarification de l'hydroélectricité et des services d'aqueduc offerts aux collectivités rurales. Le projet de l'AMI contient même une proposition visant à *interdire les monopoles d'État basés sur des « normes nationales »*. Répétons-le, il est prévu que ces contraintes et obligations s'appliquent aussi bien aux monopoles et entreprises d'État relevant de la compétence nationale, provinciale ou municipale.

3. L'AMI garantit que toutes les entreprises étrangères seront traitées « de façon juste et équitable et qu'elles bénéficieront en tout temps d'une totale sécurité ». « En aucun cas » les investisseurs étrangers ne recevront « un traitement moins favorable que ce que stipule le droit international ». De toute évidence, la réglementation sur l'expropriation dont nous avons parlé plus haut s'applique ici. *Aucun gouvernement ne sera autorisé, en vertu de ses mesures réglementaires, à* « porter atteinte [...] aux activités, à la gestion, au maintien, à l'utilisation, au droit de jouissance ou à l'aliénation des investissements sur son territoire » réalisés par des sociétés établies à l'étranger. Autrement dit, le rôle des gouvernements ne se résume pas à assurer la protection des actifs d'entreprises étrangères ; il doit également offrir un abri sûr à la concurrence et à l'investissement transnationaux rentables. Tout ce qui précède sert à établir fermement non seulement le pouvoir économique, mais surtout le pouvoir politique des

sociétés étrangères qui pourront, dès lors, exercer des pressions sur les gouvernements des pays hôtes.

4. Les gouvernements seraient également tenus de respecter certaines règles touchant les « incitations à l'investissement ». On parle notamment de contributions financières directes telles que des subventions, des prêts, des apports de capitaux, des garanties d'emprunts ainsi que des crédits fiscaux et la remise de dettes. Il subsiste encore des désaccords quant au degré de clarté de ce point dans le texte ; toutefois, il y a consensus sur les exigences relatives au « traitement national » et à « la nation la plus favorisée » qui s'appliqueraient à toutes ces « incitations à l'investissement ». Il est possible que, à la suite d'autres négociations dans le cadre de l'AMI, on élabore des règlements plus rigoureux sur la mise en application des incitations à l'investissement par les gouvernements. *Le plus spectaculaire à ce stade, c'est l'indication que des mesures fiscales pourraient être incluses, y compris les cotisations salariales pour les programmes sociaux.* Ce qui signifie qu'en vertu de l'AMI les gouvernements seraient tenus de respecter les règles du « traitement national » dans l'application des mesures et dégrèvements fiscaux à toutes les entreprises étrangères.

5. L'arme la plus puissante que l'AMI procure aux entreprises transnationales est peut-être le mécanisme de règlement des différends entre un investisseur et l'État. Contrairement à l'ALENA, qui accorde aux entreprises une marge de manœuvre beaucoup plus restreinte en matière de poursuites judiciaires, ce mécanisme donne aux entreprises le pouvoir de poursuivre directement les gouvernements pour toute *violation de l'AMI qui a (ou pourrait avoir) « un lien de causalité avec un préjudice subi par l'investisseur ou l'investissement »*. Il est aussi entendu que même *« une occasion perdue de tirer profit d'un investissement prévu constituerait un type de préjudice suffisant pour conférer à un investisseur le droit de soumettre un différend à l'arbitrage en vertu de cet article »*. Si une société met en cause un gouvernement, celui-ci est obligé (« consentement inconditionnel ») de se présenter devant les tribunaux. Les jurés des tribunaux ne rendront pas leur jugement en fonction des lois du pays hôte, mais en fonction des dispositions du traité d'investissement, c'est-à-dire de l'AMI. Tous les jugements rendus (prévoyant des dommages-intérêts compensatoires, la restitution ou « toute autre mesure correctrice ») sont « contraignants » et devront être exécutés au même titre que le jugement final d'un tribunal du pays. Dans une note de bas de page, on explique que cette

mesure a pour but d'éviter qu'un gouvernement s'oppose à l'exécution d'un jugement en arguant qu'il va à l'encontre de sa politique nationale.

Ces dispositions de l'AMI étendent encore le pouvoir des multinationales au détriment de celui des États-nations et des gouvernements nationaux. Cela ne signifie pas que les gouvernements nationaux vont se retrouver complètement impuissants, mais bien que, dans la nouvelle économie mondiale, leur pouvoir servira principalement à susciter un climat propice à des investissement et à une concurrence rentables. *Il faut prendre en main les rênes du pouvoir politique pour qu'il serve les « droits » des investisseurs, pas ceux des citoyens.* L'AMI renforcera cet usage sélectif du pouvoir gouvernemental.

La sécurité politique

Pour pouvoir mettre au point leurs stratégies d'investissement, les multinationales doivent avoir l'assurance que la stabilité et la sécurité politiques règnent dans le pays. Il convient de prendre les mesures qui procureront les conditions propices et l'abri sûr nécessaire à la concurrence et à l'investissement transnationaux rentables. Les entreprises transnationales considèrent qu'il appartient à l'État d'instaurer ce genre de sécurité politique, de façon qu'elles puissent exercer leurs droits et leurs pouvoirs politiques en toute liberté dans le nouveau système fondé sur la domination des entreprises.

C'est pourquoi il est important d'intégrer dans un accord d'investissement mondial, tel l'AMI, des mesures visant à assurer cette sécurité des entreprises. Certaines composantes dont nous avons parlé ci-dessus (par exemple, au point 3 de la section sur le pouvoir politique) sont prévues pour cela, mais l'AMI présente d'autres caractéristiques qui assument très bien cette fonction. En voici quelques exemples :

1. L'AMI comprend un ensemble de « clauses de démantèlement » conçues pour assurer en permanence aux entreprises transnationales des conditions propices à l'investissement. Toute mesure réglementaire prise par un État-nation qui n'est pas conforme aux principes et aux conditions de l'AMI sera affaiblie et ultérieurement abrogée. Les dispositions de démantèlement visent à faciliter ce processus de libéralisation. Les États contractants accepteraient de libéraliser certains éléments de leurs

régimes réglementaires dès l'entrée en vigueur de l'AMI. Bien que chaque pays participant ait le droit d'exempter un certain nombre de lois, de politiques et de programmes du champ d'application de l'accord, celui-ci limitera le recours à ces exemptions pour faire en sorte qu'elles ne s'appliquent pas à toutes les obligations imposées par le traité et qu'elles ne permettent pas à un pays de se soustraire aux obligations principales de l'AMI. Contrairement à d'autres ententes internationales, si un État contractant omet d'indiquer, en annexe à l'accord, toute réserve qu'il voudrait faire, toutes les lois de ce pays seront alors soumises à l'AMI. Il est probable que seuls certains types de réserve seront acceptables, et l'on s'attend à ce que les États contractants fixent des dates d'abrogation pour les lois, les politiques et les programmes « non conformes ».

2. Ce que l'on désigne par les mesures de « statu quo » de l'accord renforce à son tour ces clauses de « démantèlement ». En vertu des dispositions de « statu quo », l'État contractant accepterait de ne pas adopter, à l'avenir, une nouvelle loi, une nouvelle politique ou un nouveau programme « non conforme ». Cela revient à dire que si, dans les années qui viennent, un gouvernement voulait contrôler ou s'approprier un secteur de l'économie qui avait précédemment été privatisé, ou encore s'il voulait rétablir des règlements qui avaient été abolis dans le passé, en vertu de l'AMI, il lui serait interdit de le faire. Dans l'AMI, les clauses de « statu quo », en s'ajoutant aux clauses de « démantèlement », produisent un « effet d'entraînement » irréversible. Le projet d'accord stipule que « toute nouvelle mesure de libéralisation serait fixée pour de bon de façon qu'il soit impossible de l'abroger ou de l'annuler au cours des années ». Grâce à ces mesures, l'AMI est conçu de manière à faciliter l'expansion continuelle des droits d'investissement accordés aux sociétés.

3. En plus d'obliger les gouvernements à protéger les investissements futurs des sociétés (voir le point 3 de la section précédente), l'AMI pourrait inclure des dispositions visant à protéger les investissements existants. Il est proposé que les investissements effectués avant la signature de l'accord soient protégés en vertu de cet accord. Par contre, les différends qui pourraient surgir avant l'entrée en vigueur de l'accord ne pourraient pas être réglés selon le mécanisme de règlement des différends de l'AMI. Néanmoins, *les multinationales pourraient se servir de l'AMI pour faire respecter leurs droits d'investissement découlant d'autres accords d'investissement, notamment « tout contrat attribuant des droits relatifs à des ressources*

naturelles, à d'autres actifs ou à des activités économiques relevant de la compétence nationale ». En fait, l'AMI pourrait servir à faire respecter les contrats qui ne sont pas soumis à un arbitrage contraignant. En outre, il *garantit les droits et les pouvoirs des propriétaires absents,* permettant, par exemple, à une société britannique de présenter une revendication au Canada au nom de sa filiale canadienne.

4. *Le projet de l'AMI contient aussi des clauses qui protègent les entreprises des mesures gouvernementales dont elles pourraient faire l'objet en raison de leurs activités dans d'autres pays où elles violent les normes du travail, les règlements écologiques et les droits de la personne.* L'application des clauses relatives à « la nation la plus favorisée » empêcherait tout gouvernement de faire une distinction entre les entreprises transnationales qui serait basée sur ces normes. De même, les interdictions, sanctions ou embargos existants qui limitent l'investissement dans certains pays, en raison du non-respect des droits de la personne ou de pratiques de travail répressives, pourraient être contestés en tant que violations des règlements de l'AMI et par conséquent être révoqués. Par exemple, les restrictions appliquées par le Canada et les États-Unis aux investissements en Afrique du Sud, qui ont contribué à la chute de l'apartheid, seraient interdites en vertu des règlements de l'AMI, si ces deux pays signaient l'accord. Les sections qui traitent des « boycotts secondaires d'investissements » et des « obligations contradictoires » existent pour protéger le droit et la liberté des entreprises d'exercer leurs activités dans d'autres pays, quels que soient leurs antécédents en matière de travail, d'environnement et de droits de la personne, à moins que ces pays n'enfreignent directement le droit international.

5. La mesure peut-être la plus surprenante que propose le projet de l'AMI pour assurer une sécurité politique aux investisseurs est la clause traitant du « retrait ». Les États contractants devront attendre cinq ans après la date de l'entrée en vigueur de l'accord pour pouvoir le dénoncer. En plus, il est proposé que les règlements de l'AMI continuent de s'appliquer pendant 15 autres années aux investissements existant dans un pays. Autrement dit, une fois qu'un pays a ratifié l'accord, il en est virtuellement prisonnier pendant 20 ans. *En vertu de cette disposition, toutes les entreprises établies dans le pays contractant auront la garantie absolue que les règles d'investissement de l'AMI seront en vigueur pendant au moins 20 ans.* En outre, on trouvera dans la clause d'adhésion les modalités visant à

ouvrir l'AMI aux pays non membres de l'OCDE. Évidemment, un des termes clés sera l'acceptation sans condition des règles d'investissement ratifiées par les pays de l'OCDE ayant adhéré les premiers à l'accord. Tout amendement à l'AMI devrait être ratifié par toutes les parties.

* * *

Vu sous l'angle de ces trois dimensions fondamentales, les droits, le pouvoir et la sécurité politiques, l'AMI consoliderait et enchâsserait le système de domination des entreprises qui se fait jour dans la nouvelle économie mondiale. Si les pays membres de l'OCDE ratifient l'AMI, cela aura pour effet de renforcer énormément le pouvoir des multinationales et d'affaiblir en même temps le pouvoir des États-nations. De plus en plus, le rôle des gouvernements démocratiquement élus se résumera à élaborer et à mettre en application des politiques économiques, sociales et écologiques qui serviront les intérêts des multinationales plutôt que les intérêts plus vastes de leurs propres citoyens.

Alors, à quoi peut-on s'attendre au Canada? Dans un certain sens, l'ALE et l'ALENA nous ont déjà submergés d'un grand nombre de dispositions équivalant à celles de l'AMI. Mais celui-ci inclura plusieurs autres mesures qui permettront aux grandes sociétés de resserrer l'emprise qu'elles exercent déjà sur la prise de décisions politiques dans notre pays. Qui plus est, l'AMI instaurera des règles d'investissement qui seront favorables non seulement aux entreprises américaines et mexicaines, mais également à celles des 26 autres pays membres de l'OCDE. Et ce n'est qu'un début. *L'AMI est là pour ouvrir la voie à la signature d'un traité d'investissement mondial devant être conclu dans le cadre de l'OMC.*

Dans les milieux bien informés de Washington, des rumeurs ont circulé selon lesquelles les États-Unis pourraient ajouter à l'AMI des ententes connexes sur le travail et l'environnement. Cependant, le plus important groupe de pression représentant les grandes entreprises dans le dossier de l'AMI, le U.S. Council for International Business (USCIB), a envoyé un avertissement sévère au gouvernement Clinton, l'invitant à renoncer à ce projet.

« L'AMI est un accord signé par les États pour protéger les investisseurs internationaux et leurs investissements et pour libéraliser les régimes d'investissement », déclare le président du USCIB dans sa lettre du 21 mars 1997 adressée à des hauts fonctionnaires américains. « *Nous nous opposerons à toute mesure visant à ajouter implicitement ou explicitement des obligations contraignantes, relatives à l'environnement ou au travail, pour les États ou les entreprises.* »

Pour les Canadiens, il existe un vrai danger que l'AMI, comme l'OMC, passe en douce et soit ratifié sans que personne ne se rende vraiment compte des répercussions et des conséquences néfastes qu'il entraînera. Si nous voulons sauvegarder un semblant de démocratie au Canada, nous devons prendre des mesures concertées pour nous opposer à cette dernière et définitive capitulation devant la domination des entreprises.

Coup d'œil sur les répercussions de l'AMI au Canada

Au Canada, l'AMI aura des répercussions directes sur les questions relatives à au moins une dizaine de politiques nationales importantes. Il nous est impossible de les traiter toutes, mais nous allons examiner brièvement cinq d'entre elles*.

* Nota : Parmi les autres questions directement touchées, on trouve : la politique fiscale, l'agriculture, les services publics, le développement régional, les territoires autochtones et les droits de la personne (en ce qui a trait aux activités des entreprises canadiennes à l'étranger).

Création d'emplois

L'AMI imposera d'autres contraintes aux gouvernements actuels et futurs, à Ottawa et dans les provinces, qui voudraient mettre sur pied une vaste stratégie de création d'emplois, par exemple :

• N'ayant pas le droit d'imposer aux sociétés étrangères d'exigences de rendement quant à leurs activités, les gouvernements n'auront pas le droit de demander des garanties d'emploi ou d'autres avantages économiques aux investisseurs.

• En ce qui a trait à l'emploi, une disposition stipule que l'AMI devrait empêcher l'application de quotas nationaux d'emploi ou de normes relatives au marché du travail (besoins économiques).

• Si l'on venait à amender la *Loi sur les banques* afin de s'assurer que les cinq grandes banques nationales consacrent davantage de prêts au développement économique local, l'AMI pourrait invalider un tel amendement.

• Les outils politiques qu'Ottawa possède encore pour réorienter les investissements vers les régions pauvres seraient probablement éliminés.

• Les restrictions imposées par l'AMI relativement au transfert de technologies limitent énormément la capacité d'Ottawa de veiller à ce que des efforts de recherche et développement adéquats soient déployés pour favoriser l'essor économique du Canada. L'ALENA nous a permis d'observer l'effet de certaines de ces restrictions ; toutefois, l'expansion de ces règles d'investissement à d'autres pays industrialisés multipliera les contraintes quant aux options qui seront à la disposition d'Ottawa à l'avenir.

Protection culturelle

L'AMI pourrait avoir, sur la protection de la culture canadienne, des répercussions plus graves que celles de l'ALENA, de l'OMC ou de tout autre outil de mondialisation connu jusqu'à présent.

• Les dispositions concernant les droits sur la propriété intellectuelle (par exemple, les lois sur les droits d'auteur) auront des répercussions sur le milieu culturel. Même si l'ALENA nous impose déjà ces restrictions, n'oublions pas que nous avons affaire ici à l'ensemble des pays industrialisés.

• En vertu de l'AMI, le Canada ne pourrait pas utiliser les crédits d'impôt pour aider les industries implantées dans le secteur culturel canadien.

• La France, peut-être avec l'appui du Canada, a proposé que les œuvres littéraires et artistiques ne soient pas soumis à l'AMI (ce à quoi s'opposeront probablement les États-Unis).

• Si la culture ne fait pas l'objet d'une exemption, il sera impossible de protéger les « produits éducatifs canadiens ».

• En vertu des dispositions de « démantèlement », le Canada peut tenter de préserver ses lois restreignant les investissements étrangers dans les revues canadiennes, mais il peut être appelé à établir un échéancier prévoyant une participation plus importante du capital étranger, à moins qu'il ne se voie contraint d'abroger tout simplement ces lois (effet d'engrenage).

Soins de santé publics

Avec l'AMI, les pressions vont s'intensifier pour tenter de transformer le système public canadien de soins de santé en un régime à deux vitesses.

• L'AMI pourrait permettre de contourner chacune des réserves ou des exemptions, déjà très restreintes (symboliques), concernant les soins de santé publics qui sont incluses dans le GATT ou l'ALENA (la seule exemption vraiment permise en vertu de l'AMI concerne la « sécurité nationale »).

• Les clauses de l'AMI qui portent sur les restrictions imposées aux gouvernements au sujet des « droits à la privatisation » et des « sociétés et monopoles d'État » pourraient jouer un rôle essentiel dans la mise en place d'un régime de santé à deux vitesses au Canada.

• Le fait que les cotisations sociales et les contributions à la sécurité sociale doivent être incluses dans la définition de la fiscalité consignée dans l'AMI, en ce qui a trait aux règles d'investissement à venir, pourrait également avoir des répercussions graves sur les soins de santé.

Mesures de protection de l'environnement

Il est très probable que les règles d'investissement de l'AMI vont faire accélérer le processus actuel de déréglementation de l'environnement, ainsi que l'affaiblissement des normes et des mesures de protection de l'environnement.

• Les dispositions qui, dans l'ALENA, exigent que les gouvernements ne fassent pas un usage arbitraire ou injustifiable des mesures relatives à l'environnement ou qu'ils ne les utilisent pas pour restreindre, de façon détournée, l'accès au commerce et à l'investissement s'appliqueront, en vertu de l'AMI, à tous les pays de l'OCDE.

• Dans le cadre des dispositions relatives aux produits d'investissement, il est probable que les entreprises s'opposeront de plus en plus à la réglementation sur l'environnement qui s'applique à la production. La cause portée devant les tribunaux par la société Ethyl Corp. Canada contre le gouvernement canadien au sujet de l'interdiction d'utiliser du MMT (additif au carburant contenant du manganèse) en est un exemple.

• Les dispositions relatives aux droits de propriété intellectuelle, qui accordent une protection complète aux brevets, entreront certainement en conflit avec les dispositions de la Convention sur la biodiversité.

• L'AMI ne protège pas l'achat de terres en vue de leur préservation et de leur conservation ; pourtant, « *il protège* » une entreprise forestière qui achète une forêt tropicale à des fins d'exploitation commerciale.

• Les sections traitant des droits relatifs aux concessions, aux licences et aux autorisations ont des conséquences graves pour les gouvernements qui tentent de réglementer les activités des entreprises exploitant des ressources naturelles sur leur territoire.

Politiques consitutionnelles

Les règles d'investissement établies par l'AMI touchent de très près les mouvements fédéraliste et souverainiste qui s'affrontent dans l'actuel débat constitutionnel ; elles ont également des retombées pour les Premières Nations et les provinces elles-mêmes.

• Les souverainistes devraient être circonspects à l'égard de l'AMI (à la négociation duquel l'actuel gouvernement du Québec ne participe pas), car cet accord risque d'empêcher tout futur gouvernement d'établir les orientations visant à faire du Québec un État indépendant.

• Les fédéralistes devraient être tout aussi prudents, car à peu près toutes les dispositions négociées dans le cadre de l'AMI seront applicables aux gouvernements infranationaux (qui, eux non plus, n'auront pas pris part aux négociations).

• Les Premières Nations, quant à elles, devraient savoir que les entreprises, bien plus que les gouvernements, pourraient mettre en péril leurs droits à l'autonomie gouvernementale et au contrôle de leurs territoires et de leurs ressources.

Enfin, n'oublions pas de souligner que l'élargissement des droits des entreprises, de leurs pouvoirs et de la protection dont elles bénéficient pourrait menacer (directement ou indirectement) bien d'autres politiques et programmes publics du Canada. Parmi ceux-ci, mentionnons le régime d'imposition des sociétés, les offices de commercialisation des produits agricoles, d'autres services publics, des programmes de développement régional, les droits des autochtones, le contrôle économique étranger au Canada et les droits de la personne, surtout en ce qui concerne la capacité de réglementer les activités des sociétés canadiennes à l'étranger.

Table des matières

MISE EN PAGES ET TYPOGRAPHIE :
LES ÉDITIONS DU BORÉAL

ACHEVÉ D'IMPRIMER EN FÉVRIER 1999
SUR LES PRESSES DE L'IMPRIMERIE AGMV MARQUIS
À CAP-SAINT-IGNACE (QUÉBEC).